KB183561

제인 에어 1

옮긴이 나선숙

이화여자대학교 사회사업학과, 성균관대학교 번역대학원을 졸업하고 현재 전문 번역가로 활동 중이다. 옮긴 책으로는 《애널리스트》, 《블랙리스트》, 《캘리포니아 걸》, 《셰익스피어 이야기》, 《두려움은 없다》, 《네 안의 에베레스트를 정복하라》, 《헬로우 미세스 루스벨트》, 《게으름뱅이 아내의 고백》 등이 있다.

제인 에어 1

개정 1쇄 펴낸 날 2020년 12월 1일
개정 2쇄 펴낸 날 2021년 1월 30일

지은이 샬럿 브론테
옮긴이 나선숙
펴낸이 장영재
펴낸곳 (주)미르북컴퍼니
자회사 더클래식
전 화 02)3141-4421
팩 스 02)3141-4428
등 록 2012년 3월 16일(제313-2012-81호)
주 소 서울시 마포구 성미산로32길 12, 2층 (우 03983)
E-mail sanhonjinju@naver.com
카 페 cafe.naver.com/mirbookcompany

* (주)미르북컴퍼니는 독자 여러분의 의견에 항상 귀 기울이고 있습니다.
* 파본은 책을 구입하신 서점에서 교환해 드립니다.
* 책값은 뒤표지에 있습니다.

제인 에어 1

샬럿 브론테 지음 | 나선숙 옮김

더클래식

| 차례 |

두 번째 판본의 기록

《제인 에어》 첫 판본에는 머리말이 필요치 않았다. 하지만 이 두 번째 판본에는 감사 인사와 더불어 몇 마디 인사를 덧붙여야 할 것 같다.

먼저 대중에게 감사드린다. 젠체하는 보잘것없는 이야기에 너그러이 귀를 기울여 주신 여러분에게 감사한다.

다음으로 언론에게 감사드린다. 이름 없는 작가 지망생에게 공정한 참여의 장을 열어 주신 데 대해 감사한다.

마지막으로 이 책을 출판해 주신 관계자들에게 감사드린다. 솔직한 너그러움과 기지와 활력과 현실 감각을 가지고, 추천하는 이 없는 무명작가에게 도움을 베풀어 준 데 대해 감사한다.

하지만 언론과 대중은 나에게 막연한 대상이라서, 막연하게 감사할 수밖에 없다. 반면에 내 책을 출판해 주신 분들은 좀 더 확실하다. 넓은 아량과 고매한 정신으로, 악전고투하는 이 이방인을 격려해 주셨던 관대한 비평가들에게도 감사드린다. 이 책의 출판 관계자들과 몇몇 평론가들에게 "여러분, 진심으로 감사합니다."라고 고개 숙여 인사드린다.

이렇게 나를 도와주고 인정해 주신 분들에게 진 빚을 인정하며, 나는 또 다른 부류에게로 눈을 돌린다. 내가 아는 한 얼마 되지는 않지만, 그렇다고 간과해서도 안 되는 이들이다. 이 책의 의도를 의심하며 사소한 걸로 트집 잡기 좋아하는 소수를 가리키는 말이다. 그들은 자신들의 눈에 유별나 보이는 것은 뭐든지 잘못이라고 여겼고, 편협한 신앙에 반대하는 한 마디 한 마디에 날을 세웠다. 그들은 스스로 하느님의 대리인이 되어 이 땅을 지배하는 종교적인 믿음을 모독하는 요소들을 찾아내는 데 온 힘을 기울였다. 그런 회의주의자들을 명확히 따로 구분하여, 나는 그들에게 단순한 진리를 일깨워 주고자 한다.

인습을 존중하는 것은 도덕이 아니다. 독선 역시 종교가 아니다. 맨 앞을 공격하는 것은 맨 뒤를 습격하는 것과 같지 않다. 바리새인의 얼굴에서 가면을 뜯어낸다고 해서 그것을 가시 면류관에 불경한 손을 올리는 행위라고 볼 수는 없다.

오히려 이런 일과 행동들은 정반대의 것이다. 미덕과 죄가 다르듯이 엄연히 다른 별개의 것이다. 사람들은 이 점을 자주 혼동하고 있다. 그런 식으로 혼동해서는 안 된다. 겉으로 보이는 것을 진실로 착각하면 안 된다. 소수를 의기양양하게 하고 과장하는 역할에만 그치는 옹졸한 인간의 교리들이, 세상을 구속하는 그리스도의 교의를 대체해서는 안 된다. 다시 말하지만 이 둘 사이에는 차이가 있다. 그 사이의 경계선을 명확하게 표시하는 것은 나쁜 짓이 아니라 선한 일이다.

세상은 이런 개념들을 혼합하는 데 익숙하기 때문에, 이 둘을 별개로 분리하는 게 불편할지도 모르겠다. 하얗게 칠한 벽을 보고 정결한 성소라고 생각하듯이 외적인 모습만을 보고 진정한 가치를 판단하고 싶어 한다. 세상은 철저히 파고들어 속을 파헤치고 지하 무덤을 열어 납골당의 유골들을 드러내려 하는 자를 미워할 수 있다. 그래도 세상은 그에게 빚을 지고 있다.

아합은 자신에 대해 불길한 예언을 했다는 이유로 미가야를 탐탁해 하지 않았다. 아마 그나아나의 아들 시드기야를 더 마음에 들어 했을 것이다. 그러나 아합이 아첨하는 말에 귀를 틀어막고 성실한 조언에 귀를 열었더라면 피 흘리며 죽는 일은 면했을 것이다.

우리 시대에도 예민한 귀를 기쁘게 하는 데 급급해하지 않고 거침없이 말하는 사람들이 있다. 권좌에 앉은 유다와 이스라엘의 왕들 앞에 나아간 이믈라의 아들 미가야처럼 사회의 높으신 분들에게 예언자 혹은 생명 기관이 지닌 것과 같은 힘으로 두려움 없이 담대하게 진실을 말하는 이가 있다. 고위층 인사 중에《허영의 시장》을 쓴 풍자 작가 새커리에게 감탄했던 사람이 있을까? 나로서는 알 수 없는 일이다. 그러나 작가가 풍자라는 그리스 화약을 던지고 비난의 전광 낙인을 뿌릴 때, 그들 가운데 몇몇이라도 그의 경고를 제때 받아들인다면 그들이나 그들의 후손이 치명적인 길르앗 라못 전투에서 맞는 운명을 피할 수 있을지 모른다.

내가 왜 이 풍자 작가 새커리를 언급했겠는가? 독자여, 내가 그를 언급한 이유는 그 시대 사람들이 알아차린 것보다 그가 훨씬 깊이 있고 특별한 지성인이었기 때문이다. 그는 그 시대 최초의 사회 개혁가이자 뒤틀린 체계를 똑바르게 복구하는 실행 군단의 지도자였다. 아직까지 그에게 어울리는 비유와 그의 재능을 적절하게 기술하는 용어를 찾아낸 평론가는 없었다고 생각한다. 그의 위트, 유머, 희극적인 능력을 거론하며, 그가 헨리 필딩과 비슷하다고 말하는 사람도 있다. 독수리와 대머리수리가 닮지 않은 것처럼 그와 헨리 필딩도 닮지 않았다. 필딩은 썩은 고기에 덤벼들지만, 새커리는 결코 그렇지 않다. 그의 위트는 명석하고 그의 유머는 매력적이지만, 그것이 그의 진지한 천재성과 관련된 정도는 여름철 구름의 끄트머리 아래서 희미하게 아큰거리는 막전(莫電)과 그 핵심에 숨은 전기적인 죽음의 불꽃만큼이나 멀다. 마지막으로 내가 새커리를 언급한 이유는, 전혀 모르는 이 사람의 찬사를 받아들여 준다면 그에게 《제인 에어》의 이 두 번째 판본을 바치고 싶기 때문이다.

커러 벨(샬럿 브론테의 필명-이는 남자 이름으로 당시의 남성 우위 사회에 들어가기 위한 브론테의 고육지책이었다고 한다)

1847년 12월 21일

세 번째 판본의 기록

《제인 에어》의 세 번째 판본이 다시 대중에게 한마디 할 수 있는 기회를 주었으므로, 나는 이참에 소설가라는 직함에 대한 나의 권리가 오로지 이 작품에만 해당됨을 설명하고자 한다. 따라서 다른 소설 작품에 내 이름이 등재된다면, 그것은 정당한 곳에 돌아가야 할 명예가 부적절한 곳에 주어진 것임을 밝힌다.

이 설명은 이미 행해졌을지도 모르는 잘못들을 수정하고, 미래의 실수를 예방하는 데 도움이 될 것이다.

커러 벨

1848년 4월 13일

제1장

산책하는 게 가능하지 않은 날이었다. 아침에는 잎이 다 떨어진 관목 숲을 한 시간쯤 걸었지만, 저녁 식사 후에는(손님이 없는 날이면 리드 부인은 일찌감치 식사했다) 매서운 겨울바람이 아주 칙칙한 구름과 세찬 비를 몰고 왔기 때문에 더 이상의 야외 운동이 가당치 않았다.

내게는 다행스러운 일이었다. 오랫동안 산책하는 것을 원래 좋아하지 않았고, 특히 쌀쌀한 오후에 산책하는 것은 더 싫었다. 으스스한 황혼 녘에 손가락과 발가락이 얼어붙은 채, 유모 베시의 잔소리를 듣고 있자면 마음이 한없이 우울해졌다. 게다가 엘리자와 존과 조지아나 리드에 비해 내 몸이 얼마나 형편없는지를 의식하며 집으로 돌아오는 길에는 항상 초라한 기분에 빠지곤 했다.

엘리자와 존과 조지아나는 지금 응접실에서 자기 엄마를 둘러싸고 모여 있다. 사랑스러운(한동안은 싸우거나 울지 않는) 아이들에게 에워싸여 난롯가 소파에 기대 누운 리드 부인은 더할 나위 없이 행복해 보였다. 나는 그 무리에 낄 수 없다. 리드 부인은 이렇게 말했었다.

"유감이지만 나는 너를 멀리해야 할 것 같다. 좀 더 싹싹하고 순한 성질과 쾌활한 태도를 지니도록 노력해라. 네가 좀 더 발랄하고 솔직하고, 그러니까 좀 더 자연스러운 태도를 익히기 위해 진지하게 애쓰고 있다는 말을 베시에게 전해 듣거나 내가 직접 보기 전까지는 진정으로 만족스럽고 행복한 아이들만이 누리는 특권을 너에게 줄 수 없구나."

"베시가 뭐라고 했는데요?"

내가 물었다.

"제인, 나는 트집 잡거나 캐묻는 아이를 좋아하지 않아. 더구나 아이가 그런 식으로 어른 말을 가로채면 안 되는 거다. 아무 데나 가서 조용히 앉아 있어. 기분 좋게 말할 수 있을 때까지 말이야."

나는 응접실에 연결되어 있는 작은 거실로 들어갔다. 거기에는 책장이 있었다. 나는 곧 그림이 많은 책 한 권을 골랐다. 그러고는 창 밑에 있는 의자로 가서 터키인처럼 발을 모아 책상다리를 하고 앉았다. 빨간 모직 커튼을 바짝 잡아당기자 완벽한 이중 은신처가 만들어졌다.

오른쪽으로는 주홍색 커튼 주름이 시야를 가려 주었고, 왼쪽으로는 깨끗한 창유리들이 나를 보호했다. 하지만 내게서 쓸쓸한 11월의 날씨를 차단한 것은 아니다. 나는 책장을 넘기며 가끔씩 그 겨울 오후의 풍경을 내다보았다. 멀리 안개와 구름이 뿌연 공백을 이루고 있었다. 가까이는 젖은 잔디와 폭우에 시달리는 관목 사이의 공간으로 끝없이 내리는 빗줄기가 길고 을씨년스러운 돌풍에 세차게 휩쓸리고 있었다.

나는 책으로 시선을 돌렸다. 뷰윅의 《영국 조류사》였다. 본문의 설명에는 별로 관심이 가지 않았지만 서론만은 어린 나로서도 무심하게 넘겨 버릴 수 없었다. 거기에는 바닷새의 서식지들이 적혀 있었다. 그들만이 거주하는 외로운 바위와 벼랑들, 남쪽 끝머리의 린드니스,

또는 네이즈에서부터 노스 케이프에 이르기까지 작은 섬들이 산재해 있는 노르웨이 해안…….

거대하게 소용돌이치는 북해가,
세상 북쪽의 벌거숭이 슬픈 섬들에
파도치고, 대서양의 큰 물결이
폭풍우 치는 헤브리디스 제도에 쏟아진다.

라플란드, 시베리아, 스피츠베르겐, 노바 젬블라, 아이슬란드, 그린란드의 황량한 해안들이 나오는 부분도 그냥 지나칠 수 없었다.

"그곳에는 북극권의 광활한 벌판과 삭막하게 버려진 지역들이 펼쳐져 있다. 수백 년의 겨울이 알프스 산처럼 높이 더 높이 쌓아 올려 눈과 얼음의 저장지로 만들어 버린 단단한 얼음 벌판들이 극지를 에워싸며 혹한의 몇 배나 되는 혹독함을 집중시킨다."

나는 나 나름대로 이 죽음의 백색 영토들을 상상했다. 어린아이의 머리에서 어렴풋이 떠도는 알 듯 모를 듯한 개념처럼, 그것은 흐릿하면서도 묘하게 인상적이었다. 이 서론 페이지의 단어들은 이어지는 삽화와 연결되어, 파도와 물보라 치는 바다에 홀로 서 있는 바위와 쓸쓸한 바닷가에 좌초된 부서진 보트와 막 침몰하고 있는 난파선을 구름 사이로 바라보고 있는 차갑고 섬뜩한 달에 의미를 부여했다.

황혼 무렵임을 알려 주는 갓 떠오른 초승달, 무너진 담장에 둘러싸인 낮은 지평선, 비문이 새겨진 묘석과 문과 두 그루의 나무가 있는 그 적막하고 고독한 묘지 그림을 보고 내가 어떤 감상에 빠졌는지는 모르겠다.

바람 없는 바다에 오도 가도 못하고 멈춰 선 두 척의 배를, 나는 바다의 유령들이라고 믿었다.

뒤에서 도둑의 짐 보따리를 내리누르는 악마 그림은 얼른 넘겨 버렸다. 엄청나게 무서웠다.

멀리 떨어진 바위에 올라앉아 교수대 주변의 냉담한 군중을 살피고 있는 뿔 달린 검은 괴물도 마찬가지였다.

각각의 그림은 하나의 이야기를 들려주고 있었다. 아직은 이해력이 미숙하고 감정이 불완전한 나로서는 이해되지 않을 때도 많았지만, 그래도 굉장히 흥미로웠다. 가끔 기분이 좋은 겨울밤이면 베시는 육아실 난롯가에 다리미판을 가져와 우리를 옆에 앉히고, 리드 부인의 레이스와 잠잘 때 쓰는 모자 테두리에 주름을 잡으면서 옛날이야기와 그보다 오래된 민담, 아니면 (나중에 알게 된 것이지만) 《파멜라》, 《모어랜드 백작 헨리》에서 따온 모험과 사랑 이야기를 들려주었는데, 그때 우리를 사로잡았던 그 이야기들만큼이나 흥미로웠다.

뷰윅의 책을 무릎에 올려놓고 나는 행복했다. 그랬다. 적어도 나름대로는 행복했다. 누가 나를 방해할까 봐 두려울 뿐이었고, 훼방꾼은 너무나 빨리 찾아왔다. 작은 거실 문이 열렸다.

"우와! 이 궁상아!"

존 리드가 소리쳤다. 그러고는 잠잠해졌다. 방에 아무도 없다는 것을 알아차린 모양이었다.

"이 계집애가 어디 갔지?"

그의 목소리가 이어졌다.

"엘리자! 조지아나! 제인이 여기 없어. 비 오는데 뛰쳐나갔다고 엄마한테 말해, 고약한 년!"

'커튼 치길 잘했어.'

나는 이렇게 생각하며 나의 은신처가 들키지 않기를 간절히 바랐다. 존 리드는 나를 찾아내지 못할 것이다. 머리도 눈치도 둔한 편이니까. 하지만 엘리자가 안으로 고개를 들이밀고 대뜸 말했다.

"틀림없이 창가 의자에 있을 거야."

나는 얼른 밖으로 나갔다. 존에게 끌려 나갈 생각을 하니 소름이 끼쳤기 때문이다.

"무슨 일이에요?"

머뭇머뭇 자신 없는 목소리로 내가 물었다.

"'무슨 일이세요, 리드 도련님?'이라고 해야지. 이리 와."

그가 안락의자에 앉더니 자기 앞으로 와서 서라고 나에게 손짓했다.

존 리드는 열네 살 학생이었다. 내가 겨우 열 살이니까 나보다 네 살이 많다. 나이에 비해 키가 크고 뚱뚱하고, 피부색은 환자처럼 거무죽죽하고, 넓적한 얼굴에 이목구비는 큼직하고, 팔다리는 굵고 손발은 커다랬다. 걸핏하면 성질을 냈고, 식탁에서 아귀처럼 먹어 대는 습관이 있었다. 눈은 흐릿하고 침침했으며 뺨은 축 늘어져 있었다. 원래는 학교에 있어야 할 시기였지만, 그의 엄마가 '건강이 약해졌다는 이유로' 그를 집에 데려온 지 한두 달쯤 되었다. 교장인 마일스 씨는 그가 집에서 보내온 케이크와 사탕 과자를 덜 먹으면 훨씬 건강해질 거라고 단언했지만, 리드 부인은 그 의견이 귀에 거슬렸던지 존의 누르스름한 혈색이 지나친 공부와 집에 대한 향수 때문일 거라며 좀 더 고상한 이유를 갖다 붙였다.

존은 어머니와 누이들에게도 별 애정이 없었고, 나에게는 반감을 갖고 있었다. 이제 일주일에 두세 번도 아니고, 하루에 한두 번도 아니고, 순간순간 나를 괴롭히고 못살게 굴었다. 내 몸의 모든 신경이 그를 두려워했고, 그가 가까이 올 때면 뼈에 붙은 작은 살점들까지 오그라들었다. 그 때문에 공포에 질리는 느낌에 빠질 때가 한두 번이 아니었다. 아무리 위협받고 해코지를 당해도 나는 호소할 곳이 없었기 때문이다. 내 편을 들었다간 어린 주인의 심기를 거스를 게 뻔했기 때문에 하인들은 모른 척했고, 리드 부인은 그 문제에 관해 눈과 귀를 막아 버렸으니까. 가끔 자기 앞에서 그가 날 때리거나 괴롭혀도 그녀에게는 보이지도 들리지도 않는 모양이었다. 하지만 그런 일은 그녀의 등 뒤에서 더 자주 일어났다.

나는 평소에 하던 대로 존의 말을 따라 그의 의자로 다가갔다. 그는 혀뿌리가 상하지 않을 정도로 최대한 혀를 내밀며 3분을 보냈다. 때릴 준비를 하고 있는 것이다. 그의 주먹질을 두려워하며, 조만간 공격을 개시해 올 그 흉측하고 역겨운 외모를 생각했다. 내 생각이 얼굴에 나타났던 걸까. 별안간 아무 말도 없이 그가 나를 힘껏 때렸다. 나는 비틀비틀 그의 의자로부터 한두 발짝 뒷걸음질 친 뒤에 균형을 잡았다.

"이건 조금 전에 엄마한테 건방지게 말대꾸한 벌이야. 음흉하게 커튼 뒤에 숨어 있었던 벌, 2분 전 그 눈초리에 대한 벌이야. 쥐새끼 같은 년!"

존 리드의 욕설에 익숙했던 나는 대꾸할 생각이 전혀 없었다. 그 모욕 뒤에 따라올 주먹질을 어떻게 견디느냐가 걱정이었다.

"커튼 뒤에서 뭐 했어?"

그가 물었다.

"책 읽고 있었어."

"책 이리 내."

나는 창가로 가서 책을 가져왔다.

"우리 책에 함부로 손대지 마. 넌 얹혀사는 신세야. 엄마가 그랬어. 돈도 없잖아. 네 아버지가 남겨 준 건 하나도 없어. 넌 구걸을 해야 돼. 우리 같은 신사 계급의 아이들과 같이 살면 안 되고, 우리랑 똑같은 음식을 먹어도 안 되고, 우리 엄마 돈으로 옷을 입어서도 안 돼. 이제 내 책장 뒤지는 버릇을 고쳐 줘야겠어. 왜냐하면 그건 다 내 것이니까. 이 집은 다 내 것이야. 몇 년 뒤면 그렇게 될 거야. 가서 거울이나 창에 닿지 않게 문 옆에 서."

처음에는 그가 무얼 하려는지 몰랐기 때문에 시키는 대로 했지만, 책을 들고 일어나 던질 자세를 취하는 그를 보고 나는 비명을 지르며 본능적으로 몸을 피했다. 하지만 그리 빠르지는 못했다. 책이 날아와 나를 때렸다. 나는 쓰러졌고 문에 부딪혀 머리가 찢어졌다. 상처에서 피가 나면서 끔찍하게 아팠다. 공포심이 절정을 넘어서자 다른 감정들이 밀려들었다.

"잔인한 악질!"

내가 계속해서 말했다.

"살인자 같은 놈, 노예 감독 같은 놈, 로마 황제 같은 놈!"

골드스미스의《로마사》를 읽으면서 나는 이미 네로나 칼리굴라 황제가 어떤 인물인지 나름대로 판단을 내렸었다. 그리고 이렇게 크게 말하는 건 엄두도 못 내고 속으로만 존과 그들을 비교했었다.

"뭐! 뭐라고!" 하고 그가 소리쳤다.

"나한테 그런 말을 해? 너희도 들었지, 엘리자, 조지아나? 내가 엄마한테 이르지 않을 줄 알아? 하지만 그보다 먼저……."

그가 나한테 돌진해 왔다. 그가 내 머리채와 어깨를 움켜쥐는 게 느껴졌다. 나도 필사적으로 대응했다. 나는 정말 그에게서 폭군을 보았다. 살인자를 보았다. 내 머리에서 목으로 한두 방울의 피가 흘렀고 얼얼한 통증이 느껴졌다. 이런 감각들이 두려움을 압도하자 나는 미친 듯이 그의 공격을 막아 냈다. 내 손으로 무슨 짓을 했는지는 잘 모르겠지만, 그가 "이년이! 이년이!" 하면서 큰 소리로 고함을 쳤다. 그의 지원군은 가까이에 있었다. 엘리자와 조지아나가 리드 부인을 부르러 위층으로 달려갔다. 금세 리드 부인이 현장에 도착했고 베시와 하녀 애버트가 뒤를 따랐다. 그들이 우리를 갈라놓았다. 그들의 말소리가 들렸다.

"세상에! 세상에! 존 도련님에게 덤벼들다니 이 무슨 포악한 짓이야!"

"보다보다 이런 광란은 처음 봐!"

뒤이어 리드 부인이 덧붙였다

"붉은 방으로 데려가서, 거기 가둬."

곧바로 네 개의 손이 나를 덮치더니 위층으로 끌고 갔다.

제2장

끌려가는 내내 저항한 건 그때가 처음이었다. 전부터 나를 별로 좋게 보지 않았던 베시와 애버트는 이 일로 자기들의 생각이 옳았음을 더욱 확신하게 되었을 것이다. 사실 나는 제정신이 아니었다. 아니면 프랑스인들의 표현대로 정신이 나가 있었거나 한순간의 항명으로 낯선 형벌을 받게 됐다는 것을 알게 되자, 여느 반항적인 노예처럼 필사적인 심정이 되었다. 갈 데까지 가 보자 싶었다.

"애버트, 이 아이 팔을 잡아요. 미친 고양이 같아요."

"망측해라, 이게 무슨 꼴이야!"

리드 부인의 하녀가 소리쳤다.

"에어 양, 은인의 아드님이신 도련님에게 손찌검을 하다니, 이 무슨 놀라 자빠질 짓이죠! 어린 주인님한테 감히."

"주인님이라니! 그 애가 어떻게 내 주인이야? 내가 하인이란 말이야?"

"아뇨, 하인보다 못하죠. 아무 하는 일 없이 먹고살잖아요. 자, 앉아서 잘못을 잘 생각해 봐요."

이미 그들은 리드 부인이 지시한 방으로 나를 데려와 의자에 눌러 앉히고 있었다. 내가 용수철처럼 발딱 일어나자 두 사람의 손이 얼른 나를 붙잡았다. 베시가 말했다.

"가만히 앉아 있지 않으면 묶을 거예요. 애버트, 양말대님을 빌려 줘. 내 것은 금방 끊어지고 말 거야."

애버트가 튼튼한 다리에서 필요한 끈을 풀어내려고 돌아섰다. 나를 묶으려는 준비와 거기에 더해질 굴욕을 생각하니 흥분이 조금 가라앉았다.

"그거 풀지 마요. 안 움직일게."

나는 얼른 두 손으로 내 몸을 의자에 꽉 붙이며 소리쳤다.

"말을 잘 들어야죠."

내가 정말 진정돼 가고 있다는 것을 확인하자 베시는 이렇게 말하며 나에게서 손을 풀었다. 그 뒤에 베시와 애버트는 팔짱을 끼고 서서 내가 정말 제정신인지 확인하려는 듯 험악하고 의심스러운 표정으로 내 얼굴을 쳐다보았다.

"전에는 한 번도 이런 적이 없었는데."

마침내 베시가 하녀 쪽으로 돌아서며 말했다.

"하지만 저런 성질은 항상 숨어 있었어요. 이 아이에 대해서는 전에도 여러 번 마님께 말씀드렸고 마님도 수긍하셨어요. 조그만 게 아주 앙큼해요. 저 나이에 이렇게 숨기는 게 많다니."

하녀의 대답이었다.

베시는 대답하지 않았지만 얼마 뒤에 나에게 말했다.

"리드 부인에게 신세 지고 있다는 걸 잊으면 안 돼요, 아가씨. 마님이 키워 주시잖아요. 그분이 싫다고 하면 구빈원에 갈 수밖에 없는 거예요."

할 말이 없었다. 처음 듣는 말도 아니었다. 기억이 닿는 어릴 적부터 이와 비슷한 소리를 들어 왔다. 내가 더부살이 신세라는 사실을 잊지 말라는 이 말은 확실하게 이해되지 않으면서도 아주 아프고 쓰라리게 내 귀를 때렸다. 애버트가 끼어들었다.

"마님이 친절하게 같이 키워 주신다고 해서 리드 도련님과 아가씨들과 똑같은 입장이라고 생각하면 안 되죠. 그분들은 많은 돈을 갖게 될 테지만 에어 양은 아무것도 없잖아요. 공손하게 그분들 마음에 들도록 노력해야 하는 처지예요."

베시가 음성을 가다듬고 덧붙였다.

"다 아가씨를 위해서 하는 말이에요. 쓸모 있고 상냥한 사람이 되려고 애써야 해요. 그러면 여기가 집이 될 수도 있겠죠. 성질부리고 못되게 굴면 마님이 쫓아내실 거예요, 틀림없이."

애버트가 말을 이었다.

"어디 그뿐인가요. 하느님이 벌을 내리실걸요. 발악하는 중간에 하느님이 벼락이라도 내리면 그 후에 어디로 가겠어요? 베시, 저 아이를 놔두고 이만 가죠. 저런 아이는 뭘 준대도 싫어요. 혼자 있을 때 기도를 드려요, 에어 양. 잘못을 뉘우치지 않으면 굴뚝에서 무서운 게 내려와 잡아갈지도 몰라요."

그들은 문을 꽉 닫아 잠그고는 떠났다.

붉은 방은 침실로 쓰이는 경우가 거의 없는 예비용 방이었다. 게이츠헤드 저택에 뜻밖의 손님들이 들이닥쳐서 모든 방을 다 써야 할 때가 아니면 절대 사용하지 않는 방이었다. 하지만 저택에서 제일 크고 으리으리한 방 중의 하나이긴 했다. 거대한 마호가니 기둥이 솟아 있고, 짙은 붉은색 다마스크 천 커튼이 드리워진 침대가 방 한복판에 하느님의 장막처럼 놓여 있었다. 항상 블라인드를 내려 두는 커다란 창문 두 개도, 비슷한 커튼 주름과 꽃줄 장식으로 반쯤 가려져 있었다.

양탄자는 붉은색이었다. 침대 발치에 있는 탁자는 진홍색 천으로 덮여 있었다. 벽은 분홍빛이 도는 연한 황갈색이었다. 옷장, 경대, 의자들은 어두운 광택이 나는 오래된 마호가니로 되어 있었다. 주위의 이런 진한 색조 가운데 눈처럼 하얀 마르세유 무명 침대보로 덮인, 차곡차곡 쌓여 있는 매트리스와 베개들이 하얗게 번쩍거렸다. 침대 머리맡에 순백색으로 쿠션을 댄 넓은 안락의자도 두드러지게 눈에 띄었다. 앞쪽에 발받침까지 갖춘 그 안락의자가 내게는 창백한 권좌 같아 보였다.

불을 피우지 않아 싸늘했고, 육아실과 부엌에서 떨어져 있어 조용했다. 또 드나드는 사람이 없어 엄숙했다. 토요일마다 하녀가 들어와 일주일 동안 내려앉은 먼지를 거울과 가구에서 닦아 냈다. 리드 부인은 옷장 안에 있는 비밀 서랍의 내용물을 점검하기 위해서만 아주 가끔 발을 들였는데, 그 비밀 서랍에는 갖가지 양피지 서류와 그녀의 보석 상자, 죽은 남편의 초상화가 보관되어 있었다. 죽은 남편, 이 마지막 단어에 침실의 비밀이, 이렇게 커다란 방이 너무나 쓸쓸하게 유지되는 마력이 담겨 있다.

리드 씨는 9년 전에 세상을 떠났다. 이 방에서 마지막 숨을 들이쉬었고 이곳에 안치되었다. 장의사 사람들이 그의 관을 여기서 내갔다. 그날 이후로 황량하고 신성한 공간이 된 이 방은 사람들의 발길로부터 멀어졌다.

베시와 매정한 애버트가 나를 꼼짝 못하게 앉혀 둔 자리는 대리석 벽난로 근처의 나지막하고 긴 의자였다. 앞에는 침대가 솟아 있었고, 오른쪽에는 흐릿하고 얼룩덜룩한 영상이 광택을 변화시키는 진한 색의 높다란 옷장이 있었다. 왼쪽에는 커튼을 내려뜨린 창문들이 있었다. 그 사이에는 커다란 거울이 침대와 그 방의 공허한 웅장함을 흉내 내며 서 있었다. 그들이 정말로 문을 잠갔을까. 나는 용기를 내서 자리에서 일어나 확인해 보았다. 아아! 그래, 그보다 더 튼튼한 감옥은 없었다. 돌아오는 길에 나는 거울 앞을 지나야 했다. 내 눈이 홀린 듯 무의식적으로 그것이 드러내는 깊이를 탐험했다. 그 환영 같은 공간에서는 모든 것이 현실에서보다 더 차갑고 어두워 보였다. 거기서 이상하게 나를 노려보는 작은 형체, 하얀 얼굴과 팔이 어둠에 흠집을 내고, 아무것도 움직이지 않는 곳에서 두려움 어린 눈만이 번득이는 그것은, 그야말로 유령 같았다. 베시가 밤에 들려주던 이야기에 등장하는 반은 요정이고 반은 마귀인, 그런 작은 도깨비 중의 하나인 듯했다. 양치류로 가득 찬 외로운 황야의 골짜기에서 밤길 가는 나그네의 눈앞에 나타난다고 했던가. 나는 내 자리로 되돌아왔다.

그 순간 나는 미신에 사로잡혀 있었다. 하지만 아직 완전히 빠져든 것은 아니었다. 내 피는 여전히 뜨거웠다. 반란을 일으킨 노예의 기분이 계속 강하게 나를 지탱해 주고 있었다. 참담한 현실 때문에 기가 죽기 전에 빠르게 분출하는 과거의 기억들을 저지해야 했다.

존 리드의 포악한 횡포, 그 여동생들의 거만한 무관심, 그 어머니의 반감, 전체 하인들의 편애가 탁한 우물 속의 검은 침전물처럼 나의 어지러운 마음에 뒤엉켰다. 어째서 나는 항상 고통받고, 위협당하고, 혼이 나고, 언제나 벌을 받는 것일까? 어째서 나는 다른 이들의 마음에 들 수 없는 것일까? 그들의 눈에 들어 보려고 노력해도 왜 아무런 소용이 없는 걸까? 고집 세고 이기적인 엘리자는 존중을 받았다. 버릇없고 표독스럽고 남의 흠잡기 좋아하고 건방지게 구는 조지아나는 모두에게 귀여움을 받았다. 그녀의 아름다움, 발그레한 볼과 곱슬곱슬한 금발은 모든 이에게 기쁨을 주는 듯했고, 그녀의 잘못을 모두 보상해 주는 듯했다. 비둘기의 목을 비틀고, 공작의 새끼들을 죽이고, 양떼 사이에 개들을 풀어 놓고, 온실에서 포도송이를 따고, 온실에서 제일 귀한 꽃봉오리를 꺾어도 존은 처벌은커녕 아무런 제지도 받지 않았다. 그는 자기 어머니를 '할망구'라고 불렀다. 때로는 자기 주제도 모르고 피부가 검다며 어머니를 비웃었다. 노골적으로 그녀의 소망을 무시하고 그녀의 비단 옷을 찢거나 망가뜨리는 일도 다반사였다. 그래도 그는 '그녀의 유일한 귀염둥이'였다. 나는 잘못을 저지를 엄두도 못 냈다. 의무를 다하려고 아무리 애써도 나는 아침부터 낮까지, 낮부터 저녁까지 버릇없고 성가시고 부루퉁하고 음흉하다고 욕을 먹었다.

아까 얻어맞고 넘어지면서 생긴 상처에서 피가 흐르고 머리가 계속 지끈거렸다. 이유 없이 나를 때린 존은 아무도 나무라지 않았고, 더 이상 부당하게 맞지 않으려고 대항한 나에게만 비난이 쏟아졌다.

"불공평해! 불공평해!"

괴로운 자극으로 인해 잠시 힘을 얻은 나의 이성이 말했다. 흥분 상태가 된 결단력 역시 참을 수 없는 억압으로부터 벗어날 수 있는 묘한 편법을 부추겼다. 이 집에서 도망치거나 그게 안 되면 음식이나 물 한 방울 입에 대지 말고 죽어 버리라고.

그 쓸쓸한 오후에 나의 영혼이 얼마나 놀랐던가! 나의 머리가 어떠한 격랑에 휩싸이고, 나의 가슴이 어떠한 폭동을 일으켰던가! 하지만 그 정신적 투쟁은 너무도 어둡고 캄캄한 무지 속에서 행해졌다. 나는 끝없이 이어지는 내면의 질문에 대답할 수 없었다. 나는 왜 이렇게 고통받아야 하는가. 몇 년의 세월이 지났는지는 말하지 않겠지만 한참이 지난 지금은 그 이유를 확실히 알고 있다.

나는 게이츠헤드 저택에서 하나의 외딴섬이었다. 그곳의 누구와도 같지 않았다. 리드 부인이나 그 자식들이나 그녀가 선택한 하인들 누구와도 들어맞는 점이 없었다. 그들이 나를 사랑하지 않았으므로 나 역시 그들을 전혀 사랑하지 않았다. 그들은 자기들과 맞지 않는 사람을 사랑으로 대할 의무가 없었다. 나는 성질이나 능력이나 기호 면에서 그들과 반대되는 이질적인 존재였다. 그들의 이익에 도움이 되지도 않고, 즐거움을 더해 주지도 못하는 쓸모없는 존재였다. 그들의 심판을 경멸하고, 그들의 취급에 분개하는 병균을 품고 있는 해로운 존재였다. 내가 명랑하고 밝고 경솔하고 깐깐하고 예쁘고 까불거리는 아이였다면, 내가 아무리 의지할 데 없는 고아에 얹혀사는 신세라 해도 리드 부인은 좀 더 자기만족을 느끼며 나를 참아 주었을 것이다. 그녀의 아이들도 조금쯤 동정을 베풀며 친절하게 대해 주었을 것이다. 하인들도 나를 육아실의 희생양으로 삼으려고만 하지는 않았을 것이다.

붉은 방에서 빛이 사라지기 시작했다. 4시가 지나 흐려진 오후는 적막한 황혼으로 저물어 갔다. 여전히 줄기차게 계단 창을 때리는 빗소리와 저택 뒤쪽의 작은 숲에서 아우성치는 바람 소리가 들렸다. 내 몸은 차츰 돌처럼 차가워졌고, 나의 용기도 사라졌다. 나에게 늘 따라붙는 수치심, 자기 회의, 절망적인 우울함이 꺼져 가는 분노의 재에 찬물을 끼얹었다. 다들 나더러 못된 아이라고 했고, 어쩌면 그 말이 맞을지 모른다. 굶어 죽으려고 하다니, 내가 무슨 생각을 한 것인가? 그런 생각은 분명 죄악이었다. 게다가 내가 죽을 수나 있을까? 아니면 게이츠헤드 교회 성단소 아래의 지하 묘지가 매혹적인 곳이라도 된다는 건가? 그런 묘지에 리드 외삼촌이 묻혀 있다는 말을 들은 적이 있다. 생각이 외삼촌에게로까지 이어지자 나는 점점 두려운 생각에 빠져들었다. 기억은 잘 안 나지만 그분이 나의 외삼촌, 즉 엄마의 오빠이고, 어렸을 때 고아가 된 나를 자기 집으로 데려왔고, 숨을 거두는 마지막 순간까지도 리드 부인에게 나를 자식처럼 키우고 건사하겠다는 약속을 받아 냈다는 건 알고 있다. 리드 부인은 아마 자신이 약속을 지켰다고 생각할 것이다. 그녀의 천성이 허용하는 한에서는 약속을 지켰다고 할 수도 있다. 하지만 자기 집안사람도 아니고, 남편이 죽은 뒤에 어떤 끈으로도 연결되지 않은 침입자를 그녀가 어떻게 진심으로 좋아할 수 있겠는가. 사랑할 수 없는 이상한 아이에게 부모 노릇을 해 주기로 한 서약에 묶여 버린 자신의 처지와 영 마음에 안 드는 이방인이 자기 집에 버티고 있는 모습을 보는 것이 지긋지긋할 게 틀림없었다.

괴상한 생각이 밀려들었다. 리드 외삼촌이 살아 계셨다면 나에게 친절하게 대해 줬을 거라는 점은 전혀 의심하지 않았다. 하얀 침대와 빛을 잃은 벽들을 바라보며, 또 가끔씩 희미하게 빛나는 거울 쪽으로 홀린 듯이 시선을 돌리며 앉아 있자니 죽은 사람들에 대해 들었던 이야기가 떠오르기 시작했다. 마지막 소망이 이루어지지 않으면 무덤에서도 잠을 이루지 못하고 다시 땅으로 나와 거짓 맹세한 자를 벌하고 학대받는 이들의 원수를 갚아 준다던데. 누이의 자식이 당하는 고통에 원통함을 느낀 리드 외삼촌의 영혼이 교회 지하 묘지에서든 망자가 사는 미지의 세계에서든 그 주거지를 떠나 이 방, 내 앞에 나타날 것만 같았다. 내가 드러내는 격한 슬픔의 표시가 나를 위로하려는 초자연적인 목소리를 깨우거나 묘한 연민으로 나를 굽어보는 후광 어린 얼굴을 어둠 속으로 불러낼까 봐 겁이 나서 나는 눈물을 닦고 울음을 참았다. 이론적으로는 위로가 되겠지만 현실로 나타난다면 정말 끔찍할 것 같았다. 있는 힘을 다해서 그런 생각을 억누르려고 애썼다. 굳건해지려고 노력했다. 눈에서 머리카락을 털어 내며 고개를 들어 어두운 방을 담대하게 둘러보았다. 그 순간, 벽에 한 줄기 빛이 번득였다. 블라인드 틈으로 스며드는 달빛일까? 아니, 달빛은 움직이지 않는다. 하지만 그건 움직였다. 내가 보고 있는 동안에도 그 빛은 천장으로 올라와 내 머리 위에서 흔들렸다. 지금이라면 그 빛이, 필시 잔디를 건너가는 사람의 손에 들린 초롱 불빛일 거라는 걸 얼마든지 짐작할 수 있겠지만 그때 내 마음은 공포를 느낄 준비가 되어 있었고, 나의 신경들은 예민하게 떨리고 있었다. 나는 빠르게 날아가는 그 빛이 또 다른 세계에서 다가오는 망령의 전조라고 생각했다. 가슴이 심하게 쿵쾅거리고 머리에 열이 올랐다. 날갯짓 같은 소리가 내 귀를 채웠다. 뭔가가 나에게 다가오는 듯했다. 가슴이 답답해지고 숨이 막혔다. 인내심이 무너져 내렸다. 나는 문으로 달려가 있는 힘을 다해 자물쇠를 흔들었다. 바깥 복도에서 발자국들이 달려왔다. 열쇠가 돌아가고, 베시와 애버트가 들어왔다.

"에어 양, 어디 아파요?"

베시가 말했다.

"왜 이리 시끄러워요? 머리가 쪼개질 것 같잖아!"

애버트가 소리쳤다.

"나가게 해 줘! 육아실로 데려가 줘!"

내가 외쳤다.

"왜 그러는데요? 다쳤어요? 뭐라도 봤어요?"

다시 베시가 다그쳤다.

"아! 어떤 빛을 봤어. 유령이 오는 것 같았어."

나는 베시의 손을 잡고 있었고 그녀는 뿌리치지 않았다.

"일부러 비명을 지른 거예요."

애버트가 넌더리가 난다는 듯이 말하고는 덧붙였다.

"세상에, 그 비명 소리라니! 크게 아픈 데라도 있다면 참아 주겠지만 이 아이는 우리를 불러들이려고 했던 거라고요. 그 버릇없는 술수에 대해서는 익히 알고 있지."

"무슨 소란이야?"

또 다른 목소리가 엄하게 다그쳤다. 리드 부인이 모자 주름을 펄럭이며 가운을 요란하게 바스락거리며 다가왔다.

"애버트, 베시, 내가 직접 데리고 나올 때까지 제인 에어를 붉은 방에 가둬 놓으라고 지시했을 텐데."

"제인 양이 너무 크게 소리를 질러서요, 마님."

베시가 변명했다.

"내버려 둬."

그게 다였다. 그러고는 나를 향해 말했다.

"얘야, 베시의 손을 놔라. 이런 잔꾀는 통하지 않아, 절대로. 난 교활한 건 질색이야. 특히나 아이들이 그러는 건. 속임수가 통하지 않는다는 걸 너에게 가르쳐 주는 게 나의 의무야. 한 시간 더 여기 있어. 아주 다소곳하고 조용해지면 그때 꺼내 주마."

"아, 외숙모, 불쌍히 여겨 주세요! 용서해 주세요! 도저히 못 견디겠어요. 다른 벌을 받을게요! 죽을 것 같아요……."

"조용히 해! 이렇게 사납게 구는 건 더더욱 못 봐 주겠다."

그녀는 그렇게 느꼈음에 틀림없다. 그녀의 눈에 비친 나는 조숙한 여배우였다. 그녀는 진심으로 나를 유해한 격정의 혼합물, 상스러운 영혼, 위험한 이중인격자로 바라보았다.

베시와 애버트가 물러가고, 이제 나의 고통스런 광란과 격한 흐느낌에 짜증스러워진 리드 부인은 더 이상 아무 말 않고 나를 불쑥 안으로 밀어 넣고는 문을 잠갔다. 멀어지는 그녀의 발소리가 들렸다. 그녀가 떠난 직후, 나는 발작을 일으켰던 것 같다. 무의식이 나를 덮쳤다.

제3장

그 후에 기억나는 것은 무시무시한 악몽을 꾼 듯한 기분에서 깨어나 두꺼운 검은 줄들이 교차된 끔찍스러운 빨간 광채를 보았다는 것뿐이다. 바람 소리나 물소리에 가려진 듯, 휑하니 울리는 사람의 말소리도 들렸다. 흥분, 불안, 무엇보다 엄청난 공포가 나의 정신을 어지럽혔다. 잠시 뒤 누군가가 나를 부축해서 일으켜 앉혔다. 그 어떤 손길보다도 부드러웠다. 베개인지 팔인지 모를 것에 머리를 기대자 마음이 편안해졌다.

5분쯤 지나자 혼란의 구름이 걷혔다. 나는 내 침대에 있었고 빨간 광채는 육아실의 불빛이었다. 밤이었다. 탁자에 촛불이 하나 타고 있었다. 베시가 대야를 들고 침대 끄트머리에 서 있었고 머리맡에는 신사 한 사람이 의자에 앉아 나를 지켜보고 있었다.

그 방에 게이츠헤드 사람도 아니고 리드 부인의 친척도 아닌 이방인이 있다는 걸 알았을 때, 나는 이루 말할 수 없는 안도감을 느꼈다. 보호와 안전에 대한 확신을 느끼며 마음도 진정되었다. 베시에게서 고개를 돌려(애버트 같은 여자가 있는 것보다는 훨씬 나았지만) 그 신사의 얼굴을 찬찬히 살펴보았다. 내가 아는 사람이었다. 하인들이 병이 났을 때 가끔 리드 부인이 불러들이는 약제사 로이드 씨였다. 그녀 자신이나 아이들이 아플 때는 의사를 불렀다.

"내가 누군지 알겠니?"

그가 물었다.

나는 그의 이름을 말하며 동시에 그에게 손을 내밀었다. 그가 내 손을 잡고 미소 지으며 말했다.

"앞으로 친하게 지내자."

그는 나를 눕히면서 베시에게 밤사이에 내가 불안해하지 않도록 아주 조심해야 한다고 일렀다. 몇 가지를 더 지시하고 다음 날 다시 들르겠다며 그는 떠났다. 나는 슬퍼졌다. 그가 내 베개 옆 의자에 앉아 있을 때는 친구에게 보호받는 느낌이었는데, 그가 문을 닫고 나가자 방 전체가 어두워지고 가슴이 철렁 내려앉았다. 표현할 수 없는 슬픔이 마음을 내리눌렀다.

"졸리지 않아요, 아가씨?"

베시가 약간 부드러운 어조로 물었다.

나는 아무 대답도 할 수 없었다. 말이 거칠게 나올까 봐 두려웠기 때문이다.

"자려고 노력해 볼게."

"뭐 좀 마실래요? 아니면 뭐라도 먹을 수 있겠어요?"

"아니, 괜찮아, 베시."

"그럼 난 자러 가야겠어요. 12시가 넘었어요. 하지만 밤에 필요한 게 있으면 불러요."

왜 이렇게 상냥한 거지? 베시의 태도에 나는 용기를 내어 물어보았다.

"베시, 내가 어떻게 된 거야? 병이 났어?"

"붉은 방에서 하도 울어서 탈이 난 모양이에요. 곧 나을 거예요, 틀림없이."

베시가 옆에 붙어 있는 하녀 방으로 들어갔다. 그녀의 말소리가 들렸다.

"세라, 육아실에서 나랑 같이 자자. 오늘 밤 저 가엾은 아이와 단둘이서는 못 있겠어. 죽을지도 모르잖아. 그렇게까지 발작을 일으키다니 아무래도 이상해. 뭔가를 본 게 아닐까 싶어. 마님이 좀 심하셨어."

세라가 그녀와 같이 돌아왔다. 그들은 침대로 가서 30분 정도 속닥거리다가 잠이 들었다. 드문드문 들은 이야기만으로도 나는 대화의 주제를 분명하게 추측할 수 있었다.

"온통 하얀 옷을 입은 뭔가가 그녀를 지나 사라졌어……. 그 뒤에 커다란 검정개가 있었어. 방문 두드리는 소리가 커다랗게 세 번 울리더니, 교회 묘지의 무덤 위에 불빛이 보였어……."

마침내 둘은 잠이 들었다. 난롯불과 촛불이 꺼졌다. 나는 그 긴 밤을 오싹한 기분으로 지새웠다. 눈과 귀와 마음이 모두 두려움으로 오그라들었다. 아이들만이 느낄 수 있는 그런 두려움으로.

이 붉은 방 사건 이후에 나에게 심각하거나 장기적인 육체적 질병이 이어진 것은 아니었다. 그건 나의 신경에 충격을 안겼을 뿐이고, 오늘날까지 나는 그 충격의 여파를 느낀다.

그래요, 리드 부인, 당신은 나에게 끔찍한 정신적인 고통을 안겼어요. 하지만 당신을 용서해야겠죠. 당신은 자신이 무슨 짓을 하고 있는지 몰랐으니까. 나의 심금을 갈가리 찢어 놓으면서도 당신은 나의 못된 성질을 뿌리 뽑는 거라고만 생각했을 거예요.

다음 날 정오쯤에 나는 자리에서 일어나 옷을 입고 숄을 걸치고 육아실 벽난로 옆에 앉았다. 기운이 없고 쇠약해진 느낌이었지만 더 견딜 수 없는 것은 형언할 수 없는 비참함이었다. 눈물이 끊임없이 흘러내렸다. 짭짜름한 눈물 한 방울을 뺨에서 닦아 내면 곧이어 또 한 방울이 주르륵 흘렀다. 하지만 나는 내가 행복한 기분이어야 한다고 생각했다. 리드 집안사람이 아무도 없었기 때문이다. 그들은 모두 마차를 타고 외출했다. 애버트도 다른 방에서 바느질을 하고 있었고, 베시는 여기저기 돌아다니며 장난감을 치우고 서랍을 정리하고 가끔 나에게 전에 없이 다정하게 말을 걸었다. 늘 혼만 나고 아무리 열심히 일해도 고맙다는 말 한마디 듣지 못하는 생활에 익숙한 나에게는 이 상황이 평화로운 천국으로 느껴질 만도 했다. 하지만 너덜너덜해진 나의 신경들은 이제 평온으로도 달랠 수 없고, 기쁨을 느낄 수 없는 상태에 있었다.

베시가 부엌으로 내려가더니 도자기 접시에 파이를 담아 가져왔다. 메꽃과 장미꽃 봉오리의 화환에 둥지를 튼 극락조 그림이 화사하게 그려진 접시였다. 너무나 아름다워 감탄에 감탄을 거듭하며 가까이에서 볼 수 있게 해 달라고 간청했다. 지금까지 한 번도 만져 보지 못한 귀한 식기가 내 무릎에 놓이고, 그 위의 맛있는 빵과 과자를 먹어 보라는 진심 어린 말까지 듣게 되었다. 그러나 그것은 부질없는 호의였다. 늘 소망했으나 오래도록 뜸을 들이며 오지 않던 호의들이 그렇듯 그건 너무 늦게 나를 찾아왔다. 나는 그 파이를 먹을 수 없었고 극락조의 깃털과 꽃들의 빛깔은 이상하게 퇴색한 듯 보였다. 나는 접시와 파이를 밀어냈다. 베시가 책이라도 읽겠느냐고 물었다. 책이라는 말에 순간 기운이 나서 그녀에게 서재에 있는《걸리버 여행기》를 가져다 달라고 부탁했다. 내가 몇 번이고 즐겁게 읽었던 책이었다. 나는 그걸 실제 이야기라고 생각했고, 동화 내용보다 더 흥미롭게 여겼다. 디기탈리스 잎사귀와 종 모양의 꽃 사이에서, 버섯 밑이나 오래된 담벼락의 후미진 곳을 덮고 있는 덩굴광대수염 아래서 꼬마 요정들을 찾아보았으나 한 번도 찾지 못하고, 결국에는 그들이 모두 영국을 떠나 숲이 더 울창하고 인구가 적은 미개지로 가 버렸다는 슬픈 결론을 내린 터였다. 그에 비해 소인국과 거인국은 지구 표면에 단단히 박혀 있는 일부분일 거라고 믿었고, 어느 날 내가 긴 항해를 떠나면 그 작은 들판과 집과 나무 들, 조그만 사람들, 자그마한 암소와 양과 새 들의 왕국을 직접 볼 수 있으리라고 믿어 의심치 않았다. 숲처럼 솟은 옥수수 밭과 거대한 맹견, 괴물 고양이, 탑처럼 높은 남녀들이 사는 또 다른 왕국도. 그런데 이 소중한 책이 아무리 책장을 넘기고, 그 신기한 그림과 그림에서 내가 지금까지 언제나 찾을 수 있었던 매력을 찾아보아도 섬뜩하고 지루하기만 했다. 거인들은 말라빠진 괴물들이고, 소인들은 심술궂고 무서운 꼬마 도깨비들이고, 걸리버는 가장 무시무시하고 위험한 지역들을 돌아다니는 외로운 방랑자였다. 나는 더 읽을 마음을 접고 책을 덮어 탁자 위 손대지 않은 파이 옆에 내려놓았다.

베시는 이제 방 청소와 먼지 터는 일을 끝내고 손을 씻은 뒤에, 화려한 비단과 공단 자투리가 가득한 작은 서랍을 열더니 조지아나의 인형에 씌울 새 모자를 만들기 시작했다. 그러면서 그녀가 노래를 불렀다.

우리가 방랑하던 시절,
옛날 옛적에.

전에도 자주 들었고, 들을 때마다 생생한 기쁨을 느꼈던 노래였다. 베시의 목소리가 고왔기 때문이다. 적어도 나는 그렇게 생각했다. 하지만 지금, 그녀의 목소리는 여전히 감미로웠지만 그 가락은 형언할 수 없이 슬프게 느껴졌다. 때때로 바느질에 몰두해 있을 때, 그녀는 아주 나지막하고 느리게 후렴 부분을 노래하곤 했다. "옛날 옛적에"가 세상에서 제일 슬픈 장송곡의 한 구절처럼 흘러나왔다. 그녀가 다른 노래를 부르기 시작했고, 이번에는 정말로 구슬픈 노래였다.

발은 아프고 팔다리도 지쳤어,
갈 길은 멀고 산은 험하구나.
가여운 고아가 가는 길 위로
이제 곧 달도 없는 황혼이 떨어지리니.

회색 바위들의 황야가 펼쳐진 곳에,
어이해 나 홀로 이 먼 길을 가야 하는가?
인정은 메마르고, 친절한 천사들만이
가여운 고아의 걸음걸음을 지켜보는구나.

그래도 멀리서 부드럽게 밤바람이 불고 있어,
그곳에는 구름 하나 없이 밝은 별들이 포근하게 빛나지.
자비로운 신이 보호해 주시네,
가여운 고아에게 위로와 희망을 주시네.

내가 부서진 다리를 지나다 넘어져도
거짓 불빛에 속아 늪에 빠져도
나의 아버지는, 약속과 축복으로,
가여운 고아를 가슴에 안아 주시네.

집도 없고 일가친척 없어도,
나를 강하게 잡아 주는 생각이 있어.
천국은 집이요, 안식은 날 저버리지 않으리니,
신은 가여운 고아의 친구라네.

"자, 울지 말아요, 제인 양."

베시가 노래를 끝내고 말했다. 차라리 화염에게 '불타지 말라!'고 하시지. 하지만 나를 삼키는 그 지독한 고통을 그녀가 어찌 알겠는가? 아침나절에 로이드 씨가 다시 찾아왔다.

"저런, 벌써 일어났네!"

육아실로 들어서며 그가 말했다.

"유모, 아이는 좀 어때요?"

베시는 내가 아주 많이 나아졌다고 대답했다.

"그러면 좀 더 밝은 표정이어야지. 이리 와요, 제인 양. 이름이 제인이지?"

"네, 제인 에어예요."

"음, 울고 있었구나, 제인 에어. 왜 울었는지 나에게 말해 줄 수 있니? 어디가 아프니?"

"아뇨."

"아! 아마 마님과 같이 마차 타고 나가지 못해서 울었을 거예요."

베시가 끼어들었다.

"그럴 리가 있나! 그런 일로 토라질 나이는 지난 것 같은데."

나 역시 그렇게 생각했고 말도 안 되는 소리에 자존심이 상해서 얼른 대답했다.

"그런 일로 울어 본 적은 한 번도 없어요. 난 마차 타고 나가는 거 싫어해요. 비참해서 울었던 거예요."

"아이고, 아가씨!"

베시가 말했다.

선량한 약제사는 약간 어리둥절한 얼굴이었다. 나는 그의 앞에 서 있었다. 그가 물끄러미 나에게 시선을 고정시켰다. 작은 눈에 회색 눈동자였다. 그리 초롱초롱하지는 않지만 이제 와 생각하면 예리한 눈이었던 것 같다. 우락부락하게 생겼지만 마음씨는 좋아 보였다. 나를 찬찬히 바라보면서 그가 말했다.

"어제 왜 병이 난 거니?"

"넘어졌어요."

베시가 다시 참견하고 나섰다.

"넘어지다니! 저런, 그것도 어린애 같은 행동이군. 저 나이에 걸을 줄도 모르나? 여덟, 아홉 살은 된 것 같은데."

"맞아서 쓰러졌어요."

또다시 상해 버린 자존심 때문에 내 입에서 그 말이 불쑥 튀어나왔다.

"하지만 그래서 병이 났던 건 아니에요."

내가 덧붙였다. 그동안에 로이드 씨는 코담배 냄새를 맡았다.

그가 조끼 주머니에 담뱃갑을 집어넣는데 하인들의 식사 시간을 알리는 종소리가 크게 울려 퍼졌다. 그는 그 소리의 의미를 알고 있었다.

"당신을 부르는 소리로군요, 유모. 내려가세요. 당신이 돌아올 때까지 내가 제인 양에게 훈계를 좀 할게요."

베시는 남아 있고 싶은 모양이었지만 게이츠헤드 저택의 식사 시간이 워낙 엄격해서 내려가는 수밖에 없었다.

"맞아 쓰러져서 병이 난 게 아니면, 그럼 뭣 때문이지?"

베시가 떠나자 로이드 씨가 물었다.

"전 유령이 있는 방에 갇혔어요. 어두워진 후까지."

로이드 씨가 미소를 지으면서 동시에 인상을 찌푸렸다.

"유령이라니! 이런, 역시 넌 어린애였구나! 유령이 무섭니?"

"리드 외삼촌의 유령은 무서워요. 외삼촌은 그 방에서 돌아가셨고 거기에 안치되었어요. 웬만해서는 베시도 다른 누구도 밤에는 거기 안 들어갈걸요. 촛불도 없이 나 혼자 가둬 둔 건 잔인한 짓이었어요.

내 평생 잊지 못할 거예요."

"당치 않은 소리! 그래서 그렇게 슬픈 거니? 이런 환한 대낮에도 무서운 거냐?"

"아뇨. 하지만 얼마 있으면 다시 밤이 되잖아요. 게다가 전 불행해요. 다른 여러 가지 때문에 너무나 불행해요."

"다른 여러 가지? 그중에서 몇 가지 말해 줄 수 있을까?"

내가 이런 질문에 얼마나 구구절절이 대답하고 싶었던가! 하지만 대답하기 어려운 질문이었다. 아이들은 마음으로 느껴도 자기 느낌을 분석할 수는 없다. 설령 머릿속에서 얼마쯤 분석이 이루어지더라도 그 결과를 말로 표현하는 법을 알지 못한다. 하지만 나는 비통함을 토로하여 슬픔을 덜어 낼 수 있는 처음이자 유일한 기회를 놓치고 싶지 않았다. 혼란스러운 침묵에 빠져 있다가 나는 빈약하고도 진실하게 대답을 했다.

"우선, 저에게는 아버지도 어머니도 형제자매도 없어요."

"친절한 외숙모와 사촌들이 있잖니."

다시 나는 머뭇거리다가 서투르게 의견을 밝혔다.

"하지만 존 리드는 나를 때렸고, 외숙모는 위층 붉은 방에 나를 가뒀어요."

로이드 씨가 그의 두 번째 담뱃갑을 꺼내며 물었다.

"게이츠헤드 저택이 매우 아름다운 집이라고 생각지 않니? 이렇게 좋은 곳에서 사는 게 감사하지 않니?"

"여긴 제 집이 아니에요. 게다가 애버트는 내가 하인보다 더 여기 살 권리가 없다고 했는걸요."

"무슨 소리! 바보같이 이렇게 근사한 곳을 떠나고 싶은 건 아니겠지?"

"갈 곳만 있다면 기꺼이 떠나겠어요. 하지만 전 어른이 될 때까지 게

이츠헤드에서 벗어날 수 없어요."

"글쎄다, 그거야 모르는 일이지. 리드 부인 말고 다른 친척은 없니?"

"없는 것 같아요."

"아버지 쪽으로 아무도 없어?"

"모르겠어요. 외숙모께 한번 여쭤 봤는데 에어라는 성을 지닌 가난하고 시시한 친척들이 혹시 있을지는 모르지만 그들에 대해서는 전혀 모른다고 했어요."

"그런 친척이 있다면 그들에게 가고 싶니?"

나는 생각해 보았다. 어른들에게 가난은 아주 고약해 보인다. 하지만 아이들에게는 더욱 그렇다. 아이들은 부지런히 일하는 청빈한 가난이라는 것을 이해하지 못한다. 그 단어를 남루한 옷, 부족한 음식, 불기 없는 난로, 예의 없는 태도, 천박한 악덕과 연결된 것으로만 생각한다. 나에게 가난은 타락과 동의어였다.

"아뇨. 가난한 데로 가고 싶지는 않아요."

내 대답이었다.

"너에게 친절하게 대해 줘도?"

나는 고개를 저었다. 가난한 사람이 무슨 수로 친절해질 수 있을지 짐작이 되지 않았다. 게다가 그들의 말투를 배우고, 그들의 태도를 본뜨고, 교육도 받지 못하고, 가끔씩 게이츠헤드 마을의 오두막 문 앞에서 자식을 돌보거나 빨래하던 가난한 여자들처럼 자란다는 것은. 아니, 나는 사회적인 지위를 버리고 자유를 택할 정도로 영웅적이지 않았다.

"하지만 네 친척들이 그렇게 가난하니? 노동자들이야?"

"전 몰라요. 외숙모는 저에게 만약 친척이 있더라도 거지 같은 처지일 거라고 했어요. 전 구걸하러 다니고 싶지 않아요."

"학교에 가고 싶니?"

다시 나는 생각해 보았다. 학교가 어떤 곳인지는 잘 알지 못했다. 젊은 숙녀들이 척추 교정판을 대고, 차꼬를 차고 앉아, 대단히 우아하고 신중하게 행동해야 하는 곳이라는 말을 가끔 베시에게서 듣기는 했다. 존 리드는 학교를 싫어했고 교사를 욕했다. 하지만 존 리드의 취향을 내 취향의 잣대로 삼고 싶지는 않았다. 학교 훈육에 대한 베시의 설명이(그녀가 게이츠헤드에 오기 전에 일한 곳에서 젊은 숙녀들에게 주워들은 내용들이었다) 약간 끔찍하긴 했지만, 그 숙녀들이 갖추었다는 교양과 기량은 매력적일 것 같았다. 베시는 그들이 그린 아름다운 풍경화와 꽃 그림, 그들이 부를 수 있는 노래와 연주할 수 있는 곡들, 그들이 짤 수 있는 지갑, 그들이 번역할 수 있는 프랑스 책들에 대해 떠들어 댔다. 그 얘기를 들으면 경쟁심까지 느껴질 정도였다. 게다가 학교에 가면 모든 게 변할 것이다. 그것은 긴 여행, 게이츠헤드와의 완전한 결별, 새로운 생활을 의미했다.

"학교에는 정말 가고 싶어요."

내 생각의 결론은 그랬다.

"그래, 그래. 무슨 일이 일어날지는 아무도 모르는 법이지."

로이드 씨가 일어서면서 혼잣말로 덧붙였다.

"이 아이에게는 환경의 변화가 필요해, 신경이 쇠약해졌어."

마침내 베시가 돌아왔다. 그와 동시에 자갈길로 굴러오는 마차 소리가 들렸다.

"마님이 돌아오시는 건가요, 유모? 떠나기 전에 잠깐 뵈었으면 하는데."

로이드 씨가 물었다.

베시는 거실로 안내하겠다며 그를 데리고 나갔다. 그 뒤에 일어난 일들로 미루어 보아 리드 부인과의 면담에서 로이드 씨는 나를 학교에 보내라고 권고했고, 그 권고는 흔쾌하게 받아들여진 게 분명했다.

어느 날 밤에 내가 잠자리에 들고 나서 베시와 애버트가 육아실에 앉아 바느질을 하고 있을 때였다. 내가 잠든 줄 알았는지 애버트는 그 얘기를 입에 올리며 이렇게 말했다.

"아마 마님은 아주 다행이라고 생각하실 거예요. 항상 사람들을 지켜보면서 몰래 계략을 꾸미는 것 같은 저런 성가시고 막돼먹은 아이를 쫓아 버리는 걸 말이에요."

애버트는 나를 어린 가이 포크스(제임스 1세를 암살하려던 화약 음모 사건에 가담했다가 발각되어 처형당했다 _옮긴이) 같은 존재로 여기는 모양이었다.

그때 애버트가 베시에게 한 이야기를 통해서 나는 처음으로 내 아버지가 가난한 성직자였고, 안 어울리는 짝이라며 말리는 집안의 반대를 무릅쓰고 어머니가 아버지와 결혼했다는 것을 알게 되었다. 어머니의 반항에 화가 난 외할아버지는 돈 한 푼 안 주고 부녀간의 연을 끊어 버렸고, 결혼한 지 1년 후에 아버지는 교구 목사로서 공업 도시의 빈민들을 방문하던 중에 당시 창궐했던 발진티푸스에 걸렸으며, 어머니도 곧 감염되어 한 달 사이에 두 사람 모두 세상을 떠났다는 것이다.

이 이야기를 듣고 베시가 한숨을 내쉬며 말했다.

"제인 양도 가엾은 처지로군요, 애버트."

"그래요, 그 애가 사근사근하고 예뻤다면 그런 의지할 데 없는 신세를 누구든 측은하게 여겼겠죠. 하지만 저렇게 보기 싫은 애한테 무슨 정이 생기겠어요."

애버트가 대꾸했다.

"많이는 아니죠, 물론."

베시가 동의했다.

"어쨌거나 조지아나 양 같은 미인이 그런 처지였다면 훨씬 동정심이 일어났을 거예요."

"그래요, 조지아나 양은 너무너무 예쁘죠."

애버트가 열렬하게 소리쳤다.

"얼마나 사랑스러운지! 파란 눈에 긴 곱슬머리, 그 고운 얼굴빛, 딱 그림으로 그려 놓은 것 같다니까요. 베시, 오늘 저녁에는 치즈 토스트를 먹고 싶네요."

"나도요. 구운 양파를 곁들여서. 자, 내려가죠."

그들이 방을 나갔다.

제4장

로이드 씨와 나누었던 대화와 베시와 애버트 사이에 오간 이야기로 인해서 나는 건강해져야겠다는 의욕을 느낄 정도로 희망에 부풀었다. 변화가 머지않은 듯했다. 나는 말없이, 그러나 간절히 기다렸다. 하지만 일은 계속 미뤄지고 있었다. 며칠이 지나고 몇 주일이 지났다. 나의 건강은 정상으로 회복되었지만, 내가 그토록 생각하는 주제에 관해서는 별다른 언급이 없었다. 리드 부인은 항상 엄격한 눈으로 나를 살필 뿐 거의 말을 걸지 않았다. 내가 앓고 난 이후로 그녀는 자기 자식들과 나 사이에 전보다 더 확실하게 선을 그었다. 작은 방에서 나 혼자 잠자게 하고, 혼자 식사하게 하고, 나의 사촌들이 수시로 응접실에 드나드는 동안 나는 온종일 육아실에 틀어박혀 지내야 했다. 하지만 나를 학교에 보낼 낌새는 전혀 보이지 않았다. 그래도 나는 그녀가 같은 지붕 아래 있는 나의 존재를 오래 견디지 못할 거라는 걸 본능적으로 확신했다. 전보다 자주 나에게로 향하는 그녀의 시선에 참을 수 없는 깊은 혐오가 담겨 있었기 때문이다.

엘리자와 조지아나는 되도록 나와 얘기하지 않으려 했다. 아마 그렇게 하라는 지시를 받은 모양이었다. 존은 나를 볼 때마다 뺨을 불룩하게 하고는 입에서 혀를 내밀었고, 한번은 나를 때리려고까지 했다. 하지만 전부터 가져왔던 깊은 울분과 될 대로 되라는 반항심으로 흥분한 내가 당장 반격을 가하자, 그만두는 게 낫다고 생각했는지 내가 자기의 코를 뭉갰다고 소리치며 욕설을 퍼붓고는 달아났다. 내가 주먹에 온 힘을 실어 그 얼굴의 툭 튀어나온 부분을 겨냥했던 것은 사실이다.

그런 행동 때문이든 나의 표정 때문이든 그의 기세가 꺾이는 것을 보니 이 기회에 진짜로 한 방 먹여 주고 싶은 마음이 치밀었다. 하지만 그는 이미 자기 엄마 곁에 가 있었다. '막돼먹은 제인 에어'가 미친 고양이처럼 덤벼들었다고 징징거리며 고자질하는 그의 목소리가 들렸다. 다소 거친 목소리가 그의 말을 가로막았다.

"존, 그 아이 얘기는 꺼내지 마라. 가까이하지 말라고 했잖아. 신경 쓸 가치도 없는 애야. 너도 네 동생들도 그 아이와 어울리면 안 돼."

그 순간, 나는 더 생각해 보지도 않고 난간에 고개를 내밀고 냅다 소리쳤다.

"걔네들이야말로 나랑 어울릴 자격이 없어요."

리드 부인은 살집이 좀 있는 편이었는데 전에 없이 뻔뻔한 이 말을 듣고는 한달음에 계단을 뛰어 올라왔다. 그러더니 회오리바람처럼 육아실로 나를 밀어 넣고 나를 침대 끝에 내리누르더니 단호한 목소리로 말했다. 오늘 하루 그 자리에서 일어나거나 한마디라도 하면 큰일 날 줄 알라고.

"리드 외삼촌이 살아 계신다면 뭐라고 하실까요?"

이건 거의 무의식적으로 나온 말이었다. 나의 의지가 허락하지 않은 소리를 내 혀가 내 버린 것 같았다. 통제할 수 없는 무언가가 제멋대로 지껄여 버린 것이다.

"뭐야?"

리드 부인이 숨죽여 말했다. 평소에는 그토록 차갑고 차분하던 그녀의 회색 눈에 두려움 같은 것이 서렸다. 그녀는 내 팔에서 손을 떼어 내고, 내가 사람의 아이인지 악마인지 정말 모르겠다는 듯이 뚫어져라 쳐다보았다. 나는 이제 빼도 박도 못할 처지였다.

"리드 외삼촌은 천국에 계셔서 당신의 행동이나 생각을 죄다 알 수 있어요. 엄마, 아빠도 마찬가지예요. 당신이 하루 종일 나를 가둬 두고 내가 죽기를 바란다는 걸 그분들은 다 알아요."

리드 부인이 이내 정신을 차리더니 호되게 내 몸을 흔들고, 나의 양쪽 뺨을 때리고 나서는 한마디 말도 없이 방에서 나가 버렸다. 그 뒤에 베시가 한 시간 동안 훈계를 늘어놓으며 내가 사람의 집안에서 자란 아이들 가운데 가장 고약하고 파렴치한 아이라는 걸 확인시켜 주었다. 그 말이 반쯤은 맞았을지도 모른다. 정말로 내 가슴에서는 나쁜 감정들만 솟구치고 있었으니까.

11월, 12월, 그리고 1월의 반이 지나갔다. 게이츠헤드에서는 평소처럼 축제 분위기로 크리스마스와 새해를 축하했다. 선물이 교환되고 만찬과 야회가 열렸다. 물론 나는 모든 즐거움에서 제외되었다. 날마다 엘리자와 조지아나가 차림새를 단장하며 얇은 모슬린 원피스에 주홍색 띠를 두르고 머리를 정성껏 돌돌 말고 나서 응접실로 내려가는 모습을 보는 게 내가 느끼는 축제 분위기였다. 그 후에는 아래층에서 연주하는 피아노나 하프 소리, 집사와 하인이 이리저리 지나다니는 소리, 다과가 제공될 때 식기와 유리잔이 짤랑거리는 소리, 응접실 문이 열리고 닫히는 사이에 잠깐씩 끊어져 들리는 대화 소리를 들었다. 그것도 지겨워지면 나는 층계 머리를 떠나 쓸쓸하고 조용한 육아실로 돌아갔다. 약간 슬프긴 했지만 비참하지는 않았다. 솔직히 나를 알아봐 주지도 않을 사람들 틈에 끼어 어울리고 싶은 생각은 눈곱만큼도 없었다. 베시가 기분 좋고 친절하기만 하다면, 신사 숙녀 들이 가득한 방에서 리드 부인의 무시무시한 시선을 견디며 저녁 시간을 보내느니 차라리 베시와 조용히 지내는 게 훨씬 즐거울 것이다. 하지만 베시는 어린 숙녀들의 옷을 입히자마자 활기 넘치는 부엌이나 가정부의 방으로 떠났고 보통은 촛불도 같이 가져갔다. 그러면 나는 난롯불이 사그라질 때까지 어두운 방에 나 말고 다른 나쁜 뭔가가 없다는 걸 확인하기 위해 가끔 주위를 둘러보며 무릎에 인형을 올려놓고 앉아 있었다. 깜부기불이 우중충한 빨간색으로 약해지면 내가 할 수 있는 대로 매듭과 끈을 잡아당겨 서둘러 옷을 벗고는, 추위와 어둠을 피해 침대로 기어들어 갔다. 침대에는 항상 내 인형을 가지고 들어갔다. 인간은 무언가를 사랑해야만 하는 존재인지라 달리 애정을 쏟을 대상이 없었던 나는 조그만 허수아비처럼 초라하고 빛바랜 무생물을 사랑하고 귀여워하는 일에서 그럭저럭 기쁨을 찾았다. 그 작은 장난감이 살아 있고 감정이 있다고 얼마쯤 상상하며, 내가 거기에 쏟아부었던 터무니없는 애정과 성실성을 생각하면 지금도 당황스러운 기분이 든다. 그때는 잠옷으로 그걸 품어 주지 않으면 잠이 오지 않을 정도였다. 그것이 거기에 안전하고 따뜻하게 누워 있을 때면 나는 비교적 행복했고 인형도 행복하리라고 믿었다.

손님들이 떠나기를 기다리며, 계단으로 올라오는 베시의 발소리를 기다리며 보내는 시간은 아주 길게 느껴졌다. 때로 그녀는 중간중간에 골무나 가위를 찾으러 올라왔고, 어쩔 때는 저녁 끼니로 빵이나 치즈 케이크 같은 걸 가져다주러 와서 내가 다 먹을 때까지 침대에 앉아 있다가 나에게 이불을 덮어 주고 두 번 뽀뽀해 주고 나서 "잘 자요, 제인 양."이라고 말하기도 했다.

그렇게 너그러울 때의 베시는 세상에서 둘도 없이 착하고 예쁘고 친절한 사람인 듯했다. 그녀가 자주 그러는 것처럼 나를 거칠게 대하거나 야단치거나 심하게 부려 먹지 않고, 항상 이렇게 명랑하고 상냥하게 대해 주기를 얼마나 간절히 바랐는지 모른다. 베시는 천성적으로 재주를 타고난 여자였던 것 같다. 뭐든지 척척 해내고 이야기를 아주 재미있게 할 줄 알았으니까. 적어도 내가 육아실에서 그녀에게 들은 이야기로 판단하기에는 그랬다. 내 기억이 맞는다면 그녀는 얼굴도 예쁘장했다. 검은 머리에 진한 눈동자, 곱디고운 이목구비, 깨끗하고 좋은 피부를 지닌 날씬한 젊은 여성이었던 것으로 기억한다. 하지만 성격이 조급하고 변덕스럽고 원칙이나 정의 따위에는 전혀 관심을 두지 않았다. 그래도 이런 그녀를 나는 게이츠헤드 저택의 다른 누구보다 좋아했다.

1월 15일, 아침 9시 즈음이었다. 베시는 아침을 먹으러 아래층으로 내려가고 없었다. 내 사촌들은 아직 엄마에게 불려 가지 않았다. 엘리자는 자기 닭들에게 모이를 주러 가려고 따뜻한 정원용 코트를 입고 보닛을 쓰고 있었다. 그건 그녀가 좋아하는 일이었고 그녀는 가정부에게 계란을 팔아 돈을 모으는 일도 그에 못지않게 좋아했다. 그녀는 장사꾼 기질과 강한 저축 성향을 지니고 있었다. 계란과 닭만 파는 게 아니라 리드 부인이 큰딸의 화단에서 나오는 무엇이든 그녀가 팔고 싶어 하면 죄다 사 주라고 일러둔 정원사에게 화초 뿌리나 씨앗, 꺾꽂이용 가지 들을 비싼 값에 팔아넘겼다. 상당한 이익이 생기기만 한다면 자기 머리카락이라도 잘라서 팔았을 것이다. 처음에 그녀는 그렇게 번 돈을 헝겊이나 머리 말 때 쓰는 낡은 종이에 싸서 희한한 구석구석에 숨겨 두었다. 하지만 이런 비밀 장소가 가정부에게 발각되자 그 귀중한 보물을 잃어버릴까 봐 걱정이 됐던지 50퍼센트에서 60퍼센트의 높은 이자를 받고 엄마에게 맡겨 두기로 했다. 작은 공책에 정확히 액수를 기록하고는 분기마다 가차 없이 그 이자를 거둬들였다.

조지아나는 거울 앞의 높다란 의자에 앉아 다락방 서랍에서 듬뿍 찾아낸 조화와 빛바랜 깃털들을 곱슬머리에 꽂아 넣으며 머리를 단장하고 있었다. 나는 베시의 지시대로 그녀가 돌아오기 전에 내 침대를 정돈하고 있었다(베시는 나를 하녀 조수로 채용하기라도 한 것처럼 방 청소나 의자 먼지 터는 일 등을 예사로 시켰다). 이불을 정리하고 잠옷을 개고 나서, 창가 의자로 가서 거기에 널린 그림책들과 인형의 집 세간을 정리하려고 했지만 조지아나가 갑자기 자기 장난감을 그냥 놔두라고 하는 바람에(그 조그만 의자와 거울들, 앙증맞은 접시와 컵들은 그녀의 소유였으므로) 나는 하던 일을 그만두었다. 그 뒤에는 별달리 할 일이 없어서 창문 앞에 쭈그리고 앉아 유리창을 뒤덮은 서리꽃에 입김을 불어 모든 게 단단한 얼음의 세력에 들어가 미동 없이 굳어 있는 마당이 드러날 만한 작은 공간을 만들기도 했다.

그 창에서 문지기의 오두막과 마찻길을 볼 수 있었는데 내가 밖이 내다보일 정도로 은백색의 잎사귀 모양들을 녹여 냈을 무렵, 정문이 열리고 그리로 마차 한 대가 굴러 들어오는 모습이 보였다. 점점 가까워지는 마차를 나는 무심하게 바라보았다. 게이츠헤드에 오는 마차는 많지만 내가 관심을 둘 만한 손님을 데려오는 마차는 하나도 없었다. 마차가 집 앞에서 멈추고 초인종이 크게 울리더니 손님이 안으로 사라졌다. 모두 나와는 상관없는 일이라서 하릴없는 나의 관심은 창가 담벼락에 달라붙은 헐벗은 벚나무 가지에서 배고파 지저귀는 울새에게로 옮겨 갔다. 아침에 내가 먹다 남긴 빵과 우유가 탁자에 놓여 있었다. 그 빵을 조금 부스러뜨린 뒤 창턱에 부스러기를 올려 주려고 창틀을 잡아당기는데 베시가 계단을 뛰어 올라와 육아실로 달려왔다.

"제인 양, 앞치마 벗어요. 거기서 뭐 하는 거예요? 오늘 아침에 세수했어요?"

어떻게든 빵 부스러기를 새에게 주고 싶어서 나는 한 번 더 창틀을 잡아당겼다. 이내 창틀이 열렸다. 부스러기들을 창턱에 약간, 벚나무 가지에 약간 뿌리고 창을 닫으면서 대답했다.

"아뇨, 지금 막 청소를 끝냈어요."

"하여튼 말썽이라니까! 지금 뭐 한 거예요? 장난이라도 친 것처럼 얼굴이 빨갛잖아요. 창문은 왜 열었어요?"

베시는 너무 급해서 설명을 들을 시간도 없는 듯했다. 나 역시 굳이 대답하고 싶지 않았다. 그녀가 나를 세면대로 끌고 가더니 내 얼굴과 손에 아주 가차 없이, 하지만 다행히도 아주 간단하게 비누칠을 하고는 물로 헹구고 올이 거친 수건으로 닦았다.

뻣뻣한 솔로 내 머리를 빗겨 주고 앞치마를 벗기고 계단 쪽으로 다급하게 끌고 간 뒤, 거실에서 부르는 사람이 있으니 당장 아래층으로 내려가라고 명령했다.

나는 누가 나를 부르는 건지, 리드 부인이 거기 있는지 묻고 싶었지만 베시는 재빨리 나가 버렸고 육아실 문은 닫혔다. 나는 천천히 계단을 내려갔다. 근 3개월 동안, 리드 부인 앞에 불려 간 적이 없었다. 너무 오래 육아실에만 있었던 탓에 거실과 식당과 응접실은 내가 들어가기 겁나는 무서운 곳이 되어 있었다.

나는 텅 빈 복도에 서 있었다. 나는 거실 문 앞에서 두려움에 떨며 멈춰 섰다. 부당한 처벌로 인해 생겨난 두려움이 그 당시의 나를 얼마나 한심한 겁쟁이로 만들었던지! 육아실로 돌아가기도 무섭고 거실로 들어가기도 무서웠다. 불안하게 망설이며 10분을 그렇게 서 있었다. 맹렬하게 울리는 거실의 종소리가 내 마음을 정해 주었다.

'들어가야 돼.'

'나를 보자고 한 사람이 누굴까?' 하고 생각하며 빡빡한 문고리를 두 손으로 잡았다. 일이 초 동안 문이 열리지 않았다. '나는 이 방에서 리드 외숙모 말고 누구를 보게 될까? 남자 아니면 여자?' 손잡이가 돌아가고 문이 열린 뒤, 공손히 절을 하고 들어가는 내 눈에 검은 기둥이 보였다. 적어도 처음에는 가늘고 곧고 검은 천을 걸친 형태가 러그 위에 꼿꼿이 서 있는 것처럼 보였다. 그 꼭대기의 엄격한 얼굴은 조각가면 같았다. 기둥 위에 올려놓은 기둥머리처럼.

리드 부인은 평소처럼 난롯가에 앉아 있었다. 그녀가 나에게 가까이 오라고 손짓했다. 내가 다가가자 그녀는 그 돌덩이 같은 이방인에게 나를 소개했다.

"이 아이가 제가 말씀드린 아이예요."

그는—남자였으니까—천천히 내가 서 있는 쪽으로 고개를 돌려 덥수룩한 눈썹 아래 반짝이는 회색 눈으로 탐색하듯이 나를 뜯어보더니 낮은 저음으로 엄숙하게 말했다.

"체구가 작군요. 나이가 몇이죠?"

"열 살이에요."

"그렇게 많아요?"

그는 믿기지 않는다는 듯 나를 좀 더 찬찬히 살펴보더니 이윽고 나에게 말을 걸었다.

"이름은?"

"제인 에어입니다."

대답을 하고는 나는 위를 쳐다보았다. 그는 아주 키가 큰 신사처럼 보였지만 그 당시의 내가 아주 작았다는 점을 감안해야겠다. 이목구비는 큼직했고 그 생김새며 체구의 윤곽이 모두 엄격하고 깔끔했다.

"그래, 제인 에어, 너는 착한 아이니?"

그렇다고 대답하기가 어려웠다. 나의 작은 세계에서는 모두들 정반대로 생각하니까. 나는 잠자코 있었다. 리드 부인이 의미심장하게 머리를 흔들어 대답을 대신한 뒤에 곧바로 덧붙였다.

"그런 얘기는 하지 않는 게 나을 거예요, 브로클허스트 씨."

"거참 유감이군요! 아이와 잠시 얘기를 나눠 봐야겠습니다."

그가 꼿꼿이 폈던 몸을 구부려 리드 부인의 맞은편 안락의자에 앉았다.

"이리 와라."

그가 말했다.

나는 러그를 가로질러 갔다. 그가 나를 자기 앞에 똑바로 세웠다. 내 얼굴과 거의 같은 높이에 자리한 그의 얼굴이라니! 그 거대한 코하며, 입은 또 어떻고. 이는 또 얼마나 커다랗게 툭 튀어나왔던지!

"못된 아이처럼 통탄스러운 건 없다."

그가 말을 시작했다.

"특히 못된 여자 아이는. 나쁜 사람이 죽으면 어디로 가는지 아니?"

"지옥으로 가요."

상투적인 답변이었다.

"그럼 지옥은 뭐냐? 나한테 말해 볼래?"

"불이 가득한 구덩이예요."

"그 구덩이에 빠져서 영원히 불타고 싶니?"

"아뇨."

"그렇게 되지 않으려면 어떻게 해야 하지?"

나는 잠시 생각에 잠겼다. 내가 찾아낸 대답은 변변치 않은 것이었다.

"건강을 유지해서 안 죽으면 돼요."

"어떻게 건강을 유지하지? 너보다 어린 아이들이 매일매일 죽어 나가고 있어. 엊그제만 해도 다섯 살짜리 아이를 땅에 묻어야 했단다. 착한 애였지. 지금 그 아이의 영혼은 천국에 있어. 네가 이 세상에서 불려 간다면 너에게 같은 말을 해 줄 수는 없을 것 같구나."

그의 의심을 풀어 줄 처지가 아니라서 나는 그저 러그에 놓인 두 개의 커다란 발에 시선을 내리고, 어서 여기서 멀리 벗어나기를 바라며 한숨을 쉬었다.

"그 한숨이 너의 지극한 은인에게 폐 끼친 것을 뉘우치는 가슴에서 우러나오는 한숨이기를 바란다."

'은인! 은인!' 하고 나는 속으로 말했다.

'다들 리드 부인이 내 은인이래. 그렇다면 은인은 고약한 사람인 게 틀림없어.'

"아침저녁으로 기도를 드리니?"

그가 나를 계속 심문했다.

"네."

"성경을 읽니?"

"가끔요."

"즐겁게 읽니? 성경을 좋아하니?"

"《요한계시록》, 《다니엘서》, 《창세기》와 《사무엘서》, 《출애굽기》 약간, 《열왕기》와 《역대기》, 《욥기》와 《요나서》의 일부분을 좋아해요."

"《시편》은? 《시편》도 좋아하겠지?"

"아뇨."

"아니야? 이런 놀라울 데가 있나! 내가 아는 아이 중에 너보다 나이도 어린데 《시편》 여섯 편을 외우는 사내아이가 있어. 생강 비스킷을 먹을래, 아니면 《시편》 한 절을 배울래, 하고 물으면 그 아이는 '아, 《시편》 한 절요! 《시편》은 천사들의 노래예요. 저는 이 땅의 작은 천사가 되고 싶어요.'라고 말하지. 그러면 그 아이는 상으로 생강 비스킷 두 개를 받게 돼."

"《시편》은 재미없어요."

내가 의견을 말했다.

"그건 네 마음이 사악하다는 증거다. 그런 마음을 바꿔 달라고 하느님께 기도해야 돼. 새롭고 깨끗한 마음을 달라고. 돌 같은 심장을 가져가시고 살아 있는 심장을 달라고 기도해야 돼."

내 마음이 어떻게 하면 달라질 수 있는지 물으려는데 리드 부인이 끼어들어 나더러 앉으라고 했다. 그러고는 그녀가 직접 대화를 진행해 나갔다.

"브로클허스트 씨, 3주 전에 제가 편지에서 말씀드렸다시피 이 아이의 성격과 기질은 제가 바라는 것과는 상당히 달라요. 이 아이를 로우드 학교에 받아 주시어 교장 선생님과 교사들이 엄하게 감독하고, 무엇보다 이 아이의 가장 못된 점인 사기적인 성향을 막아 주신다면 저로서는 매우 기쁘겠어요. 내가 너 듣는 데서 이 말을 하는 이유는 제인, 네가 브로클허스트 씨를 속이지 못하게 하려는 뜻이다."

내가 리드 부인을 두려워하고 싫어한 것은 당연했다. 잔인한 말로 내 마음에 상처를 입히는 게 그녀의 천성이었으니까. 그녀가 있는 곳에서 나는 행복한 적이 없었다. 내가 아무리 말을 잘 듣고 그녀의 마음에 들려고 열심히 노력해도 나의 노력은 늘 거부당하고 이런 말들로 보답 받았다. 낯선 사람 앞에서 받은 비난은 나의 심장을 후벼 팠다. 그녀가 나를 들여보내기로 예정한 새로운 생활에서 이미 희망을 꺾어 버리고 있다는 것을 나는 어렴풋이 알아차렸다. 그 감정을 표현할 수는 없었지만 그녀는 나의 앞길에 혐오와 잔인함의 씨를 뿌리고 있었다. 브로클허스트 씨의 눈에 내가 교활하고 불쾌한 아이로 비쳐지고 있다는 것을 알면서도 나에게는 그걸 막을 방법이 없었다.

'방법이 없어, 아무것도!'

나는 흐느낌을 억누르려고 애쓰며 내 무력한 괴로움의 증거인 눈물을 서둘러 닦아 냈다.

브로클허스트 씨가 말했다.

"남을 속이는 버릇은 아이에게 절대 있어서는 안 될 단점이지요. 그건 거짓말과 비슷하고, 거짓말쟁이는 필시 불과 유황이 불타는 수렁에 던져집니다. 이 아이를 잘 감독하겠습니다, 리드 부인. 템플 선생과 이하 다른 교사들에게도 그리 일러두겠습니다."

"이 아이에게 합당한 방법으로 양육해 주시기를 바랍니다."

나의 은인이 말을 이었다.

"쓸모 있고 겸손한 인간이 되게 해 주세요. 방학 기간에도 항상 학교에서 지내게 해 주세요."

"대단히 현명한 결정이십니다, 마담. 겸손은 그리스도인의 미덕이고, 로우드의 학생들에게는 더더욱 적절한 것이지요. 저 역시도 학생들이 그런 덕성을 갖추는 데 특별히 관심을 기울이고 있습니다. 그간 세속적인 자만심을 최대한 억제할 수 있는 방법을 연구해 왔는데, 바로 며칠 전에 내가 성공했다는 기쁜 증거를 얻게 되었답니다. 나의 둘째 딸 어거스타가 제 엄마와 함께 학교에 찾아왔다가 돌아가는 길에 그러더군요. '아빠, 로우드의 여자애들은 모두 조용하고 평범한 것 같아요. 귀 뒤로 빗어 넘긴 머리, 긴 앞치마, 원피스 밖으로 작은 삼베 주머니를 단 모습이 거의 가난한 집 아이들 같았어요! 게다가 비단 옷을 한 번도 본 적이 없는 것처럼 나랑 엄마의 드레스를 쳐다보았어요.'"

브로클허스트 씨가 대답했다.

"제 마음에 꼭 들어요. 영국 어디를 뒤져 봐도 제인 에어 같은 아이에게 그처럼 정확히 어울리는 체계를 찾기는 힘들 거예요. 친애하는 브로클허스트 씨, 저는 모든 면에 일관성 있고 모순이 없는 게 중요하다고 생각합니다."

"마담, 그리스도인의 의무 가운데 첫 번째가 일관성이지요. 로우드에서도 그 원칙이 전반적으로 적용되고 있습니다. 소박한 음식, 간편한 옷차림, 간소한 설비, 활동적이고 고된 습관, 시설과 학생 들의 모든 것이 그렇습니다."

"아주 잘하시는 일이에요. 그럼 이 아이가 로우드의 학생으로 받아들여지고, 그 처지와 앞날에 맞게 교육받으리라고 믿어도 되겠지요?"

"믿으셔도 됩니다, 마담. 이 아이는 고르고 고른 식물들을 키우는 그런 곳에 있게 될 것이고, 그 귀한 혜택에 대해 스스로 감사하게 될 것입니다."

"그럼 최대한 빠른 시일 내에 아이를 보내겠습니다, 브로클허스트 씨. 솔직히 제게 주어진 책임이 점점 벅차게 느껴지고 있어서 하루빨리 벗어나고 싶거든요."

"당연히 그러시겠지요, 마담. 이제 작별을 고해야겠군요. 저는 일이 주일 후에 브로클허스트 집으로 돌아갈 겁니다. 각별한 친구인 부주교가 그 전에는 나를 놓아줄 것 같지 않습니다. 이 아이를 받아들이는 데 아무 문제가 없도록 템플 선생에게 신입생이 갈 거라고 알려 놓겠습니다. 안녕히 계십시오."

"안녕히 가세요, 브로클허스트 씨. 부인과 큰따님, 어거스타와 시어도어와 브로튼 도련님께도 안부 전해 주세요."

"그러죠. 얘야, 여기 《어린이의 지침》이라는 책이 있다. 기도하며 읽도록 해. 거짓과 속임수에 빠진 못된 아이, 마사 G의 너무나 갑작스런 죽음에 대한 설명 부분을 특히 유념해라."

브로클허스트 씨는 표지가 있는 얇은 소책자를 내 손에 안겨 주고, 종을 울려 그의 마차를 불러 떠났다.

리드 부인과 나만 남았다. 말없이 몇 분이 지나갔다. 그녀는 바느질을 했고, 나는 그녀를 지켜보고 있었다. 당시에 리드 부인은 서른여섯이나 일곱 살쯤이었다. 떡 벌어진 어깨와 강인한 팔다리, 중간 정도의 키에, 뚱뚱하지만 지나치게 살찌지 않은 건장한 체격이었다. 얼굴은 좀 크다 싶고, 아래턱이 단단하게 발달되어 있었다. 이마는 납작하고 턱은 큼직하게 튀어나오고 입과 코가 제법 균형이 잡힌 얼굴이었다.

옅은 눈썹 아래 슬픔을 알지 못하는 눈이 빛났다. 피부색은 진하고 탁했으며, 머리는 연한 황갈색이었다. 체질은 쇠 종처럼 단단해서 질병이 절대 가까이 오지 못했다. 관리자로서도 꼼꼼하고 영리한 사람이라서 식솔과 소작인들을 완전히 휘어잡고 있었다. 그녀의 아이들만이 가끔 그녀의 권위에 도전하고 조롱하며 비웃었다. 옷도 잘 입고 멋진 의상을 돋보이게 해 주는 풍채와 외양을 하고 있었다.

안락의자에서 몇 미터 떨어진 낮은 의자에 앉아 나는 그녀의 몸을 관찰했다. 그녀의 얼굴을 뜯어보았다. 내 손에는 거짓말쟁이의 갑작스런 죽음에 대한 소책자가 들려 있었다. 나에게 알맞은 경고가 담겨 있다고 했던가. 방금 일어난 일, 리드 부인이 브로클허스트 씨에게 나에 관해 했던 말, 그들이 나눈 대화의 전반적인 분위기가 생생하고 쓰라리게 내 마음을 찔렀다. 나는 그 모든 말을 확실히 들었을 뿐 아니라 예리하게 느꼈다. 내 속에서는 적개심이 무럭무럭 커지고 있었다.

리드 부인이 바느질감에서 시선을 들었다. 그녀의 눈이 나에게 닿더니 민첩하던 손가락 동작이 멈췄다.

"나가. 육아실로 돌아가라!"

그녀가 명령했다. 내 표정이나 다른 뭔가에 비위가 거슬렸는지 내색하지 않으려 했지만 목소리에 짜증이 묻어났다. 나는 일어나서 문으로 걸어가다 다시 돌아왔다. 방을 가로질러 창 쪽의 그녀에게 다가갔다.

난 말해야 했다. 지독하게 짓밟혔으니 갚아 주어야 했다. 하지만 어떻게 갚아 주지? 내가 무슨 힘으로 이 상대에게 보복할 수 있을까? 나는 기력을 모아 퉁명스럽게 말했다.

"나는 남을 속이지 않아요. 그런 경우라면 당신을 사랑한다고 말해야겠지만, 난 당신을 사랑하지 않는다고 말할 거예요. 세상 그 누구보다 존 리드 다음으로 당신이 싫어요. 거짓말쟁이에 대한 이 책은 당신의 딸 조지아나에게나 주세요. 거짓말하는 건 그 아이지 내가 아니니까."

리드 부인의 손은 여전히 미동 없이 바느질감에 놓여 있었다. 얼음 같은 그녀의 눈이 냉랭하게 나를 쳐다보았다.

"더 할 말 있니?"

아이에게 말하는 게 아니라 어른을 상대하는 듯한 어조로 그녀가 물었다.

그 눈초리와 목소리가 내가 품고 있던 혐오감을 온통 뒤흔들었다. 걷잡을 수 없는 흥분으로 머리부터 발끝까지 온몸을 부들거리며 내가 말을 이었다.

"당신이 내 피붙이가 아니라서 얼마나 다행인지 몰라요. 살아 있는 한 다시는 당신을 외숙모라고 부르지 않겠어요. 어른이 돼서도 당신을 보러 오지 않을 거고 당신을 얼마나 좋아하는지, 당신이 나를 어떻게 대했는지 물어보는 사람이 있으면 당신은 정말 역겨운 인간이고 나한테 지극히 잔인하게 굴었다고 말할 거예요."

"어떻게 감히 그런 말을 하니, 제인 에어?"

"어떻게 감히? 어떻게 감히 말하느냐고요? 그게 사실이니까요. 당신은 내가 감정도 없고, 사랑이나 친절 없이도 지낼 수 있다고 생각하죠. 하지만 나는 그렇게 못 살아요. 당신은 동정심도 없어요. 당신이 거칠고 난폭하게 그 붉은 방에 나를 밀어 넣고 가둬 버린 일을 잊지 않을 거예요, 죽을 때까지. 내가 그토록 괴로워했는데 숨이 막히도록 '살려 주세요! 살려 주세요, 외숙모!' 하고 외쳤는데도 당신은 아랑곳하지 않았어요. 게다가 내가 그런 벌을 받은 건 당신의 악랄한 아들이 이유 없이 날 두들겨 팼기 때문이죠. 나에게 물어보는 누구에게든지 이걸 정확하게 다 말해 줄 거예요. 사람들은 당신이 착한 여자인 줄 알지만 당신은 못됐고 냉혹해요. 당신이야말로 사기꾼이에요!"

말을 끝내기 전부터 나는 이제껏 느껴 보지 못한 묘한 자유와 승리감을 맛보았다. 나의 영혼은 부풀어 오르며 기뻐 날뛰기 시작했다. 보이지 않는 끈이 끊어져 뜻밖의 자유를 쟁취해 낸 듯한 기분이었다. 거기에는 그만한 이유가 있었다. 리드 부인은 기겁을 하고 있었다. 바느질감이 그녀의 무릎에서 미끄러졌다. 그녀가 두 손을 들어 올리고, 앞뒤로 몸을 흔들며, 마치 울어 버릴 것처럼 얼굴을 일그러뜨렸다.

"제인, 넌 오해하고 있어. 왜 그러는 거니? 왜 그렇게 부들거리니? 물 좀 마실래?"

"아뇨, 리드 부인."

"다른 거 필요한 거 있니, 제인? 난 네 친구가 되고 싶어."

"관두세요. 당신은 브로클허스트 씨에게 내 성격이 못됐고 사기성이 있다고 말했어요. 나도 로우드의 모든 사람들에게 당신이 어떤 사람인지, 무슨 짓을 했는지 알리겠어요."

"제인, 너는 이해를 못하고 있어. 아이들의 잘못은 고쳐 줘야 하는 거야."

"나는 남을 속이지 않는다고요!"

내가 목청 높여 과격하게 소리쳤다.

"하지만 네 성질이 격한 건 인정해야 돼, 제인. 이제 육아실로 돌아가. 자, 아가야…… 좀 누워 있어라."

"나는 당신의 아가가 아니에요. 누워 있지 못하겠어요. 당장 날 학교로 보내세요, 리드 부인. 여기 사는 건 지긋지긋해요."

"정말로 얼른 보내야겠어."

리드 부인이 혼잣말로 중얼거렸다. 그러고는 자신의 바느질감을 주워 들고 급하게 그 방을 떠났다.

나는 거기에 혼자 남았다. 전장의 승리자로. 내 생애 가장 힘겨운 싸움이었고, 내가 얻은 최초의 승리였다. 브로클허스트 씨가 서 있던 그러그 위에 잠시 서서 나는 정복자의 고독을 즐겼다. 처음에는 스르르 미소까지 터져 나올 정도로 우쭐한 기분이었다. 하지만 이 격렬한 쾌감은 흥분한 내 맥박의 진통이 진정되는 것만큼이나 빠르게 가라앉았다. 내가 한 것처럼 어른에게 대들고, 내가 쏟아 낸 것처럼 분한 감정을 마구잡이로 쏟아 낸 아이는 곧이어 고통스런 후회와 싸늘한 무력감을 경험할 수밖에 없다. 강렬하게 번쩍이며 불타오르는 히스 언덕, 리드 부인을 비난하고 위협할 때의 내 기분이 정말 그랬다. 반 시간의 침묵과 성찰을 통해 나는 내가 광기 어린 행동을 했음을, 또 미움받고 미워하는 일이 얼마나 황량한 기분을 느끼게 해 주는지를 알게 되었다. 그 후의 내 상태는 불이 사그라든 뒤에 검게 망가져 버린 히스 언덕과 같았다.

내가 처음으로 맛본 복수의 맛이었다. 꿀꺽 삼킬 때는 향긋한 와인처럼 뜨끈하고 독특한 풍미를 풍기더니, 그 뒷맛은 녹슨 쇠붙이 맛이라서 마치 내 몸에 독이라도 주입된 느낌이었다. 이제는 기꺼이 리드 부인에게 가서 용서를 구할 수 있었다. 하지만 경험으로 또 본능적으로, 그래 봤자 내가 그녀에게 이중으로 경멸당하여 물리쳐질 것이고, 그로 인해 사나운 내 성질이 다시 일어나리라는 것을 나는 알고 있었다.

사납게 말하는 것보다 더 나은 능력을 불러내고 싶었다. 침울한 분노보다 극악하지 않은 감정의 영양분을 찾고 싶었다. 나는 책 한 권을—《아라비아의 이야기》를—꺼내 들었다. 의자에 앉아 읽으려고 노력했지만 무슨 소리인지 이해가 되지 않았다. 평소에는 그렇게 매혹적이던 그 페이지와 나 사이에서 생각들이 계속 헤엄쳐 다녔다. 나는 거실의 유리문을 열었다. 관목 숲이 아주 고요했다. 햇빛이나 바람에 부서지지 않은 검은 서리가 밖을 덮고 있었다. 원피스 자락으로 머리와 팔을 감싸고, 적막한 숲을 거닐어 보려고 나갔다. 하지만 말없이 서 있는 수목과 떨어지는 전나무 열매, 가을의 얼어붙은 잔재, 지나는 바람에 휩쓸렸다가 이제 한 덩어리로 굳어 버린 적갈색 낙엽 들에서는 즐거움을 찾을 수 없었다. 나는 정문에 기대 땅딸막한 풀들만이 창백하게 얼어 있는 빈 들판을 바라보았다. 몹시 흐린 날이었다. 잔뜩 눈발이 선 우중충한 하늘이 모든 것을 내리덮었다. 하늘에서 가끔 눈송이가 떨어져 단단한 길과 회백색 풀밭에 녹지 않고 내려앉았다. 나는 너무나 처량하게 서서 혼잣말로 중얼거리고 또 중얼거렸다.

"이제 어떡하지? 어떡하지?"

갑자기 맑은 목소리가 들려왔다.

"제인 양! 어디 있어요? 점심 먹으러 와요!"

베시의 목소리였다. 하지만 나는 움직이지 않았다. 그녀의 가벼운 발소리가 다가왔다.

"이 골칫덩어리! 불렀는데 왜 안 오는 거예요?"

내가 깊은 생각에 빠져 있던 것에 비해, 베시의 존재는 사뭇 경쾌해 보였다. 평소처럼 그녀가 조금 언짢은 기분이었는데도. 사실 리드 부인과 싸워 승리를 거둔 뒤라서 나는 아이를 돌보는 여자의 일시적인 노여움에 신경 쓸 기분이 아니었다. 오히려 그녀의 젊고 가벼운 분위기에 젖어 보고 싶었다. 두 팔로 베시를 끌어안으며 내가 말했다.

"베시! 혼내지 마."

평소에 내가 하던 행동보다 더 솔직하고 용감한 행동이었다. 웬일인지 그게 그녀를 기쁘게 한 모양이었다.

"아무튼 이상한 아이라니까."

그녀가 나를 내려다보며 말했다.

"고독한 방랑자 같아, 어린 방랑자. 학교에 간다면서요?"

내가 고개를 끄덕였다.

"불쌍한 베시를 두고 떠나는 게 하나도 안 섭섭해요?"

“베시가 날 좋아하기나 하나? 항상 야단만 치면서.”

“조그만 아이가 너무 괴상하고 겁 많고 소심하니까 그렇죠. 좀 더 대담해져야 돼요.”

“뭐야! 더 많이 맞으라고?”

“무슨 그런 소리를! 하지만 아가씨가 좀 구박을 받기는 하죠. 지난주에 우리 엄마가 나를 만나러 왔었는데 자기 자식이 아가씨 같은 처지에 있으면 마음이 아플 거라고 하더군요. 자, 들어가요. 그리고 좋은 소식이 있어요.”

“나한테 무슨 좋은 소식이 있겠어.”

“어머! 그게 무슨 말이에요? 그렇게 처량한 눈으로 쳐다보지 말아요. 아무튼, 마님과 아가씨들과 존 도련님이 오늘 오후에 차 드시러 나갈 거니까, 제인 양은 나랑 같이 차를 마셔요. 요리사에게 작은 케이크를 구워 달라고 할게요. 그다음에는 아가씨 서랍 정리하는 것 좀 도와줘요. 곧 짐을 싸야 하니까. 마님이 하루 이틀 내로 게이츠헤드에서 떠나보낼 생각이신가 봐요. 가져가고 싶은 장난감을 골라 둬요.”

“베시, 이제부터 내가 떠날 때까지 야단치지 않겠다고 약속해 줘.”

“음, 약속할게요. 하지만 아가씨도 착하게 굴고 나를 두려워하지 말아요. 어쩌다 내가 좀 매섭게 말해도 움찔거리지 말아요. 정말 짜증나거든요.”

“이젠 익숙해져서 별로 무서울 것 같지도 않아. 조만간 두려워해야 할 사람들이 또 생기겠지.”

“아가씨가 누굴 무서워하면 그 사람들도 아가씨를 싫어하게 돼요.”

“베시처럼?”

“나는 제인 양을 싫어하지 않아요. 다른 누구보다 아가씨를 좋아하는걸요.”

“그런 표시 안 했잖아.”

"어머나, 암팡져라! 말하는 게 아주 달라졌네요. 웬일로 이렇게 대담하고 배짱 있어졌어요?"

"얼마 있으면 나는 떠날 거고, 게다가……."

리드 부인과의 사이에 있었던 일을 얘기하려다가 나는 이 집의 대장에 관해서는 입을 다무는 게 낫겠다고 판단했다.

"나랑 헤어지게 돼서 좋죠?"

"전혀 아니야, 베시. 사실 지금으로서는 다소 유감스러워."

"지금으로서는! 그리고 다소! 어린 숙녀가 어쩜 이렇게 쌀쌀맞게 말할까. 지금 내가 키스해 달라고 해도 다소 내키지 않는다고 안 해주겠군요."

"기쁘게 키스해 줄게. 고개 숙여 봐."

베시가 몸을 구부렸다. 우리는 서로를 끌어안았고, 나는 꽤 위로받은 기분으로 그녀를 따라 집으로 들어갔다. 그날 오후는 평화와 조화 속에서 지나갔다. 저녁에 베시는 제일 재미난 이야기를 몇 개 들려주었고 가장 달콤한 노래를 몇 곡 불러 주었다. 나 같은 사람에게도 인생은 한 가닥 햇살을 비춰 주었다.

제5장

1월 19일, 시계가 아침 5시를 알리자마자 베시가 나의 골방으로 촛불을 가져왔다. 나는 이미 일어나 옷을 다 입고 있었다. 그녀가 들어오기 30분 전에 일어나 세수를 마쳤고, 내 침대 옆 좁은 창으로 스며드는 막 기우는 반달의 빛에 의지해 옷을 입었다. 그날 아침 6시에 나는 오두막 정문을 지나는 마차를 타고 게이츠헤드를 떠날 예정이었다. 이 집에서 그 시간에 잠을 깬 사람은 베시뿐이었다. 그녀는 육아실에 불을 지피고 나의 아침 식사를 준비하기 시작했다. 여행을 앞두고 흥분해 있는 아이는 목구멍으로 뭔가를 넘길 수 없는 법이다. 나도 마찬가지였다. 베시는 나에게 준비한 빵과 따뜻한 우유를 몇 스푼 먹이려고 애썼지만 소용없는 일이라는 걸 깨닫자, 비스킷을 몇 개 종이에 싸서 내 가방에 넣어 주었다. 내게 외투를 입히고 보닛을 씌워 준 뒤, 자기도 숄을 걸치고 나와 함께 육아실을 나섰다. 리드 부인의 침실을 지날 때 그녀가 말했다.

"들어가서 마님께 작별 인사 할래요?"

"아니. 베시가 어제 저녁 먹으러 내려갔을 때, 리드 부인이 내 침대로 와서 아침에 자기나 아이들을 깨우지 말라고 했어. 자기가 항상 나에게 좋은 친구였던 것을 잊지 말고, 그에 따라 자기 얘기를 하고 자기에게 고마워하라고 하던걸."

"그래서 뭐라고 했어요, 아가씨는?"

"아무 말 안 했어. 이불 뒤집어쓰고 벽으로 돌아누웠어."

"그건 잘못된 행동이에요, 제인 양."

"그건 옳은 행동이었어, 베시. 당신의 마님은 내 친구가 아니야, 원수지."

"어머나, 제인 양! 그렇게 말하지 말아요!"

"게이츠헤드여, 안녕."

복도를 지나 현관으로 나가며 내가 소리쳤다.

달이 지고 밖은 아주 캄캄했다. 베시가 든 초롱의 불빛이 축축한 계단과 최근에 녹은 눈으로 흠뻑 젖은 자갈길을 비췄다. 으스스하고 싸늘한 겨울 아침이었다. 나는 이를 덜덜 떨며 마찻길로 종종걸음 쳤다. 문지기의 오두막에 불빛이 보였다. 도착해 보니 문지기의 아내가 불을 피우고 있었다. 전날 저녁에 옮겨다 둔 내 트렁크가 문간에 묶여 있었다. 6시를 불과 몇 분 앞둔 시간이었고, 6시가 울린 직후에 멀리서 들려오는 바퀴 소리가 마차가 오고 있음을 알렸다. 나는 문으로 가서 어둠을 뚫고 빠르게 다가오는 마차 램프들을 지켜보았다.

"아이 혼자 가는 거야?"

문지기 아내가 물었다.

"네."

"얼마나 먼데?"

"80킬로미터래요."

"저런, 먼 길이네! 리드 부인은 그 먼 데로 아이 혼자 보내면서 걱정도 안 되시나."

마차가 멈춰 섰다. 네 마리 말을 앞에 묶고 위쪽에 승객들을 실은 마차가 정문 앞에 정지했다. 마부와 차장이 큰 소리로 서두르라고 재촉했다. 내 트렁크가 올려졌다. 나는 베시에게 키스하기 위해 매달려 있었다.

"아이 좀 잘 보살펴 주세요."

베시에게서 나를 떼어 내 안으로 들어 올리는 차장에게 베시가 소리쳤다.

"네, 네!" 하는 대답 소리가 났다. 문이 탁 닫히고 목소리가 소리쳤다. "출발!" 이리하여 나는 베시와 게이츠헤드로부터 떨어져, 당시에는 멀고 신비한 곳으로만 여겨지던 미지의 지역으로 달려 나갔다.

여행에 대해 기억나는 것은 별로 없다. 초자연적으로 긴 하루였고, 수백 킬로미터를 달려가는 것 같았다는 정도만 생각날 뿐이다. 몇 개의 도시를 지난 뒤, 아주 커다란 어느 도시에서 마차가 멈췄다. 말들이 마차에서 풀리고 승객들이 식사를 하기 위해 내렸다. 나는 선술집으로 옮겨졌고 거기서 차장이 나에게 뭘 먹으라고 했다. 하지만 나는 식욕이 없었다. 그는 양쪽 끝에 벽난로와 천장에 샹들리에와 벽 위쪽에 악기들이 가득한 작고 빨간 다락이 있는 거대한 방에 나를 남겨 두었다. 여기서 나는 한참을 돌아다녔다. 누군가 들어와 나를 유괴해 갈 것만 같은 아주 이상하고 심히 걱정스런 기분을 느꼈다. 베시의 화롯가 이야기에 자주 등장하던 유괴범과 그들의 활동상을 믿었기 때문이다.

드디어 차장이 돌아왔다. 다시 한 번 나는 마차에 실렸고, 나의 보호자가 자기 자리로 올라가 휑한 뿔피리 소리를 울리자, 마차는 L 시의 돌길을 덜거덕대며 출발했다.

안개가 약간 낀 축축한 오후였다. 날이 저물어 갈 무렵, 나는 정말로 게이츠헤드에서 아주 멀리 왔다는 것을 실감하기 시작했다. 이제

도시는 보이지 않았고 바깥은 시골 풍경으로 바뀌어 있었다. 거대한 회색 언덕들이 지평선을 빙 둘러 올라서 있었다. 황혼이 깊어지면서 마차는 어두컴컴한 수풀 골짜기로 내려갔고, 주위의 경치가 보이지 않을 정도로 캄캄해진 뒤엔 나무 사이를 지나는 세찬 바람 소리가 들렸다.

그 소리에 스르르 졸음이 쏟아지는가 싶더니, 마침내 잠이 들었던 모양이다. 얼마 지나지 않아 갑작스레 정지하는 느낌에 잠을 깼다. 마차 문이 열리고 하인 같은 사람이 서 있는 게 보였다. 그녀의 얼굴과 옷차림이 램프 불빛에 드러났다.

"여기에 제인 에어라는 아이 있니?"

그녀가 물었다. 내가 대답했다.

"네."

그다음에 내 몸이 들려 나갔다. 내 트렁크가 내려지고 마차는 곧바로 떠나갔다.

오래 앉아 있었던 탓에 몸이 뻣뻣했고 마차의 소음과 움직임 때문에 어리둥절했다. 나는 정신을 차리고 주위를 둘러보았다.

비와 바람과 어둠이 공기를 메우고 있었다. 하지만 내 앞에 있는 담과 거기에 나 있는 문을 어렴풋이 구분할 수는 있을 정도였다. 나는 새로운 안내자와 같이 그 문으로 들어갔다. 그녀가 문을 닫아걸었다. 한 채인지 여러 채인지 모를 건물이 보였다. 길게 뻗어 있어서 잘 알아볼 수가 없었다. 창문이 많고 그중 몇 군데에는 불이 켜져 있었다. 우리는 물을 튀기며 넓은 자갈길을 걸어 올라가 어떤 문으로 들어갔다. 그 하인은 복도를 지나 난롯불이 있는 방으로 나를 안내하더니 거기에 나를 혼자 남겨 두었다.

나는 곱은 손에 불기를 쬐며 방을 빙 둘러보았다. 촛불은 없었지만 일렁이는 난로 불빛이 벽지 바른 벽과 양탄자, 커튼, 윤기 나는 마호가니 가구를 비췄다. 그곳은 거실이었다. 게이츠헤드의 응접실처럼 넓고 화려하지는 않지만 꽤 아늑했다. 내가 벽에 걸린 그림의 주제를 알아내려고 고민하고 있을 때, 문이 열리더니 손에 불을 든 사람이 들어왔다. 그 뒤로 다른 사람이 따라 들어왔다.

앞 사람은 머리도 눈도 진한 색에, 이마가 창백하고 넓으며 키가 큰 숙녀였다. 숄을 두르고 있었는데 표정은 엄숙하고 자세는 꼿꼿했다.

"혼자 여행하기에는 아직 어린 나이네."

그녀가 탁자에 양초를 내려놓으며 말했다. 일이 분 동안 나를 찬찬히 살피고 나서 덧붙였다.

"얼른 재우는 게 낫겠어. 피곤해 보여. 피곤하니?"

그녀가 내 어깨에 손을 얹으며 물었다.

"약간요, 마담."

"배도 고프겠지, 물론. 자기 전에 식사를 하게 하세요, 밀러 선생. 얘야, 부모님 곁을 떠나 학교에 온 게 이번이 처음이니?"

나는 부모님이 없다고 말했다. 그녀는 부모님이 돌아가신 지 얼마나 오래됐는지, 내가 몇 살인지, 이름이 뭔지, 읽기와 쓰기와 바느질은 좀 할 수 있는지 물었다. 그다음에 집게손가락으로 부드럽게 내 뺨을 만지며 "착한 아이가 되길 바란다."고 말하고는 나를 밀러 선생과 같이 내보냈다.

스물아홉 살쯤 되어 보이는 숙녀였다. 나와 같이 방을 나선 사람은 몇 살 더 젊어 보였다. 첫 번째 여자는 목소리와 모습과 분위기가 상당히 인상적이었다. 밀러 선생은 그보다 평범했다. 혈색은 좋았지만 근심 걱정에 찌든 얼굴이었다. 항상 눈앞에 할 일을 수북이 쌓아 두고 있는 사람처럼 걸음걸이와 행동이 조급했다. 나중에 알게 된 대로 그녀는 딱 보조 교사처럼 보였다. 나는 그녀에게 이끌려 커다랗고 불규칙한 건물의 구획에서 구획으로, 통로에서 통로로 지나갔다. 황량함과 적막함만이 감도는 건물 몇 개를 지나자 어디선가 웅성거리는 소리가 들려왔다. 이윽고 우리는 넓고 기다란 방으로 들어섰다. 커다란 전나무로 만든 탁자가 양쪽에 두 개씩 있고 탁자마다 촛불이 하나씩 타오르고 있었는데, 그 주위로 쭉 둘러 있는 벤치에는 아홉 살이나 열 살부터 스무 살까지 다양한 연령의 소녀들이 앉아 있었다. 어슴푸레한 양초 불빛에 비친 그들은 셀 수 없이 많아 보였지만 실제로는 80명을 넘지 않았다. 그들은 모두 똑같이 기이한 모양의 갈색 원피스를 입고 긴 삼베 앞치마를 두르고 있었다. 자습 시간인 듯했다. 모두들 내일 공부할 부분을 외우느라 분주했는데, 아까 들렸던 웅성거림은 조그맣게 암기하는 그들의 소리가 합쳐진 것이었다.

밀러 선생이 문 가까운 벤치에 앉으라고 나에게 손짓하고 나서, 기다란 방 위쪽으로 걸어가 소리쳤다.

"반장, 교과서 모아서 갖다 둬!"

키 큰 소녀 네 명이 각 탁자에서 일어나 돌아다니며 책들을 모아 정리했다. 밀러 선생이 다시 명령을 내렸다.

"반장, 야식 쟁반 가져와!"

키 큰 소녀들이 나갔다가 잠시 뒤에 뭔지 모를 음식과 가운데 물 주전자와 잔이 올려진 쟁반을 들고 돌아왔다. 차례차례 음식이 배분되었다. 원하는 이들은 물을 마셨고, 잔은 전체 공용이었다. 나도 목이 말라서 물을 마셨지만 음식에는 손대지 않았다. 흥분과 피로 때문에 아무것도 넘길 수 없었기 때문이다. 음식의 정체는 조각조각 썰어 놓은 얇은 귀리 케이크였다.

식사가 끝나자 밀러 선생이 기도문을 읽고, 학생들이 둘씩 열을 지어 위층으로 올라갔다. 나는 지칠 대로 지쳐서 침실이 어떤 곳인지 둘러볼 겨를도 없었다. 그저 교실처럼 아주 길다는 것만 알았을 뿐이다. 그날 밤 나는 밀러 선생과 같은 침대를 쓰게 되어 있었다. 그녀는 내가 옷을 벗는 것을 도와주었다. 자리에 누워 길게 늘어진 침대들을 쳐다보니 하나당 두 명씩 빠르게 채워지고 있었다. 10분이 지나자 단 하나 남아 있던 불빛마저 꺼졌다. 캄캄한 어둠과 고요 속에서 나는 잠이 들었다.

눈 깜짝할 사이에 밤이 지났다. 너무 피곤해서 꿈도 꾸지 않았다. 밤중에 딱 한 번 깨어나 격렬한 돌풍에 아우성대는 바람 소리와 억수로 쏟아지는 빗소리를 듣고 밀러 선생이 내 옆에 누워 있다는 걸 알았을 뿐이었다. 다시 눈을 떴을 때는 종소리가 요란하게 울리고 있었다. 학생들이 일어나 옷을 입었다. 아직 날이 밝지 않았고, 방에 한두 개의 골풀 양초가 켜졌다. 나도 겨우 일어났다. 지독한 추위에 덜덜 떨며 간신히 옷을 입고, 대야가 비었을 때 세수를 했다. 방 가운데 있는 세면대에서 여섯 명이 한 대야를 써야 했기 때문에 차례가 금방 오지 않았다. 다시 종이 울렸다. 모두 2열 종대를 이뤄, 순서대로 계단을 내려가 희미하게 불이 켜진 추운 교실로 들어갔다. 밀러 선생이 기도문을 읽고는 소리쳤다.

"수업 준비!"

몇 분간 주위가 어수선해졌고 밀러 선생은 계속해서 소리쳤다.

"조용! 질서 있게!"

소란이 가라앉은 다음에 보니, 학생들은 네 개의 탁자에 놓인 네 개의 의자 앞에, 네 개의 반원형으로 정렬해 있었다. 모두들 책을 들고 있었고 성경인 듯한 커다란 책이 빈 의자 앞의 탁자에 하나씩 놓여 있었다. 잠시 정적이 흐르는 사이, 나지막하고 흐릿한 웅성거림이 그 공백을 채웠다. 밀러 선생이 각 반을 돌아다니며 이 불명확한 소리를 조용히 시켰다.

멀리서 종소리가 울렸다. 곧이어 세 명의 숙녀가 방으로 들어와 각자 다른 탁자로 걸어가 착석했다. 밀러 선생은 문에서 제일 가깝고 제일 어린아이들이 모여 있는 네 번째 탁자의 빈 의자를 차지했다. 나도 이 하급반에 불려 가 맨 끝자리에 앉았다.

본격적인 일과가 시작되었다. 그날의 특별 기도문을 외우고, 성경 구절을 듣고 난 뒤, 한 시간 동안 성경 읽기가 이어졌다. 그 과정이 끝났을 때쯤 날이 환하게 밝았다. 지치지도 않는 종소리가 이제 네 번째로 울렸다. 학생들이 정렬하여 아침을 먹으러 다른 방으로 행진했다. 뭔가를 먹을 수 있게 된다는 게 얼마나 기뻤는지 모른다! 전날 거의 아무것도 먹지 못했기 때문에 배가 고프다 못해 아플 지경이었다.

식당은 커다랗고 천장이 낮고 음침한 방이었다. 기다란 탁자 두 개에 뜨거운 김이 오르는 뭔가가 올려져 있었는데 맙소사, 거기서는 전혀 맛있을 것 같지 않은 냄새가 풍겨 나왔다. 사람들이 음식에서 나오는 김을 맡고 한결같이 얼굴을 찌푸렸다. 맨 앞줄 첫 번째 학급의 키 큰 소녀들 사이에서 속닥거리는 말소리가 퍼졌다.

"으웩! 죽이 또 탔나 봐!"

"조용!"

어떤 목소리가 소리쳤다. 밀러 선생이 아니라 상급반 교사 중 하나인 작고 검은 인물이었다. 옷차림은 말쑥하지만 성깔 있어 보이는 그 사람이 식탁의 상석에 자리를 잡자, 좀 더 통통한 여자가 다른 쪽 상석에 앉았다. 나는 전날 밤에 만난 여자를 찾아보았지만 헛수고였다. 그녀는 보이지 않았다. 밀러 선생이 내가 앉은 식탁의 말석을 차지했고, 외국인으로 보이는 나이 든 노부인이 다른 식탁의 같은 자리에 앉았다. 나중에 알고 보니 그 여자는 프랑스어 교사였다. 식전 감사 기도가 길게 이어지고 성가 한 곡을 부른 뒤에, 하인이 교사들에게 차를 내오자 식사가 시작되었다.

기절할 정도로 배가 고팠던 나는 맛을 생각할 겨를도 없이 얼른 한두 숟가락을 퍼먹었다. 하지만 극심한 허기가 채워지고 나니 구역질이 나서 더는 먹기가 힘들었다. 타 버린 죽은 썩은 감자처럼 맛이 고약하다. 아무리 배가 고파도 금세 속이 메슥거린다. 숟가락질이 느려졌다. 나는 다른 아이들이 죽을 입에 넣고 삼키려 애쓰는 모습을 쳐다보았다. 하지만 대부분의 경우 그런 노력을 금세 포기했다. 아침 식사가 끝났지만 아무도 아침을 먹지 못한 상태였다. 우리는 먹지도 못한 음식에 대해 감사 기도를 드리고 두 번째 성가를 부른 다음 교실로 출발했다. 나는 마지막으로 나가는 줄에 끼어 있었는데, 식탁을 지나면서 선생 한 사람이 죽 그릇을 잡고 맛보는 모습을 보았다. 그녀가 다른 교사들을 바라보았다. 다들 불쾌한 표정이었고 그중에서 통통한 여자가 속삭였다.

"이걸 어떻게 먹으라고! 너무해!"

다시 수업이 시작되기까지의 15분 동안, 교실에서는 한바탕 난리가 났다. 그 시간에는 큰 소리로 자유롭게 떠들어도 되는 모양이었고, 학생들은 그 특권을 마음껏 누렸다. 대체로 아침 식사에 관한 내용이었고 다들 불만이 대단했다. 가엾게도 그것이 그들의 유일한 위안거리였다. 교실에 있는 교사는 밀러 선생뿐이었다. 키 큰 소녀들이 그녀를 둘러싸고 성난 손짓을 섞어 가며 심각하게 이야기했다. 누군가의 입에서 브로클허스트 씨의 이름이 튀어나왔다. 밀러 선생이 못마땅한 듯 고개를 흔들었다. 하지만 학생들의 분노를 진정시키려고 애쓰는 모습은 아니었다. 분명 그녀도 학생들과 같은 생각을 하는 듯했다.

교실의 시계가 9시를 알렸다. 밀러 선생이 에워싼 학생들을 헤치고, 방 가운데로 나서서 소리쳤다.

"조용! 착석!"

훈육이 효과를 발휘했다. 혼란스럽던 학생들이 단 5분 만에 질서를 찾았고 상대적인 고요가 바벨탑의 아우성 같은 소란을 진압했다. 상급반 교사들도 정확하게 자기 자리로 되돌아왔다. 하지만 여전히 모두가 뭔가를 기다리는 모습이었다. 교실 사방에 배치된 벤치에 80명의 학생들이 미동 없이 꼿꼿이 앉아 있었다. 곱슬머리 하나 보이지 않게 머리를 간단히 빗어 넘긴 그들은 기묘한 집단처럼 보였다. 갈색 원피스 차림, 목을 높이 감싸는 좁은 깃 장식, 반짇고리로 사용되는 원피스 앞에 묶은 작은 삼베 주머니들(스코틀랜드 고지 사람들의 지갑처럼 생겼다). 뿐만 아니라 다들 털 스타킹과 놋쇠 버클이 달린 투박한 구두를 신고 있었다. 이런 차림을 한 이들 중 스무 명 이상이 성숙한 소녀 또는 젊은 처녀라 할 만했다. 그런 차림은 그들에게 어울리지 않았고, 아주 예쁜 학생까지도 괴상해 보이게 만들었다.

나는 그들을 쳐다보며 가끔씩 교사들을 관찰했다. 딱히 마음에 드는 교사는 하나도 없었다. 뚱뚱한 여자는 약간 상스럽고, 검은 머리의 여자는 적잖이 사나웠고, 외국인은 엄하고 기괴했고, 가엾게도 밀러 선생은 고생에 찌들고 피곤에 절어 푸르뎅뎅하게 보였다. 내 눈이 이 얼굴, 저 얼굴을 떠돌고 있을 때, 학생 전체가 공통의 끈으로 움직이는 것처럼 일제히 일어났다.

무슨 일일까? 구령 소리를 듣지 못했던 나는 적잖이 당황스러웠다. 정신을 차리기도 전에 학생들이 다시 자리에 앉았다. 모두들 한곳을 바라보고 있었으므로 나도 그쪽으로 눈을 돌렸다. 지난밤에 나를 맞이했던 사람이 거기 있었다. 그녀는 긴 교실 끝, 난롯가에 서 있었다. 양쪽 끝에 난로가 있었기 때문이다. 그녀가 두 줄로 앉은 소녀들을 말없이 근엄하게 관찰했다. 밀러 선생이 다가가 무언가 질문하는 듯했고, 대답을 듣고는 그녀의 자리로 돌아가 큰 소리로 말했다.

"1반 반장, 지구의 가져와!"

지시가 실행되는 동안, 상의를 받았던 숙녀는 천천히 교실 앞으로 걸어왔다. 밝은 대낮에 본 그녀는 큰 키에 뽀얗고 맵시 있는 모습을 하고 있었다. 넓고 새하얀 이마도 아름다웠지만, 홍채에 인자한 빛이 담긴 갈색 눈동자와 그 주위에 곱게 그려진 긴 속눈썹은 정말 인상적이었다. 양쪽 관자놀이에는 아주 진한 갈색 머리카락이 반반한 리본이나 긴 고수머리가 유행하지 않던 당시의 패션에 따라 동글동글하게 말려 있었다. 옷차림도 당시의 유행대로 보라색 천에 스페인풍으로 검정 벨벳 장식을 달아 돋보이게 했다. 허리띠에서는 금시계가 반짝거렸다(당시에는 시계가 지금처럼 흔하지 않았다). 여기에 독자가 세련된 특징들을 덧붙여 그림을 완성해 보라. 창백하면서도 깨끗한 안색, 당당한 분위기와 몸가짐을 더하면 어느 정도는 정확하게 그 선생의 외모를 짐작할 수 있을 것이다. 나중에 내가 교회로 들고 가게 된 기도서에는 그녀의 이름이 마리아 템플이라고 씌어 있었다.

이 로우드 학교의 교장은(이 숙녀가 교장이었다) 탁자에 놓인 한 쌍의 지구의 앞에 앉아 상급반을 불러들이고 지리 수업을 진행하기 시작했다. 하급반들도 교사들에게 불려 갔다. 역사, 문법 등의 암송이 한 시간 동안 이어졌다. 쓰기와 산수가 뒤를 이었고, 템플 선생이 나이 든 소녀 몇 명에게 음악을 가르쳤다. 각각의 수업 시간을 알려 주던 시계가 마침내 12시를 울렸다. 교장이 일어나 말했다.

"학생들에게 전할 말이 있어요."

수업이 끝난 뒤의 소란이 그녀의 목소리에 다시 조용해졌다. 그녀가 말을 이었다.

"여러분은 오늘 아침을 제대로 먹지 못했어요. 배가 고플 거예요. 중식으로 빵과 치즈를 먹을 수 있도록 지시해 놓았어요."

교사들이 놀란 얼굴로 그녀를 바라보았다.

"이 일은 나의 책임하에서 행해질 겁니다."

설명하듯이 덧붙이고 나서 그녀는 바로 교실을 떠났다.

이윽고 빵과 치즈가 배분되자 학생 전체가 매우 기뻐하며 원기를 회복했다. "정원으로!" 하는 구령이 떨어졌다. 학생들은 색색의 옥양목 끈이 달린 성긴 밀짚모자를 쓰고 회색 모직 망토를 입었다. 나도 비슷하게 갖춰 입고 줄줄이 나가는 사람들을 따라 밖으로 나갔다.

널찍한 정원은 바깥 경치가 전혀 보이지 않게 높은 담으로 둘러싸여 있었다. 한쪽으로는 지붕 덮인 베란다가 이어져 있고, 작은 화단들이 수십 개로 나뉜 가운데 넓은 산책로가 뻗어 있었다. 이 화단들은 학생들의 화초 재배용으로 할당된 것이라서 각 화단마다 주인이 있었다. 꽃들이 활짝 피어나면 틀림없이 아주 예뻐 보이겠지만, 지금은 1월 말경이라 모든 것이 황량하게 말라비틀어져 갈색으로 보였다. 나는 거기 서서 몸을 떨며 주위를 살펴보았다. 야외 활동을 하기에는 궂은 날이었다. 실제로 비가 오지는 않지만 부슬부슬 내리는 누런 안개 때문에 주위가 어두컴컴했다. 어제의 폭우로 인해 발밑은 온통 질퍽거렸다. 기운 넘치는 아이들은 사방을 뛰어다니며 활발하게 놀고 있었지만, 창백하고 마른 아이들은 피난처와 온기를 찾아 베란다로 모여들었다. 자욱한 안개가 그들의 떨리는 몸으로 파고드니 몇몇 사람에게서 헛헛한 기침 소리가 터져 나왔다.

나는 아직 누구와도 말해 보지 않았고, 내 존재를 알아차리는 사람은 하나도 없는 듯했다. 나는 꽤 외롭게 서 있었다. 하지만 그런 외톨이 느낌에는 익숙해 있어서 별로 우울하지 않았다. 베란다 기둥에 기대어 회색 망토를 바짝 여미고, 나를 깨물어 대는 추위와 채워지지 않은 배고픔을 잊으려 애쓰며 지켜보고 생각하는 즐거움으로 나를 인도했다. 굳이 말할 필요도 없는 아주 막연하고 단편적인 생각들이었다. 나는 아직 여기가 어딘지도 모르는 상태였다. 게이츠헤드와 과거의 삶은 아득히 먼 곳으로 떨어져 나간 듯했다. 현재는 모호하고 이상했고, 미래에 대해서는 도무지 짐작도 할 수 없었다. 수녀원 같은 정원을 둘러보고 나서 건물을 올려다보았다. 절반은 낡은 회색이고 다른 절반은 꽤 새것인 듯한 커다란 건물이었다. 교실과 기숙사를 포함한 새 건물 쪽은 중간 문설주로 이어진 격자창에 불이 켜져 있어서 교회처럼 보였다. 문 위의 돌 현판에 이런 문구가 적혀 있었다.

> 로우드 시설. 이 부분은 서기 ○○○○년에, 우리 지역 브로클허스트 저택의 나오미 브로클허스트 여사가 재건한 것이다.
>
> 너희도 이와 같이 너희 빛을 사람들 앞에 비취게 하여 그들이 너희의 착한 행실을 보고 하늘에 계신 너희 아버지께 영광을 돌리게 하라.
>
> —《마태복음》 5장 16절

나는 이 문장을 읽고 또 읽었다. 거기에 맞는 해석이 있을 듯한데 그 의미가 뭔지 알 수 없었다. 내가 여전히 시설의 의미를 곰곰이 생각하며 앞에 나온 말과 성경 구절이 무슨 관련이 있는 건지 고민하고 있을 때, 바로 뒤에서 기침 소리가 났다. 근처 돌 벤치에 한 소녀가 앉아 고개를 숙이고 책 읽기에 열중해 있었다. 내가 서 있는 곳에서 제목이 보였다. 《라셀라스》. 이상한 이름이었고, 그래서 더욱 매력적으로 느껴지는 제목이었다. 책장을 넘기다 그녀가 우연히 고개를 들었을 때, 내가 얼른 말을 걸었다.

"그 책 재미있어?"

나는 이미 언젠가 이 책을 빌려 봐야겠다는 생각을 하고 있었다.

"난 마음에 들어."

일이 초 정도 나를 관찰한 뒤 그녀가 대답했다.

"무슨 내용인데?"

내가 또 물었다. 처음 보는 사람에게 이렇게 말을 거는 배짱을 내가 어디서 찾아냈는지 모르겠다. 이런 행동은 내 성격이나 습관에 반대되는 것이었다. 하지만 그녀의 책 읽는 모습이 어딘가 공감의 끈을 건드렸던 모양이다. 유치하고 시시한 것들이긴 해도 나 역시 책 보는 걸 좋아하니까. 진지하거나 본질적인 내용은 이해할 능력이 없었지만.

“네가 훑어봐.”

소녀가 나에게 책을 건네며 대답했다.

나는 책을 잠깐 훑어보았다. 사실 제목에 비해 별로 끌리는 내용은 아닌 것 같았다. 나의 경박한 취향에는 《라셀라스》가 꽤나 지루해 보였다. 요정도 없고, 《아라비아의 이야기》에서처럼 지니도 나오지 않았다. 빼곡히 글자가 들어찬 이 책에 산뜻하고 다양한 얘기들이 펼쳐져 있으리라고는 생각되지 않았다. 나는 책을 돌려주었다. 그녀가 조용히 받아 들고 아무 말 없이 이전의 학구적인 분위기로 돌아가려 했다. 내가 다시 과감하게 그녀를 방해했다.

“저 문 위의 돌에 쓰인 말이 무슨 뜻이야? 로우드 시설이 뭐야?”

“네가 살게 된 이 집.”

“그런데 왜 시설이라고 불러? 다른 학교들하고 뭐가 달라?”

“여긴 부분적인 자선 학교야. 너와 나, 그리고 다른 나머지 아이들 모두 자선의 대상이지. 너도 아마 고아일걸. 네 아버지나 어머니가 돌아가시지 않았니?”

“두 분 다 내가 아주 어렸을 때 돌아가셨어.”

“그래, 여기 학생들은 모두 부모 중의 한 분이나 두 분 다 없는 아이들이고, 고아들을 교육하기 때문에 여길 시설이라고 부르는 거야.”

“그럼, 우리는 돈을 안 내? 공짜로 키워 주는 거야?”

“아니, 우리 친지들이 1년에 15파운드씩 내.”

“그런데 왜 우리가 자선 대상이야?”

“15파운드로는 식비와 수업료를 감당할 수 없거든. 그 부족분이 기부금으로 충당되기 때문이야.”

“누가 기부하는데?”

“이 지역과 런던의 자애로운 마음을 지닌 신사 숙녀 들이지.”

"나오미 브로클허스트는 누구야?"

"현판에 씌어 있는 대로 여기 새로운 건물을 지어 주신 분이야. 그 분의 아들이 모든 걸 운영 감독하고 있어."

"왜?"

"이 시설의 경영자 겸 회계 담당자니까."

"그럼 우리한테 빵과 치즈를 먹게 해 주겠다고 한 시계 찬 그 키 큰 여자분이 주인이 아니었구나."

"템플 선생님? 아니야! 그랬으면 좋겠지만 선생님은 무슨 일을 하든지 브로클허스트 씨에게 설명해야 돼. 브로클허스트 씨가 우리의 먹을 것과 입을 걸 전부 구입하셔."

"그분이 여기에 살아?"

"아니, 3킬로미터 떨어진 커다란 저택에 살아."

"좋은 사람이야?"

"성직자고, 좋은 일을 많이 한대."

"키 큰 그분이 템플 선생님이라고?"

"그래."

"다른 선생님들은 이름이 뭐야?"

"뺨이 발그레한 분은 스미스 선생님이야. 재봉 선생님인데 우리의 원피스, 외투, 뭐든지 재단하시지. 우리 옷은 우리가 만들거든. 머리가 검고 체구가 자그마한 분은 스캐처드 선생님이야. 역사와 문법을 가르치고 2학년 반의 암송도 담당하고 있어. 숄을 걸치고 허리에 노란 리본처럼 손수건을 묶은 분은 피에로 선생님이야. 프랑스의 릴 출신이고 프랑스어를 가르치셔."

"선생님들은 마음에 들어?"

"아주 좋아."

"검은 머리의 그 조그만 선생님도 좋아? 이름이…… 발음을 잘 못하겠어."

"스캐처드 선생님은 성미가 급하셔. 화나지 않게 조심해야 돼. 피에로 선생님은 나쁜 사람은 아니야."

"그래도 템플 선생님이 최고지, 그렇지?"

"템플 선생님은 마음씨도 곱고 아주 똑똑하셔. 다른 선생님들보다 아는 게 많으니까, 나머지보다 훨씬 낫지."

"여기 온 지 오래됐어?"

"2년."

"부모님이 다 안 계셔?"

"어머니가 돌아가셨어."

"여기 있는 거 행복해?"

"넌 질문이 참 많구나. 이만하면 대답해 줄 만큼 해 줬어. 이젠 책을 읽고 싶어."

하지만 그 순간 식사 시간을 알리는 호출 소리가 들렸다. 모두 다시 안으로 들어갔다. 식당을 채우는 냄새는 아침에 우리가 맡았던 냄새보다 더 식욕을 북돋아 준다고 할 수 없었다. 거대한 두 개의 양철 그릇에 담겨 나온 음식에서 상한 기름 냄새가 독하게 올라왔다. 질 낮은 감자와 상한 고깃점을 이상하게 뒤섞어 요리한 음식이었다. 이것이 웬만한 정도의 양으로 각 학생의 접시에 배당되었다. 나는 먹을 수 있는 만큼 먹으면서 매일같이 이런 것을 먹어야 하는지 속으로 궁금해했다.

식사가 끝나고 우리는 곧 교실로 자리를 옮겼다. 수업은 5시까지 계속되었다.

그날 오후에 유일하게 눈길을 끌었던 사건은 베란다에서 나와 얘기했던 그 소녀가 역사 수업 시간에 스캐처드 선생에게 쫓겨나 망신스럽게도 커다란 교실 한가운데에 서 있었다는 것이다. 내가 그런 벌을 받았더라도 너무나 창피했을 텐데 그렇게 큰 소녀에게는 더했을 것이다. 열세 살 이상은 되어 보이던데. 나는 그녀가 무척이나 속상해 하고 수치스러워할 거라고 예상했다. 그런데 놀랍게도 그녀는 울거나 얼굴을 붉히지 않았다. 엄숙하긴 하지만 차분하게 모두의 시선을 받으며 서 있었다. '어떻게 저렇게 묵묵히, 또 꿋꿋하게 견딜 수 있지?' 하고 나 자신에게 물었다.

'내가 저런 입장이었다면 땅이 열려 나를 삼켜 버리기를 바랐을 거야. 하지만 그녀는 이 상황이 아닌 다른 뭔가를 생각하고 있는 것 같아. 주변이나 눈앞에 보이지 않는 뭔가를. 백일몽이라는 게 있다던데 혹시 지금 백일몽을 꾸고 있는 건 아닐까? 눈은 바닥에 고정되어 있지만 그걸 보는 게 아닌 건 분명해. 저 시선은 내면으로 돌아, 그 가슴으로 들어가는 것 같아. 그녀는 현재가 아니라 자신이 기억할 수 있는 것을 보고 있어. 그녀는 어떤 사람일까? 착한 사람일까, 나쁜 사람일까?'

오후 5시가 지난 직후에, 우리는 약간의 커피와 흑빵 반 조각으로 또 한 번 요기를 했다. 나는 빵과 커피를 맛있게 먹어 치웠다. 하지만 양이 더 많았으면 좋았을 것이다. 먹었는데도 배가 고팠다. 30분의 휴식이 주어지고 나서 공부, 다음에 물과 귀리 케이크 약간, 예배, 그리고 침대로. 나는 이렇게 로우드 학교에서의 첫날을 보냈다.

제6장

다음 날도 전날처럼 골풀 양초 불빛에 일어나 옷을 입는 것으로 하루가 시작되었다. 하지만 이날 아침에는 씻는 과정을 생략해야 했다. 물 단지에 든 물이 얼어 버린 것이다. 전날 저녁에 날씨가 달라져서 매서운 북동풍이 밤새도록 우리 침실 창의 틈새 사이사이로 불어닥치는 바람에 우리는 밤새 침대에서 오들거려야 했다. 바람은 물 단지의 물까지 얼음으로 바꿔 버렸다.

한 시간 반의 긴 기도와 성경 읽기가 끝나기도 전에 추워서 죽을 것 같은 느낌이 들었다. 마침내 아침 식사 시간이 왔고, 이날 아침에는 타지 않은 죽을 먹을 수 있었다. 하지만 양이 적었다. 얼마나 적었던지 두 배는 더 먹을 수 있을 것 같았다.

그날 중에 나는 4반의 일원이 되어 정규 과제와 일감을 할당받았다. 지금까지는 로우드에서 진행되는 일의 구경꾼일 뿐이었지만, 이제는 참여자가 된 것이다. 처음에는 외우는 공부가 너무 낯설어서 수업들이 전부 길고 어렵게 느껴졌다. 과제가 자꾸 달라지는 것도 당황스러웠다. 오후 3시쯤, 스미스 선생이 2미터 길이의 모슬린 천과 바늘과 골무 등을 내 손에 쥐어 주며, 조용한 교실 구석에 가서 옷단을 달라고 했을 때는 반갑기까지 했다. 다른 학생들도 대부분 바느질을 하고 있었다. 한 반만 아직 스캐처드 선생의 의자를 둘러싸고 서서 책을 읽고 있었는데 아주 조용했기 때문에 그들이 어떤 주제에 관해 수업하는지, 각 학생이 얼마나 잘하는지, 스캐처드 선생이 그들에게 어떤 비판이나 칭찬을 하는지 다 들을 수 있었다. 영국 역사에 관한 내용이었다. 책 읽는 아이들 중에는 베란다에서 만났던 소녀도 있었다. 수업을 시작할 때는 앞쪽 자리에 앉아 있었지만 발음이 틀리거나 구두점을 잘못 읽는 바람에 그녀는 어느새 맨 끝으로 쫓겨나 있었다. 그 구석진 자리에 있을 때도, 스캐처드 선생은 계속 그녀를 주목의 대상으로 만들었다. 끊임없이 그녀에게 이런 식으로 말했다.

"번스(그게 그녀의 성인 모양이었다. 이 학교에서는 남자 학교에서처럼 여학생들을 성으로 불렀다), 자세가 틀어졌잖아. 당장 똑바로 서." "번스, 턱을 볼썽사납게 내밀고 있잖아, 안으로 밀어 넣어." "번스, 고개를 들고 있으라고 했잖아. 내 앞에서 그런 태도는 용납 못해." 등등.

한 단원을 두 번씩 읽은 뒤에는 책을 덮고 시험을 치렀다. 수업 내용 중에 찰스 1세의 통치 부분이 들어 있었고, 선박의 무게와 요금과 선박세에 관한 갖가지 질문이 이어졌지만 대부분의 학생들은 대답하지 못했다. 하지만 번스에게만 가면 아무리 사소한 난제도 즉시 해결되었다. 그녀는 수업 내용 전체를 기억하는 듯했고, 어떤 질문에도 대답을 준비하고 있었다. 나는 스캐처드 선생이 그녀의 집중력을 칭찬하리라고 예상했는데 오히려 그녀는 갑자기 소리를 질렀다.

"이 더럽고 불쾌한 것 같으니! 오늘 아침에 손톱을 안 닦았구나!"

번스는 대답하지 않았다. 그녀의 침묵이 이해가 되지 않았다. 나는 '물이 얼어붙어서 손을 씻지도 못하고 세수도 못했다고 왜 설명하지 않을까?' 하고 생각했다.

그때 스미스 선생이 실타래를 잡고 있으라고 해서 나의 관심은 그리로 돌아왔다. 그녀는 실을 감으면서 전에 학교에 다닌 적이 있는지, 실로 이름을 수놓을 수 있는지, 바느질과 뜨개질을 할 수 있는지 등을 가끔 물어보았다. 그녀가 다 됐다고 할 때까지 나는 스캐처드 선생의 동정을 살필 수 없었다. 내가 원래 자리로 돌아왔을 때, 그 선생은 내가 알아들을 수 없는 어떤 명령을 내리고 있었다. 번스가 곧 교실을 떠나 책들이 보관된 구석방으로 들어가더니 한쪽 끄트머리를 동여맨 회초리 다발을 들고 30초 만에 돌아왔다. 그녀가 스캐처드 선생에게 이 험악한 도구를 공손하게 건넸다. 그리고 명령이 떨어지기도 전에 조용히 앞치마를 풀자 그 선생은 회초리 다발로 그녀의 목을 호되게 열두 번 내리쳤다. 번스는 눈물 한 방울 흘리지 않았다. 내가 소용도 없는 분노로 손이 떨려 바느질을 못하고 있는 동안에도 그녀의 애수 띤 얼굴의 표정은 전혀 변함이 없었다.

"도대체 가망이 없어!"

스캐처드 선생이 소리쳤다.

"뭘 해도 너의 칠칠치 못한 습관을 고칠 수가 없구나. 회초리를 갖다 놔."

번스는 순종했다. 책방에서 나오는 그녀를 나는 유심히 바라보았다. 그녀는 주머니에 막 손수건을 집어넣고 있었는데 야윈 뺨에서 눈물 자국이 반짝였다.

로우드의 일과 중 제일 즐거운 때는 저녁 휴식 시간이었다. 5시에 목으로 넘긴 커피와 빵 조각은 허기를 완전히 채워 주지는 않았지만 생기를 되살려 주기에는 충분했다. 하루의 긴 구속이 느슨해졌다. 교실은 아침보다 더 따뜻하게 느껴졌다. 아직 켜지 않은 양초의 자리를 어느 정도 메우기 위해 난롯불을 약간 더 세게 땔 수 있는 시간이었다. 불그스름한 황혼, 허가된 소란, 뒤죽박죽 엉킨 사람들의 목소리가 즐거운 해방감을 안겨 주었다.

스캐처드 선생이 번스에게 매질하는 것을 보았던 날 저녁, 나는 평소처럼 친구 없이, 하지만 그리 외롭지 않은 기분으로 긴 의자들과 탁자들과 웃는 아이들 사이를 돌아다녔다. 창가를 지날 때면 가끔씩 블라인드를 올려 밖을 내다보기도 했다. 눈이 펑펑 내려 이미 아래쪽 창유리에는 눈발이 쌓여 있었다. 창문 가까이 귀를 대니 실내의 즐거운 소란으로부터 바깥에서 신음하는 서글픈 바람 소리를 구별할 수 있었다.

내가 최근에 좋은 집과 다정한 부모의 곁을 떠난 거라면 아마 이럴 때 그들과의 헤어짐을 가장 뼈저리게 아쉬워했으리라. 바람이 내 마음을 슬프게 했으리라. 이 어둠침침한 혼란이 나의 평화를 어지럽혔으리라. 하지만 이 순간 내 마음은 무모하게 들떴고, 묘한 흥분이 일어나 이 바람이 좀 더 거칠게 울부짖고, 어둠이 더 캄캄한 암흑으로 깊어지고, 혼란이 아우성으로 자라나기를 바라는 마음이었다.

긴 의자들을 건너뛰고 탁자 밑으로 기어서 한쪽 벽난로로 다가갔다. 거기서 나는 높은 쇠그물 옆에 앉아 있는 번스를 발견했다. 그녀는 주위의 모든 것을 망각하고 조용히 깜부기불의 어두운 불빛에 의지해 책을 읽는 데 몰두해 있었다.

"아직도 《라셀라스》야?"

내가 그녀의 뒤로 다가가며 물었다.

"그래. 거의 다 읽었어."

5분 후에 그녀가 책을 덮었다. 반가웠다.

'이제, 어쩌면 그녀에게 말을 시킬 수 있겠어.'

나는 그녀의 옆자리에 앉았다.

"성은 번스고 이름은 뭐야?"

"헬렌."

"멀리서 왔어?"

"멀리 북쪽 지방에서. 스코틀랜드 국경 근처."

"돌아갈 거야?"

"그러고 싶어. 하지만 앞날을 누가 알 수 있겠어."

"로우드를 떠나고 싶지?"

"아니. 내가 왜? 나는 교육을 받으러 로우드에 온 거야. 목표를 이룰 때까지 있어야지."

"하지만 그 선생, 스캐처드 선생이 너무 잔인하잖아?"

"잔인? 전혀 안 그래! 그분은 엄격하시고, 내 단점들을 싫어하실 뿐이야."

"내가 그 입장이라면 그 여자를 미워하고 반항할 것 같은데. 그 여자가 회초리로 때리면 그 손에서 그걸 빼앗을 거야. 그녀가 보는 앞에서 부러뜨릴 거야."

"아마 그렇게는 못할걸. 하지만 만약에 그렇게 한다면 브로클허스트 씨가 학교에서 널 쫓아낼 거야. 그러면 친척 되는 분들이 많이 상심하실 거고. 성급한 행동으로 나와 관련된 모든 사람들을 속상하게 하는 것보다는 끈기 있게 혼자서 아픔을 견디는 편이 훨씬 나아. 게다가 성경에는 악을 선으로 갚으라고 씌어 있잖아."

"하지만 매를 때리고, 사람 가득한 방 한가운데 서 있으라고 하는 건 망신을 주는 거잖아. 이렇게 큰 사람한테. 훨씬 어린 나도 못 견딜 것 같아."

"그래도 피할 수 없다면 참아야 하는 게 너의 의무야. 운명이 요구하는 일에 '참을 수 없다.'고 말하는 건 나약하고 어리석은 짓이야."

놀라운 말이었다. 나는 이 인내의 교리를 이해할 수 없었다. 자신을 벌한 자를 그런 식으로 관대하게 표현하는 것은 더더욱 이해되지도 공감되지도 않았다. 하지만 헬렌 번스가 내 눈에 보이지 않는 어떤 빛으로 사물을 바라보는 것은 분명한 것 같았다. 그녀가 옳고 내가 틀렸을 수 있다고 생각했다. 하지만 그 문제를 깊이 생각하고 싶지는 않았다. 펠릭스(바울의 재판을 담당한 로마의 총독 _옮긴이)처럼, 좀 더 형편이 좋을 때로 미루는 게 나을 듯했다.

"단점들이 있다고 했지, 헬렌? 그게 뭔데? 내가 보기엔 꽤 괜찮은 사람 같거든."

"그럼 나의 겉모습만 보고 판단하면 안 된다는 걸 배울 수 있을 거야. 스캐처드 선생님 말씀대로 나는 칠칠치가 못해. 물건을 정리하지도 못하고 잘 챙기지도 못해. 조심성도 없어. 규칙을 잘 잊어버려. 학과 공부를 해야 할 때 책을 읽어. 난 체계가 없어. 때로는 너처럼 조직적인 처리에 따르는 걸 견딜 수 없다고 말하지. 이 모든 게 스캐처드 선생님을 화나게 하는 거야. 천성적으로 깔끔하고 정확하고 꼼꼼한 분이거든."

"잔인하고 화도 잘 내지."

내가 덧붙였다. 하지만 헬렌 번스는 내 말에 수긍하지 않았다. 침묵을 지켰다.

"템플 선생님도 스캐처드 선생님처럼 모질게 굴어?"

템플 선생님의 이름이 나오자, 그녀의 엄숙한 얼굴에 부드러운 미소가 스쳤다.

"템플 선생님은 아주 좋은 분이야. 누구에게도 엄하게 굴지 못하셔. 이 학교에서 가장 형편없는 학생한테도 나의 실수를 보시면 부드럽게 타이르시지. 내가 칭찬받을 만한 일을 하면 후하게 보상해 주시고. 내가 얼마나 형편없고 결함 많은 인간인지는 그렇게 온유하고 합리적인 분의 충고조차 나의 결점을 치유하지 못한다는 걸 보면 알 수 있어. 그 분의 칭찬을 매우 귀하게 여기기는 하지만 그런 칭찬을 받아도 꾸준히 주의를 기울이고 조심성 있게 행동하는 게 잘 안 돼."

"이상하네, 조심하는 건 아주 쉬운데."

내가 말했다.

"'너'한테는 분명히 그럴 거야. 오늘 아침에 네가 수업받는 걸 봤는데 아주 열심히 듣고 있더라. 선생님이 설명하고 질문하는 동안에 생각이 다른 데로 흘러가는 것 같지 않았어. 그런데 나는 자꾸만 다른 생각을 하게 돼. 스캐처드 선생님의 말을 잘 듣고 모든 말씀에 정신을 집중해야 할 때도 자주 그 목소리를 놓치게 돼. 꿈꾸는 것 같은 상태로 빠져들지. 때로는 내가 있는 곳이 노섬벌랜드이고, 주위에서 들리는 소리가 우리 집 근처의 디프덴을 흐르는 개울 소리인 것 같아. 그러다 내가 대답해야 할 차례가 돼서야 퍼뜩 깨어나지. 꿈속의 개울 소리를 듣느라 수업 내용을 하나도 못 들었으니 대답을 못할 수밖에."

"하지만 오늘 오후에는 척척 대답했잖아."

"그건 우연이었어. 내가 관심 있어 하는 내용이었거든. 오늘은 디프덴을 꿈꾸는 대신에 옳은 일을 하고자 하는 사람이 어떻게 찰스 1세가 때로 그랬던 것처럼 부당하고 지각없는 행동을 할 수 있는지 궁금해하고 있었어. 그렇게 성실하고 진지한 사람이 왕위의 특권보다 더 멀리 보지 못했다는 건 정말 안 된 일이야. 그가 좀 더 멀리 내다보거나 시대정신이 향하는 방향을 알았더라면 좋았을 텐데! 그래도 난 찰스 1세가 좋아. 그를 존경하고 동정해. 처형당한 불쌍한 왕! 그래, 그의 적들은 최악이었어. 그들에겐 피를 뿌릴 권리가 없었어. 어떻게 감히 그를 죽일 수 있느냔 말이야!"

헬렌은 이제 혼자 중얼거리고 있었다. 내가 그런 말을 잘 이해하지 못한다는 것을 그녀는 잊고 있었다. 나는 그녀에게 내 수준을 일깨워 주었다.

"템플 선생님이 가르칠 때도 집중이 안 돼?"

"물론 아니지. 자주 그렇지는 않아. 템플 선생님은 보통 내가 생각하는 것보다 더 새로운 것들을 말씀해 주시거든. 그분의 어법이 나한테 유난히 잘 맞는 데다가 내가 알고 싶었던 걸 알려 주시는 경우도 많아."

"음, 그럼, 템플 선생님한테는 착한 학생인 거야?"

"그래, 소극적으로는 노력하는 건 아냐. 마음이 이끄는 대로 따라가는 거지. 그런 식으로 착한 건 내세울 게 못 돼."

"그렇지 않아. 자기에게 잘해 주는 사람한테 착한 거잖아. 나도 꼭 그렇게 되고 싶어. 잔인하고 부당하게 구는 사람한테 항상 순종하고 친절하게 대하면 그 못된 인간들은 죄다 자기 마음대로 하려고 들어. 그들은 절대 겁을 내지 않아. 그러니 달라지지도 않고 점점 더 심해지는 거야. 이유 없이 얻어맞으면 있는 힘을 다해서 되갚아 줘야 돼. 난 그래야 한다고 생각해. 우리를 때린 그 사람이 다시는 그렇게 하지 못하게 본때를 보여 줘야 돼!"

"더 나이가 들면 생각이 달라질 거야. 아직 너는 교육받지 못한 어린아이니까."

"하지만 나는 그렇게 생각해, 헬렌. 내가 아무리 마음에 들려고 노력해도 계속 날 싫어하는 사람은 나도 싫어해야 돼. 나를 부당하게 벌하는 사람들에게는 저항해야 돼. 그건 나에게 애정을 보여 주는 사람을 사랑하거나, 받아야 할 벌을 달게 받는 것처럼 자연스런 일이야."

"이교도와 야만족들은 그런 교리를 지키겠지. 하지만 그리스도인과 문명인들은 달라."

"어떻게? 난 이해가 안 돼."

"미움을 가장 잘 이겨 내는 방법은 폭력이 아니야. 상처를 가장 잘 아물게 하는 것도 복수가 아니고."

"그럼 뭔데?"

"신약을 읽고 그리스도의 말씀과 그분의 행동을 살펴봐. 그분의 말씀을 규율로 삼고 그분의 행동을 본보기로 삼아."

"그분이 뭐라고 말씀하셨는데?"

"너희 원수를 사랑하라. 너희를 저주하는 자를 위하여 축복하라. 너희를 미워하고 핍박하는 자에게 선을 행하라."

"그러면 난 리드 부인을 사랑해야 되는데 그럴 순 없어. 그 여자의 아들 존을 축복해야 되는데 그건 불가능해."

이번에는 헬렌 번스가 나의 설명을 듣고 싶어 했다. 나는 즉시 내 방식대로 내가 당한 고통과 원한 맺힌 이야기를 쏟아 놓았다. 흥분한 상태에서 거칠고 신랄하게, 조심하거나 돌리지 않고 내가 느끼는 대로 말했다.

헬렌은 끝까지 끈기 있게 내 말을 들어 주었다. 나는 그녀가 한마디 할 거라고 예상했지만, 그녀는 아무 말도 하지 않았다.

"어때, 리드 부인은 냉혹하고 나쁜 여자지?"

내가 성마르게 물었다.

"그녀가 너에게 매정했던 건 분명해. 스캐처드 선생님이 나를 못마땅해하시듯 그녀 역시 너의 성격을 싫어했을 거야. 하지만 너는 그녀의 모든 행동과 말을 너무 상세히 기억하고 있어. 그녀의 부당함이 네 가슴에 유난히 깊은 인상을 남긴 것 같아. 그런 낙인으로 내 감정을 학대할 필요는 없어. 그녀의 모진 행동과 그로 인한 격한 감정들을 잊어버리는 편이 더 행복하지 않을까? 원한을 키우고, 또 잘못을 마음에 새기며 보내기에는 삶이 너무 짧은 것 같아. 우리는 누구든지 흠을 지니고 있고 그럴 수밖에 없어. 하지만 이 썩어 갈 육신과 함께 그것들을 다 버리게 되는 날이 곧 올 거야. 이 성가신 육체에서 타락과 죄가 떨어져 나가고, 영혼의 불꽃만이 남게 되는 시간이지. 조물주가 창조물에게 영감을 불어넣을 때처럼 순수하게, 무형적인 삶과 사고의 본질만이 남을 때가 올 거야. 그건 왔던 곳으로 돌아갈 거야. 어쩌면 다시 인간보다 더 고상한 존재와 소통하게 되겠지. 어쩌면 파리한 인간의 영혼으로부터 하늘의 천사로 밝아지는 영광의 단계를 통과하게 되겠지! 설마 그 반대로, 인간에서 악마로 타락하지는 않겠지? 아니야, 그건 확신할 수 없어. 내게는 또 다른 믿음이 있어. 아무도 가르쳐 주지 않았고, 나도 별로 말한 적 없지만 그 믿음 안에서 기쁨을 얻고, 나는 거기에 의지해. 그게 모두에게 희망을 던져 주니까. 그건 내세를 휴식으로 만들어 주지. 공포도 나락도 아닌 커다란 안식처로. 게다가 이 교의를 통해 나는 죄인과 그의 죄를 아주 분명하게 구별할 수 있어. 죄는 밉더라도 죄인은 진심으로 용서할 수 있어. 그래서 복수는 결코 내 마음을 괴롭히지 않아. 수치를 당해도 그리 깊이 화나지 않아. 부당함은 나를 심하게 짓뭉개지 못해. 나는 마지막을 바라보며 평온하게 살아."

내내 수그리고 있던 헬렌의 머리가 이 문장을 마치며 밑으로 더 내려갔다. 그녀의 표정에서 나는 그녀가 나와 더 얘기하기보다 자신의 생각과 소통하고 싶어 함을 알았다. 명상할 시간은 그리 길게 주어지지 않았다. 덩치 크고 거친 반장이 나타나 강한 컴벌랜드 사투리로 소리쳤다.

"헬렌 번스, 당장 가서 네 서랍을 정리하고 바느질감을 치워 놓지 않으면 스캐처드 선생님한테 이를 거야!"

상념에서 깨어난 헬렌은 한숨을 내쉬고 일어나 지체 없이 반장의 지시를 따랐다.

제7장

로우드에서 보낸 나의 첫 3개월은 한 시대만큼이나 길게 느껴졌다. 황금시대였던 것도 아니다. 새로운 규칙과 익숙지 않은 과제들에 적응해 나가는 어려움과 지겨운 투쟁의 연속이었다. 실패에 대한 두려움은 내 몫으로 주어진 신체적 고난보다 더 심하게 나를 괴롭혔다. 신체적 고난도 사소하지는 않았지만.

1월과 2월, 그리고 3월의 일부가 지나는 동안, 길에는 눈이 깊이 쌓였고 눈이 녹은 뒤에도 통행이 거의 불가능해서, 우리는 교회에 갈 때를 제외하고 정원 담 너머로 나가지 못했다. 하지만 이런 제약 속에서도 매일 정원에 나가 한 시간씩을 보내야 했다. 옷은 우리를 혹독한 추위에서 보호해 주지 못했다. 장화도 없어서 눈이 구두 속으로 들어와 그 안에서 녹았다. 발은 물론이고 장갑을 끼지 않은 손도 마비되어 동상에 시달렸다. 동상에 걸려 부어오른 발 때문에 저녁마다 내가 얼마나 미치도록 짜증스러웠는지 생생하게 기억이 난다. 아침에 퉁퉁 붓고 쓰라리고 딱딱해진 발가락들을 구두로 넣을 때의 고통은 또 어떠했던가. 식사량이 적은 것도 괴로웠다. 한참 성장할 나이라 식욕은 왕성한데 허약한 병자가 간신히 생명을 부지할 정도밖에 먹지 못했다. 이로 인해 어린 학생들이 심한 괴로움을 당했다. 굶주린 상급생들이 기회가 있을 때마다 어린 학생들의 식사를 위협하거나 구슬려서 빼앗아 갔기 때문이다. 차 마시는 시간에 나의 소중한 흑빵을 두 명의 상급생과 나눠 먹어야 했던 적이 한두 번이 아니다. 세 번째 상급생에게 내 커피의 절반을 내주고는 허기로 인해 남몰래 흐르는 눈물과 함께 나머지 커피를 삼킨 적도 있었다.

그 겨울의 일요일은 황량하기 짝이 없었다. 우리는 우리의 후원자가 집전하는 브로클브리지 교회까지 3킬로미터를 걸어가야 했다. 부들부들 떨면서 출발하여, 더욱 와들와들 떨면서 교회에 도착했다. 오전 예배 시간이면 우리의 몸은 거의 마비되었다. 식사하러 돌아가기에는 너무 먼 거리라서 예배 사이의 쉬는 시간에 평소처럼 인색한 양의 차가운 고기와 빵이 배분되었다.

오후 예배가 끝나면 우리는 비바람에 노출된 언덕길로 되돌아왔다. 눈 덮인 봉우리 너머 북쪽으로 불어 대는 모진 겨울바람이 우리 얼굴의 살갗을 벗겨 낼 것만 같았다. 축 늘어진 우리 곁에서 우리를 격려하시던 템플 선생님의 모습이 기억난다. 선생님은 매서운 바람에 펄럭이는 격자무늬 외투를 바짝 여미고 경쾌하고 빠르게 걸으며 사기를 잃지 말라고, 강건한 병사들처럼 앞으로 행진하라고 힘을 주곤 했다. 가엾게도 다른 교사들은 대체로 기운이 쭉 빠져서 남을 독려할 여력이 없었다.

학교로 돌아왔을 때 활활 타오르는 불길의 열기와 빛이 우리를 맞아 주기를 얼마나 갈망했는지 모른다. 그러나 적어도 어린 학생들에게는 바랄 수 없는 일이었다. 커다란 상급생들이 제일 먼저 교실에 있는 각각의 난로를 이중으로 둘러쌌고, 어린 학생들은 그들 뒤에서 얼어붙은 팔을 앞치마로 감싸고 한데 몰려 웅크려 있어야 했다.

그래도 차 시간이면 작은 위로가 찾아왔다. 평소의 두 배 되는 빵에—반쪽이 아니라 온전한 한 조각이었다—맛있는 버터까지 얇게 발라진 형태로 그것은 이번 안식일에서 다음 안식일까지 우리 모두가 고대하는 일주일에 한 번 있는 기쁨이었다. 나는 자주 이 넉넉한 양의 절반을 따로 남겨 두곤 했다. 하지만 늘 변함없이 남은 것을 나눠야 했다.

일요일 저녁은 교리 문답과 마태복음 5장, 6장, 7장을 암송하며 보냈다. 밀러 선생님이 억누를 수 없는 하품으로 피곤을 드러내며 읽어 주는 긴 설교도 들어야 했다. 이 시간에는 어린 소녀 대여섯 명이 유두고(사도 바울이 설교할 때 졸다가 3층에서 떨어져 죽었으나 기적적으로 다시 살아난 성경 속의 인물 _옮긴이) 같은 행동을 하는 촌극이 자주 벌어졌다. 3층 누각에서 떨어진 건 아니지만 졸음을 못 이긴 아이들이 넷째 줄 의자에서 떨어져 쓰러졌다가는 반쯤 죽은 듯이 일으켜지곤 했다. 대책은 그들을 교실 가운데로 밀어 넣고, 설교가 끝날 때까지 거기 서 있게 하는 것이었다. 그들이 더 이상 버티지 못하고 한 무더기로 무너지는 경우도 있었다. 그러면 반장들이 높은 의자로 그들의 몸을 받쳐 놓았다.

브로클허스트 씨의 방문에 대해서 나는 아직 별다른 언급을 하지 않았다. 사실 그 신사는 내가 도착하고 첫 달이 거의 다 지나도록 이곳에 오지 않았다. 아마 친구인 부주교 댁에서 체류가 길어졌던 모양이다. 그가 오지 않는 건 나에게 다행스런 일이었다. 내가 왜 그의 출현을 두려워하는지는 따로 말할 필요가 없을 것이다. 하지만 마침내 그가 나타났다.

어느 날 오후(내가 로우드에서 3주를 보냈을 즈음이었다), 석판을 들고 앉아 긴 나눗셈을 계산하느라 골머리를 썩다가 나는 멍하니 창 쪽을 바라보게 되었다. 마침 지나가는 형체가 내 눈을 사로잡았다. 나는 그 말라빠진 윤곽을 거의 본능적으로 알아차렸다. 2분 후, 선생님들을 포함한 학생 전체가 일제히 일어났을 때도 나는 그들이 누구를 맞이하려는 것인지 얼른 알아챌 수 있었다. 긴 보폭으로 교실을 가로질러 기립하고 있는 템플 선생님 옆에 우뚝 선 검은 기둥은 게이츠헤드의 난롯가 러그에서 너무나 불길하게 나에게 인상을 찌푸렸던 그 사람의 것이었다. 나는 이 기둥의 일부를 곁눈질로 쳐다보았다. 그래, 내 짐작이 틀림없었다. 그건 외투 단추를 채우고 전보다 더 길쭉하고 더 가늘고 더 뻣뻣해 보이는 브로클허스트 씨였다.

나는 나의 성질과 기타 등등에 대해 늘어놓던 리드 부인의 터무니없는 말들을 아주 또렷이 기억하고 있었다. 브로클허스트 씨가 템플 선생님과 다른 교사들에게 나의 비뚤어진 천성을 알리겠다고 다짐했던 약속도 물론 잊지 않고 있었다. 나는 줄곧 이 약속이 이행될까 봐 두려워했고, 내 과거에 관한 정보와 대화로 나를 영원히 나쁜 아이로 낙인찍어 버릴 '곧 도래할 남자'가 나타날까 봐 매일매일 긴장하고 있었다. 이제 거기에 그 남자가 있었다. 템플 선생님 옆에, 그가 그녀의 귀에 작은 소리로 뭔가를 말하고 있었다. 나의 악행을 폭로하고 있으리라고 믿어 의심치 않았다. 템플 선생님의 검은 안구가 혐오와 경멸을 담아 나에게 돌려지리라 예상하며, 매 순간 조마조마하게 그녀의 눈을 지켜보았다. 귀도 기울였다. 우연히 내가 교실의 꽤 위쪽에 자리하고 있었으므로 나는 그의 말을 거의 다 알아들을 수 있었다. 그 내용은 나의 불안감을 곧 덜어 주었다.

"템플 선생, 내가 로튼에서 구입한 정도의 실이면 무난할 거요. 그만하면 옥양목 속옷에 쓸 만할 것이고, 그에 어울리는 바늘도 골라 왔소. 뜨개바늘에 대해 기록하는 걸 내가 깜박했는데, 다음 주 중으로 서류를 보낸다고 스미스 선생에게 얘기하시오. 필히, 학생 한 명당 하나씩만 주어야 하오. 여러 개를 주면 잘 잃어버리거든. 그리고 말이오, 선생! 털 스타킹을 좀 더 잘 관리해야겠더군! 지난번에 부엌 정원에 나가 빨랫줄에 널린 옷가지를 살펴봤는데 수선 상태가 아주 나쁜 검정 스타킹이 꽤 많더군. 거기에 난 구멍 크기로 봐서는 제대로 손질을 하지 않는 것 같소."

그가 말을 멈췄다.

"지시하신 대로 주의하겠습니다."

템플 선생님이 대답하자 그가 말을 계속했다.

"그리고 세탁부 얘기로는 주 중에 깨끗한 옷깃 장식 두 개를 쓰는 아이들이 있다던데 그건 너무 많아요. 규칙에는 하나로 제한되어 있잖소."

"그에 대해서는 설명드릴 수 있어요. 아그네스와 캐서린 존스턴이 지난 목요일에 로튼에 있는 몇몇 친구들과 차 모임에 초대를 받아서, 그때 새것을 달고 가라고 제가 허락했습니다."

브로클허스트 씨가 고개를 끄덕였다.

"음, 한 번은 넘어갈 수 있소. 하지만 그런 일이 너무 자주 일어나지 않도록 하시오. 그리고 나를 놀라게 한 일이 또 있소. 가정부와 계산을 맞추다가 지난 2주 동안에 중식으로 빵과 치즈가 두 번이나 제공되었다는 것을 알게 되었소. 이게 어찌된 일이오? 규정을 아무리 살펴봐도 그런 중식에 대한 내용은 없는데, 누가 이 혁신을 도입한 것이오? 무슨 권한으로?"

"그에 대한 책임은 저에게 있습니다."

템플 선생님이 대답했다.

"아침 식사가 너무 형편없이 나와서 학생들이 입을 대지 못했어요. 그들을 저녁때까지 굶길 수가 없었습니다."

"마담, 잠깐 내 얘기를 들어 보시오. 이 학생들에 대한 나의 양육 방

침은 사치와 방종의 습관에 젖어 들게 하는 것이 아니라 강인함과 인내와 자제력을 부여하는 것이오. 혹여 음식이 잘못되거나 드레싱이 넘치거나 모자라는 등 식욕을 줄이는 작은 문제가 발생하더라도, 그 놓친 위안을 보다 좋은 무언가로 대신 무마해 주어서는 안 되오. 그건 육신의 응석을 받아 주고 이 시설의 목표를 무너뜨리는 일이오. 일시적인 상실을 의연하게 대처할 수 있도록 격려함으로써 학생들의 영적인 수준을 계발시켜야지요. 현명한 교사라면 이런 경우를, 초기 그리스도인들의 고난에 관해, 순교자의 고통에 관해, 제자들에게 그들의 십자가를 지고 따르라 하셨던 우리 신성한 주님의 권고에 대해, 사람이 빵으로만 살 것이 아니라 하느님의 입에서 나오는 모든 말씀으로 살아야 할 것이라고 하신 그분의 경고에 대해, '나로 인하여 주리고 목마른 자는 복이 있다.'고 말씀하신 그분의 거룩한 위로에 대해 설명할 기회로 삼을 것이오. 마담, 당신은 이 아이들의 입에 불에 탄 죽 대신에 빵과 치즈를 넣어 줌으로써 그들의 미천한 육신을 먹였을지는 모르나, 그 불멸의 영혼을 굶주리게 하고 있다는 사실을 전혀 생각지 못했소."

브로클허스트 씨가 다시 말을 멈췄다. 아마 자기감정에 복받쳤던 것 같다. 그가 얘기를 시작했을 때만 해도 템플 선생님은 시선을 내리고 있었다. 하지만 이제는 앞을 똑바로 응시했고, 평소에도 대리석처럼 창백하던 얼굴에 차가움과 부동성마저 더해진 듯했다. 특히 그녀의 입은 조각가의 끌로나 벌릴 수 있을 만큼 꾹 다물어졌고 이마는 차츰 엄격하게 굳어졌다.

그사이에 브로클허스트 씨는 뒷짐을 지고 난롯가에 서서, 위엄 있게 전체 학생을 살펴보았다. 갑자기 눈부신 무언가, 아니면 충격적인 무언가를 본 것처럼 그가 눈을 한 번 깜박였다. 그러더니 고개를 돌려 지금까지의 어조보다 더 빠르게 말했다.

"템플 선생, 템플 선생, 저…… 저 곱슬머리 여자애는 뭐지? 곱슬곱슬…… 온통 구불거리는 저 빨간 머리는 뭐요?"

그가 손을 떨면서 지팡이를 뻗어 그 끔찍한 대상을 가리켰다.

"줄리아 세번이에요."

템플 선생님이 조용하게 대답했다.

"줄리아 세번이라고! 그런데 그녀가 왜, 아니 누구든 상관없어, 곱슬머리가 왜 있지? 어째서 이 학교의 모든 교훈과 원칙을 어기고, 복음주의적인 자선 시설인 여기서 저런 곱슬머리로 세속을 따르고 있느냔 말이오?"

"줄리아는 선천적으로 곱슬머리예요."

템플 선생님이 더 낮은 목소리로 대꾸했다.

"선천적으로! 그래, 하지만 우리는 자연의 틀에 순응하지 않소. 나는 이 아이들이 은혜로운 아이들이 되기를 바라오. 그런데 저 치렁치렁한 머리가 웬 말이오? 단정하고 정숙하고 평범하게 머리를 정리하라고 누누이 일렀잖소. 템플 선생, 저 아이의 머리카락을 완전히 잘라내시오. 내일 이발사를 보내겠소. 그러고 보니 다른 아이들도 쓸데없이 너무 많이 길렀군. 저기 큰 학생, 돌아서 보라고 하시오. 상급반 전체를 일으켜서 벽으로 돌아서게 하시오."

템플 선생님이 무의식적으로 뒤틀리는 입술의 움직임을 가리려는 듯 입에 손수건을 댔다. 하지만 그녀는 명령을 내렸고, 상급반 학생들은 그들에게 요구되는 바를 알아차리고 순종했다. 내가 의자에서 뒤로 약간 몸을 기울여 보니 그들의 눈초리와 찌푸린 얼굴이 이 조치에 대해 불만을 표시하고 있었다. 브로클허스트 씨가 그걸 보지 못한 게 유감이었다. 어쩌면 그도 잔과 대접의 표면에는 무슨 짓을 할 수 있을지라도, 속까지 자기 힘으로 좌지우지할 수는 없다는 걸 느꼈을지 모른다.

그는 5분 정도, 이 살아 있는 메달들의 뒷모습을 꼼꼼히 뜯어보고 나서 판결을 내렸다. 그의 말이 운명의 종소리처럼 울렸다.

"묶은 머리를 전부 잘라 내시오."

템플 선생님이 이의를 제기하려 하자 그가 말을 이었다.

"마담, 내가 섬기는 분의 왕국은 이 세상이 아니오. 나의 사명은 이런 소녀들에게서 육신의 갈망을 억제시키는 것이오. 땋은 머리와 호사스런 옷이 아니라, 부끄러움과 절제의 옷을 걸치도록 가르치는 것이 나의 할 일이오. 우리 앞에 있는 젊은이들의 땋은 머리는 허영이 엮어 낸 것이오. 다시 말하지만, 이건 다 잘라 내야 하오. 그로 인해서 낭비되는 시간을 생각하시오."

브로클허스트 씨의 말이 여기서 끊겼다. 다른 방문객인 숙녀 세 명이 방으로 들어왔기 때문이다. 그들도 조금 더 빨리 와서 그의 훈계를 들었어야 했는데 그들은 모두 벨벳과 비단과 모피로 화려하게 차려입고 있었다. 젊은 두 명은(열일곱과 열아홉 살의 고운 소녀들) 당시에 유행하던 타조 털이 달린 회색 비버 모자를 썼고, 이 우아한 머리 덮개의 챙 아래로 정교하게 구불거리는 머리가 풍성하게 치렁거렸다. 나이 든 여자는 흰 담비 털로 테를 두른 고급 벨벳 숄을 감고, 프랑스제 곱슬머리 가발로 앞머리를 장식했다.

이 숙녀들은 브로클허스트 부인과 영애들로서 템플 선생님의 공손한 영접을 받으며 교실 위쪽의 명예석으로 안내되었다. 그들은 성직자 남편 혹은 아버지와 같이 마차를 타고 와서 그가 가정부와 업무를 처리하고 세탁부에게 질문하고 교장에게 훈계하는 동안, 위층 방들을 샅샅이 조사하고 다녔던 모양이다. 이제 그들은 기숙사 감독과 리넨 제품의 관리를 맡고 있는 스미스 선생에게 여러 가지 의견과 잔소리를 늘어놓기 시작했다. 하지만 나는 그들의 말을 듣고 있을 시간이 없었다. 곧이어 발생한 다른 문제가 나의 관심을 붙잡았기 때문이다.

그때까지 나는 브로클허스트 씨와 템플 선생님의 대화를 주워듣는 동시에, 나의 개인적인 안전 확보를 위한 예방 조치에도 만전을 기하고 있었다. 눈에 띄지만 않으면 된다. 이를 위해 나는 의자 뒤로 앉아 계산하느라 바쁜 척하며 석판으로 얼굴을 가리고 있었다.

그 망할 석판이 내 손에서 미끄러지지만 않았던들, 사정없이 소리 내며 떨어져 단번에 모든 사람의 시선을 나에게로 끌어들이지만 않았던들 들키지 않을 수 있었을 텐데. 이제 나는 모든 게 끝장이라는 것을 알았고, 쪼개진 석판 두 조각을 주우려고 몸을 굽히며, 최악의 상황에 대비하여 기력을 끌어모았다. 곧 우려하던 상황이 닥쳤다.

"조심성 없기는!"

브로클허스트 씨가 곧바로 말을 이었다.

"흐음, 새로 들어온 그 학생이로군."

내가 숨 돌릴 겨를도 없이 그가 말했다.

"저 아이에 관해 말하는 것을 잊으면 안 되지."

나에게는 그 소리가 얼마나 크게 들렸는지 모른다.

"석판 깨뜨린 학생, 앞으로 나와!"

나는 내 힘으로 움직일 수 없었다. 몸이 마비되었다. 하지만 내 양쪽에 앉아 있던 커다란 학생 둘이 나를 일으켜 그 무서운 심판관 쪽으로 밀었고, 다음에 템플 선생님이 부드럽게 그의 바로 앞까지 나를 인도하며 나지막이 속삭였다.

"걱정하지 마, 제인. 실수한 거잖아. 벌 받지 않을 거야."

그 다정한 속삭임이 단검처럼 내 심장을 찔렀다.

'1분만 있으면 선생님도 나를 위선자라고 경멸하겠지.'

그런 확신이 들자 리드와 브로클허스트 패거리에 대한 분노가 내 맥박 속에서 들끓었다. 나는 헬렌 번스가 아니었다.

"의자 가져와."

브로클허스트 씨가 방금 전에 반장이 앉아 있던 높은 의자를 가리키며 말했다. 의자가 옮겨졌다.

"그 위에 아이를 올려."

알 수 없는 누군가가 나를 거기에 올렸다. 사실 자세한 상황은 기억할 수가 없다. 그저 그들이 나를 브로클허스트 씨의 코앞까지 들어 올렸고, 그가 1미터도 안 되는 내 앞에 있었고, 각도에 따라 빛깔이 달라지는 주황색과 보라색 비단 외투와 은색 깃털 구름이 내 아래 펼쳐져 흔들리고 있는 것을 인식했을 뿐이다.

브로클허스트 씨가 헛기침을 했다. 그가 자기 가족을 돌아보며 말했다.

"숙녀 여러분, 템플 선생, 여러 교사들, 학생들, 모두 이 소녀가 보입니까?"

당연한 일이다. 그들의 눈이 달아오른 내 피부에 볼록 렌즈처럼 직행했다.

"아직 어린아이처럼 보이지요. 보통 아이의 모습이라고 생각될 겁니다. 자애로우신 하느님은 우리 모두에게 주신 형상을 이 아이에게도 주셨습니다. 어디에도 이 아이의 성질을 드러내는 기형적인 표식은 없습니다. 그 안에 이미 악마의 종과 중개인이 들어 있으리라고 누가 생각이나 하겠습니까? 하지만 슬프게도, 이것이 사실입니다."

침묵이 흘렀다. 나의 마비된 신경은 이미 차분해지고 있었다. 루비콘 강을 건넜으니 더 이상 피하지 말고, 굳건하게 이 시련을 견뎌야 하리라.

검은 대리석 같은 이 성직자가 구슬프게 말을 이었다.

"친애하는 학생 여러분, 슬프고 우울한 일입니다. 하느님의 양일 수도 있는 이 아이가 실은 버림받은 양이라는 것을 경고하는 게 나의 의무가 되었으니 말이오. 이 아이는 참된 양 떼의 일원이 아니라 틀림없는 불법 침입자이자 이방인이오. 이 아이를 경계하시오. 본을 받으면 안 돼요. 필요하다면 같이 어울리지 말고 같이 놀아 주지 말고 대화에 끼워 주지도 말아야 합니다. 교사들도 잘 지켜보시오. 이 아이의 움직임을 감시하고 말과 행동을 꼼꼼히 따져보고 몸을 벌해서라도 영혼을 구하시오. 그렇게 해서 구제가 가능하다면 말이지만 왜냐하면(이 말을 하는 나의 혀가 떨리는군), 그리스도의 땅에서 태어난 이 소녀는 브라마에게 기도하고 자간나타(힌두교의 신 크리슈나의 신상 _옮긴이) 앞에 무릎을 꿇는 이교도보다 더 나쁜 거짓말쟁이요!"

10분 정도 정적이 이어졌다. 이때쯤 완전히 제정신이 돌아온 나는 그사이에 브로클허스트 가의 여자들이 일제히 손수건을 꺼내 눈에 대면서 나이 든 여자는 앞뒤로 몸을 흔들고, 젊은 여자들은 "어쩜 그럴 수가!" 하고 속삭이는 모습을 관찰했다.

브로클허스트 씨가 다시 말했다.

"나는 그녀의 은인에게서 이 아이에 대해 들었소. 그 신실하고 자비로운 숙녀는 고아인 이 아이를 받아들여 자신의 딸처럼 키웠는데, 이 몹쓸 아이는 그 친절과 관대함을 너무나 못되고 두려운 배은망덕으로 되갚아, 마침내 이 훌륭한 은인은 그녀의 타락한 사례가 자기 아이들의 순수성을 오염시킬까 봐 걱정이 되어 자기 아이들 곁에서 이 아이를 떼어 놓을 수밖에 없었소. 그 옛날 유대인들이 소용돌이치는 베데스다 연못으로 병자를 보냈던 것처럼 이 아이를 치료하려고 여기로 보낸 것이오. 교사 여러분, 교장 선생, 이 아이 주위의 물이 썩지 않게 주의하기를 부탁드리오."

이 고상한 결론을 끝으로 브로클허스트 씨가 외투의 맨 위 단추를 매만지고, 그의 가족에게 뭐라고 중얼거리자 그들은 자리에서 일어나 템플 선생님에게 고개를 숙였다. 그 뒤에 이 위대한 인간들은 모두 당당하게 교실을 걸어 나갔다. 나의 심판관이 문에서 돌아서며 말했다.

"저 아이를 30분 더 의자에 세워 놓고, 오늘 하루 종일 아무도 말 걸지 못하게 하시오."

나는 거기에 높이 올라서 있었다. 내 발로 교실 한가운데 서 있는 것조차 수치스러워 참을 수 없다고 했던 내가, 이제 오명의 연단에서 뭇사람들의 시선에 노출되어 있었다. 내가 어떤 느낌이었는지 말로는 표현할 수 없다. 여러 가지 감정이 일어나 내 숨통을 조이고 목구멍을 오그라들게 할 때, 한 소녀가 다가와 내 곁을 지나갔다. 지나면서 그녀가 시선을 들어 올렸다.

거기에 얼마나 묘한 빛이 담겨 있었는지! 그 빛이 얼마나 특별한 느낌으로 나에게 밀려들었는지! 얼마나 새로운 감각이 나를 지탱해 주었는지! 마치 순교자나 영웅이 노예나 희생자의 곁을 지나며 힘을 불어넣어 주는 것 같았다. 나는 격렬해지는 광분을 억누르며 머리를 높이 쳐들고 의자에 꿋꿋이 버티고 섰다. 헬렌 번스가 스미스 선생에게 바느질에 대해 대단찮은 질문을 했다가 하찮은 질문이라고 꾸중을 듣고, 자기 자리로 돌아가는 길에 다시 지나치면서 나에게 미소를 보냈다. 그 미소라니!

나는 아직도 그 미소를 기억하고 있다. 그것은 뛰어난 지성과 진정한 용기의 발산이었다. 천사의 모습을 반영하듯이, 그녀의 특징 있는 용모, 야윈 얼굴, 움푹 들어간 회색 눈을 환하게 만드는 미소였다. 그런데 그 순간에 헬렌 번스의 팔에는 '단정치 못함.'이라는 표지가 붙어 있었다. 바로 한 시간 전에 그녀가 베껴 쓰는 연습을 하다가 잉크를 흘렸다는 이유로 스캐처드 선생이 다음 날 점심에 물과 빵만 먹으라고 벌하는 것을 내 귀로 들었다. 세상에 완전한 사람이 어디 있겠는가! 아주 깨끗한 달의 표면에도 티는 있게 마련이다. 스캐처드 선생 같은 사람은 사소한 결점만을 볼 뿐, 그 밝고 환한 전체 모습은 보지 못한다.

제8장

30분이 지나지 않아 시계가 5시를 울렸다. 수업이 끝났고 모두들 차를 마시러 식당으로 사라졌다. 나는 의자에서 내려왔다. 진한 어스름이 깔려 있었다. 구석으로 가서 바닥에 주저앉았다. 지금까지 나를 지탱해 준 마력이 약해지기 시작했다. 이윽고 나는 도저히 감당할 수 없는 비통함에 사로잡혀 땅에 얼굴을 대고 엎드려 쓰러졌다. 울었다. 헬렌 번스는 여기 없었다. 나를 붙잡아 줄 아무것도 없었다. 혼자 남겨진 나는 나 자신을 포기했고 눈물로 마룻바닥을 적셨다. 난 착한 아이가 될 생각이었다. 로우드에서는 꼭 그렇게 되고 싶었다. 친구를 많이 사귀고 존중을 받고 애정을 얻고 싶었다. 이미 눈에 띄는 진전도 이뤘다. 그날 아침에 나는 반에서 제일 우수한 학생이었다. 밀러 선생은 따뜻한 말로 나를 칭찬해 주었고 템플 선생님 역시 동의한다는 듯 미소를 보내 주었다. 그림 그리는 걸 가르쳐 주겠다고 약속했고, 두 달 더 이런 식으로 계속 발전하면 프랑스어도 배울 수 있을 거라고 했다. 다른 아이들도 나를 잘 받아 주었다. 내 또래의 아이들은 나를 동등하게 대접했고 누구도 나를 괴롭히지 않았다. 그런데 지금 나는 여기에 다시 짓밟혀 뭉개진 채 누워 있다. 내가 다시 일어날 수 있을까?

'불가능해.' 하고 나는 생각했다. 그저 죽고만 싶었다. 흐느낌 사이사이로 이런 소망을 내뱉고 있는데 누군가가 다가왔다. 나는 화들짝 일어났다. 다시 헬렌 번스가 내 곁에 있었다. 사그라지는 불길이 길고 텅 빈 방으로 걸어오는 그녀의 모습을 보여 주었다. 그녀가 나에게 커피와 빵을 내밀었다.

"자, 좀 먹어 봐." 하고 그녀가 말했다. 하지만 그 상태에서는 부스러기 하나, 물 한 방울만 먹어도 목이 멜 것 같아서 나는 둘 다 밀어냈다. 헬렌은 놀랐는지 나를 바라보았다. 이제 아무리 애를 써도 감정을 다스릴 수가 없었다. 큰 소리로 엉엉 울어 댔다. 그녀는 내 옆 바닥에 앉아 두 팔로 무릎을 감싸고 거기에 머리를 기댄 채 인도인처럼 말없이 남아 있었다. 먼저 입을 연 사람은 나였다.

"헬렌, 모두가 거짓말쟁이라고 믿는 내 옆에 왜 있는 거야?"

"모두? 어머, 네가 거짓말쟁이라는 말을 들은 사람은 겨우 80명이고, 세상에는 수억 명이 있어."

"하지만 수억 명이 나랑 무슨 상관이야? 내가 아는 80명이 나를 경멸하는데."

"제인, 그건 오해야. 아마 이 학교에서 널 경멸하거나 싫어하는 사람은 단 한 명도 없을 거야. 많은 아이들이 너를 정말 가엾게 여길 거야."

"브로클허스트 씨가 그런 말을 했는데 어떻게 날 가엾게 여길 수 있어?"

"브로클허스트 씨는 신이 아니야. 위대하고 존경받는 사람도 아니지. 여기서 그를 좋아하는 사람은 별로 없어. 호감 살 만한 일을 전혀 하지 않았거든. 그가 너를 특별히 총애하는 것처럼 대했다면 네 주위에는 노골적으로 아니면 은밀하게 적들이 생겨났을 거야. 하지만 그게 아니니까 더 많은 아이들이 너를 동정하고 있을 거야. 하루 이틀쯤은 교사와 학생들이 너를 차갑게 바라볼지 몰라도 그들의 마음에는 친절한 감정이 숨어 있어. 네가 잘 견뎌 내면 일시적으로 억눌려 있던 이런 감정들이 오래지 않아 더 분명하게 나타날 거야. 게다가, 제인.”

그녀가 말을 멈췄다.

“응, 헬렌?”

내가 그녀의 손 사이에 내 손을 넣으며 말했다. 그녀가 부드럽게 내 손을 문질러 따뜻하게 해 주면서 말을 이었다.

“세상 모두가 널 미워하고 못된 아이로 여기더라도, 네 양심이 옳다 하고 죄를 멀리한다면 너에게 친구가 없을 리 없어.”

“그래, 내가 나를 좋게 생각해야 한다는 건 알아. 하지만 그것으로는 충분하지 않아. 다른 사람들이 날 사랑하지 않으면 그렇게 사느니 차라리 죽는 게 나아. 외톨이로 미움받는 건 견딜 수 없어. 헬렌 여길 봐. 너한테든, 아니면 템플 선생님에게든, 내가 정말 사랑하는 누구에게든 진정한 애정을 받을 수만 있다면 내 팔이 부러져도, 황소가 나를 내던져도, 사나운 말 뒤에 섰다가 발굽에 가슴을 차이는 한이 있어도 난 기꺼이 감수할 거야.”

“쉿, 제인! 넌 인간의 사랑을 너무 크게 생각해. 너무 충동적이야, 너무 격렬해. 너의 형상을 지으시고 그 안에 생명을 주신 하느님의 손은 너의 연약한 자아나 너처럼 연약한 피조물들과는 다른 자원을 제공해 주셔. 이 땅 이외에, 인간의 족속 이외에, 보이지 않는 세상과 영들의 왕국이 있어. 그 세상은 우리 주위에 있어. 그건 어디에나 있으니까. 그 영들은 우리를 보호하는 게 임무라서 우리를 지켜보고 있어. 우리가 고통과 치욕에 빠져 죽어 가더라도, 사방에서 조롱이 우리를 공격하고 증오가 우리를 짓뭉개더라도, 천사들은 우리의 고통을 보고, 우리의 결백을 알아차리시고(우리가 결백하다면 그렇다는 거야. 브로클허스트 씨가 리드 부인에게 전해 들은 말로 근거 없이 거만하게 되풀이한 그 비난에 대해 나는 네가 결백하다는 걸 알아. 너의 열렬한 눈과 맑은 얼굴에서 거짓 없는 성격을 읽었거든), 하느님은 우리에게 충분한 보상을 내려 주시려고 우리의 영혼이 육신에서 분리되는 날을 기다리고 계셔. 삶은 곧 끝나고, 죽음은 행복과 영광으로 들어가는 길이 확실한데, 우리가 왜 비탄에 젖어 허우적대야 하니?"

나는 잠자코 있었다. 헬렌의 말은 나의 마음을 평온하게 해 주었다. 하지만 그녀가 전해 준 평온에는 표현할 수 없는 슬픔이 섞여 있었다. 그녀의 말을 듣는 동안에도 왠지 모를 비애감이 느껴졌지만 그게 어디서 온 건지는 알 수 없었다. 말을 끝낸 그녀가 약간 숨을 헐떡이며 밭은기침을 토해 냈다. 막연히 그녀가 걱정스러워서 나는 잠시 내 슬픔을 잊었다.

나는 헬렌의 어깨에 머리를 기대고 그녀의 허리에 두 팔을 감았다. 그녀가 날 안아 주었고 우리는 말없이 그렇게 앉아 있었다. 얼마 지나지 않아 다른 사람이 들어왔다. 강해지는 바람이 하늘의 무거운 구름들을 흩어 달님을 고스란히 드러냈다. 근처의 창에서 스며드는 달빛이 우리 둘과 다가오는 그 형체를 충분히 비춰 주었다. 우리는 그 사람이 템플 선생님이라는 것을 금방 알아차렸다.

"일부러 널 찾으러 왔어, 제인 에어. 내 방으로 가자. 헬렌 번스도 같이 있으니 함께 가자꾸나."

우리는 일어나서 따라갔다. 선생님이 이끄는 대로, 복잡한 통로들을 지나 계단을 오른 뒤에 그녀의 방에 도착했다. 불길이 활활 타고 있는 푸근한 공간이었다. 템플 선생님이 헬렌 번스에게 난로 한쪽의 낮은 안락의자를 권하고, 자신은 다른 쪽 의자에 앉고 나서 나를 옆에 세웠다.

"실컷 울었니?"

그녀가 내 얼굴을 바라보며 다시 물었다.

"눈물로 슬픔을 다 씻어 냈니?"

"절대 다 씻어질 것 같지 않아요."

"어째서?"

"저는 부당하게 비난받았으니까요. 선생님과 다른 모두가 이제 나를 못된 아이로 생각할 테니까요."

"우리는 네가 보여 주는 것을 보고 판단한단다. 앞으로 계속 착하게 행동하면 난 너에게 만족할 거야."

"정말이에요, 템플 선생님?"

"그렇단다."

그녀가 한 팔로 나를 감싸 안으며 말했다.

"이제 브로클허스트 씨가 너의 은인이라고 말한 그분이 누구인지 얘기해 줄래?"

"리드 부인이라고, 제 외삼촌의 아내예요. 외삼촌은 돌아가셨는데, 돌아가시면서 저를 맡기신 거예요."

"그럼 그분이 자의로 너를 맡은 게 아니니?"

"아뇨, 리드 부인은 그럴 마음이 없었어요. 하지만 하인들이 쑥덕거리는 말을 들었는데, 외삼촌이 돌아가시기 전에 저를 계속 부양하겠다는 약속을 받아 냈대요."

"그래, 제인, 너도 알겠지만, 아니 적어도 나는 이렇게 생각하는데 말이다. 비난을 받을 때는 누구든 자기를 변명할 기회가 주어져야 돼. 너는 거짓 비난을 받았어. 최선을 다해서 나에게 너를 변호해 보렴. 네가 사실로 기억하는 걸 뭐든지 말해 봐. 하지만 말을 덧붙이거나 과장하지는 마라."

나는 아주 중립적으로, 아주 정확하게 말하겠다고 마음속으로 결심했다. 몇 분간 할 말을 조리 있게 정리하고 나서, 나는 내 불행한 어린 시절의 이야기를 모두 다 털어놓았다. 감정을 한껏 쏟아 낸 뒤라 내 말씨는 평소보다 훨씬 차분했다. 분노에 빠져들지 말라던 헬렌의 경고를 떠올리며, 보통 때보다 아주 많이 괴로움과 씁쓸함을 덜어 냈다. 그렇게 삼가고 간소화시키자 이야기가 더 신뢰감 있게 들렸다. 이야기를 하는 동안 나는 템플 선생님이 나를 믿는다고 느꼈다.

내가 발작을 일으켰을 당시 로이드 씨가 나를 살피러 왔던 일에 대해서도 이야기했다. 붉은 방의 그 섬뜩한 사건은 절대로 잊을 수 없는 일이었다. 그 상황을 설명하면서 나는 다소 도를 넘을 정도로 흥분했다. 용서해 달라고 미친 듯이 애원하는 나를 뿌리치고, 리드 부인이 유령이 나오는 어두운 방에 나를 두 번째로 가뒀을 때 내 심장을 움켜쥐었던 그 고통스런 경련은 도저히 내 기억에서 덜어 낼 수 없었다.

내가 이야기를 마쳤다. 템플 선생님이 말없이 몇 분 동안 나를 바라보더니 말했다.

"내가 로이드 씨를 좀 알아. 그쪽으로 편지를 보낼 생각이야. 그의 답장이 네 말과 일치하면 너는 공개적으로 모든 누명을 벗게 될 거야. 제인, 나에게 너는 이제 결백해."

그녀가 나에게 키스했고, 여전히 나를 옆에 둔 채로(나는 그 자리에서 있는 게 매우 만족스러웠다. 그녀의 얼굴과 옷, 한두 가지 장신구, 하얀 이마, 돌돌 말려 있는 빛나는 머리, 반짝이는 검은 눈동자를 보면서 아이로서의 기쁨을 찾아냈다) 헬렌 번스에게 말을 걸었다.

"오늘 밤은 어떠니, 헬렌? 낮에 기침을 많이 했니?"

"그렇게 많이 하진 않았어요, 선생님."

"가슴 통증은?"

"좀 나아졌어요."

템플 선생님이 일어나 그녀의 손을 잡고 맥을 짚었다. 그러고는 자기 자리로 되돌아갔다. 의자에 다시 앉을 때, 나는 그녀의 낮은 한숨

소리를 들었다. 그녀가 잠시 생각에 잠겼다가 기운을 차리며 쾌활하게 말했다.

"너희는 오늘 밤 내 손님이야. 손님답게 대접을 해 드려야지."

그녀가 종을 울렸다. 그리고 방에 들어온 하인에게 말했다.

"바바라, 난 아직 차를 마시지 않았어. 이 두 분 숙녀의 잔도 챙겨서 가지고 와요."

곧 차 쟁반이 들어왔다. 불가의 작고 동그란 탁자에 놓인 자기 그릇과 산뜻한 찻주전자가 내 눈에 얼마나 예뻐 보였는지! 차에서 나오는 김과 토스트 향은 또 얼마나 향긋했는지! 하지만 실망스럽게도(배가 고파지기 시작했기 때문에) 토스트는 아주 작은 조각 하나뿐이었다. 템플 선생님도 그걸 알아보고 말했다.

"바바라, 버터와 빵을 좀 더 가져올 수 있을까? 셋이 먹기에는 부족하겠어."

바바라가 나갔다가 금세 돌아왔다.

"하든 부인이 평소대로 올려 보냈다고 하는데요."

여기서 말하는 하든 부인은 가정부였다. 브로클허스트 씨처럼 심장이 고래수염과 강철로 만들어진 여자였다.

"오, 알았어!"

템플 선생님이 대꾸했다.

"이걸로 때워야 할 모양이네."

하인이 물러가자 그녀가 싱긋 웃으며 덧붙였다.

"다행히 이번에는 나한테 부족분을 메울 방도가 있지."

그녀는 헬렌과 나를 탁자로 불러들이고 맛있어 보이지만 야박하게 얇은 토스트 조각과 찻잔을 우리에게 내주었다. 그러고는 서랍을 열더니 종이에 싼 꾸러미를 꺼내서, 곧이어 꽤나 커다란 씨앗 케이크를 우리 앞에 가져왔다.

"너희가 돌아갈 때 주려고 했는데, 토스트가 조금밖에 없으니 지금 먹으렴."

그렇게 말하며 후하게 몇 조각을 잘라 우리에게 건네주었다.

그날 저녁에 우리는 넥타와 신들의 음식으로 잔치를 벌인 기분이었다. 넉넉하게 제공된 맛있는 식사로 허기진 배를 채우는 동안, 그런 우리를 흐뭇하게 바라보는 선생님의 미소도 그 연회의 적지 않은 기쁨이었다. 차를 다 마시고 쟁반이 치워지고 나서, 그녀가 다시 우리를 불가로 불렀다. 우리는 선생님의 양쪽에 앉았고, 이제 그녀와 헬렌 사이에 대화가 이어졌다. 사실 그 대화를 듣는 것은 특권이었다.

템플 선생님에게는 늘 차분한 분위기와 위엄 있는 태도, 세련되고 교양 있는 말씨가 배어 있어서 격하게 흥분하고 열을 올리는 경우가 없었다. 그녀를 보고 있으면 듣는 사람의 기쁨을 절제시키는 경외감 같은 것이 느껴졌다. 내 느낌이 바로 그랬다. 하지만 헬렌 번스는 나에게 놀라움을 안겨 주었다.

기운을 북돋아 준 식사, 화사한 불길, 좋아하는 선생님의 존재와 그 친절함, 아니 어쩌면 다른 무엇보다도 그녀의 남다른 정신에 있는 무언가가 그녀 안에 있는 능력을 깨워 낸 모양이었다. 그것이 깨어나 불이 붙었다. 처음에 그것은 핏기 없이 창백하기만 하던 뺨에 전에 없이 발그레한 빛깔을 자극했다. 다음에는 그녀의 눈에 투명한 광채를 일으키며, 갑자기 템플 선생님보다 더 독특한 아름다움을 뿜어냈다. 고운 색채나 긴 속눈썹이나 그린 눈썹이 아니라, 의미와 움직임과 빛이 만들어 내는 아름다움이었다. 그녀의 영혼이 그녀의 입술에 내려앉아 나로서는 어디서 나오는지 알 수 없는 말들이 술술 흘러나왔다. 열네 살 소녀가 어떻게 그렇게 순수하고 풍성하고 열렬한 웅변이 넘치는 크고 강한 가슴을 지닐 수 있었을까? 잊을 수 없는 그날 저녁에 헬렌이 자아낸 대화는 그런 것이었다. 그녀의 영혼은 보통 사람이 오랜 시간에 걸쳐 살아가는 그 많은 삶을 짧은 시간 안에 살아 가려고 서두르는 듯했다.

그들은 내가 한 번도 들어 보지 못한 것들을 이야기했다. 여러 민족과 과거의 시대, 멀고 먼 나라들에 대해, 발견되었거나 추측되는 자연계의 비밀에 대해. 그들은 책에 대해서도 이야기했다. 그들의 독서량이 얼마나 방대했던지! 그들의 지식은 또 얼마나 풍부했던지! 그들은 프랑스의 인명과 작가들을 아주 잘 알고 있는 듯했다. 템플 선생님이 헬렌에게 아버지가 가르쳐 주신 라틴어를 가끔 떠올릴 때가 있느냐고 물으면서, 선반에서 책을 가져와《베르길리우스》의 한 페이지를 읽고 해석해 보라고 했을 때 나의 놀라움은 절정에 달했다. 헬렌이 선생님의 말을 따라 한 행 한 행 읽을 때 나는 진심으로 그녀를 숭배하게 되었다. 그녀의 해석이 끝나자 곧 취침 시간을 알리는 종이 울렸다. 꾸물거릴 시간이 없었다. 템플 선생님이 우리 둘을 가슴에 끌어당겨 안으며 말했다.

"얘들아, 너희에게 하느님의 축복이 있기를!"

그녀는 나보다 헬렌을 조금 더 오래 안아 주었다. 그리고 더 아쉬워하며 놓아주었다. 문을 나올 때까지 그녀의 시선은 헬렌에게 머물러 있었다. 그녀가 두 번째로 슬픈 한숨을 내쉰 것은 헬렌을 위해서였다. 헬렌을 위해 그녀는 뺨으로 흐르는 눈물을 닦았다.

침실로 가는데 스캐처드 선생의 목소리가 들려왔다. 그녀는 서랍을 검사하는 중이었다. 마침 헬렌 번스의 서랍을 꺼내던 참이어서 들어가자마자 헬렌은 날카로운 꾸중을 들었고, 내일 지저분하게 흩어 놓았던 물건 여섯 가지를 어깨에 달고 있어야 하는 벌을 받았다.

헬렌이 나에게 작은 목소리로 속삭였다.

"정말 내가 너무 심하게 물건을 어질러 놨어. 정리할 생각이었는데 깜빡 잊어버렸지 뭐야."

다음 날 아침에 스캐처드 선생은 두꺼운 종잇장에 눈에 확 띄는 글씨로 '단정치 못함.'이라는 단어를 써서, 온화하고 지적이고 너그러워 보이는 헬렌의 넓은 이마에 부적처럼 묶어 놓았다. 헬렌은 그것을 당연한 벌로 여기고 원망하는 기색 없이 참을성 있게 저녁까지 달고 있었다. 스캐처드 선생이 오후 수업을 끝내고 나가자마자, 나는 헬렌에게로 달려가 그걸 갈기갈기 찢어서 난롯불에 집어 던졌다. 그녀의 가슴에 없는 분노가 하루 종일 내 영혼을 불태웠고, 굵고 뜨거운 눈물이 하염없이 내 뺨을 데웠다. 슬프게 체념한 그녀의 모습이 참을 수 없이 내 마음을 아프게 했기 때문이다.

이 사건이 있고 나서 일주일쯤 뒤에, 템플 선생님이 로이드 씨로부터 답장을 받았다. 그 내용이 내가 한 설명을 확증해 준 모양이었다. 템플 선생님은 전교생이 모인 자리에서 제인 에어에 대해 제기된 비난을 조사해 보았으며, 그녀가 이 모든 비난으로부터 완전히 자유로워졌음을 알릴 수 있게 되어 행복하다고 말했다. 선생님들이 내 손을 잡아 흔들며 키스했고, 다른 아이들 사이에 기쁨의 속삭임이 번졌다.

이렇게 비통한 짐을 벗어던지게 된 나는, 어떠한 어려움이 있더라도 내 길을 개척해 나가리라고 새롭게 각오를 다졌다. 나는 열심히 노력했고, 또 노력만큼 성과를 거뒀다. 원래 좋지 않았던 기억력은 연습을 통해 개선되었다. 몇 주일 뒤에는 더 높은 반으로 올라갔다. 두 달도 안 되어 프랑스어와 미술 공부를 시작할 수 있게 되었다. 같은 날 나는 '에트르(Être)' 동사의 시제 두 개를 배웠고, 난생처음 오두막을 그려 보았다(말이 났으니 말인데, 그 벽은 피사의 사탑이 무색할 정도로 삐딱하게 기울어 있었다). 그날 밤, 침대로 가면서 나는 언제나 내적인 갈망을 달래려고 떠올리곤 했던 뜨끈뜨끈한 구운 감자나 흰 빵과 신선한 우유가 놓인 상상의 저녁 식사를 잊어버렸다. 대신에 어둠 속에서 내 눈앞에 떠오른 것은 이상적인 그림들의 풍경으로 차려진 잔치였다. 모두 내 손으로 그린 작품들이었다. 자유롭게 그려 낸 집과 나무들, 매력적인 바위와 옛터들, 네덜란드 화가 코이프가 그린 것 같은 소 떼, 아직 피어나지 않은 장미 위로 맴도는 나비들, 익은 체리를 쪼아대는 새들, 어린 담쟁이덩굴 가지로 엮어 진주 같은 알들을 품은 굴뚝새 둥지들. 피에로 선생이 보여 준 프랑스 동화책을 거침없이 번역하게 될 날이 언제일까도 생각해 보았다. 만족스런 해답을 찾기 전에 나는 곧 곤하게 잠이 들었다.

솔로몬이 이런 말을 했다.

"채소를 먹으며 서로 사랑하는 것이 살진 소를 먹으며 서로 미워하는 것보다 나으니라."

나는 이제 이 궁핍한 로우드의 생활을, 게이츠헤드의 사치스런 일상과 바꾸지 않기로 작정했다.

제9장

그러나 로우드에서의 결핍과 고난도 차츰 줄어들고 있었다. 봄이 오고 있었던 것이다. 아니 사실은 이미 왔다고 해야겠다. 겨울의 서리가 자취를 감추고, 눈이 녹고 살을 에는 바람도 기세가 꺾였다. 1월의 혹독한 추위에 살갗이 벗겨지고 부풀어 올라 절름거리던 불쌍한 내 발이 부드러운 4월의 바람에 치료되어 가라앉기 시작했다. 밤과 아침은 더 이상 캐나다의 기온처럼 우리 혈관의 피를 얼어붙게 하지 않았다. 이제 정원에서 노는 시간도 견딜 만했다. 햇살 좋은 날에는 가끔 유쾌하고 쾌적하기까지 했다. 갈색 화단에 초록빛이 자라기 시작하더니, 밤새 그리로 오락가락하던 희망의 여신이 아침이면 더욱 화사한 걸음의 흔적을 남긴다는 생각이 들 정도로 날마다 싱싱해졌다. 아네모네, 크로커스, 보랏빛 앵초, 금빛을 품은 팬지, 이런 꽃들이 이파리들 사이로 고개를 내밀었다. 우리는 이제 반공일인 목요일 오후마다 산책을 했고, 산울타리 아래 길가에서 피어나는 어여쁜 꽃들을 새록새록 찾아 나갔다.

담장 못을 박은 우리 정원의 높은 담벼락 너머에, 지평선만이 그 경계인 즐거움과 크나큰 기쁨이 존재한다는 것도 알게 되었다. 신록과 나무 그늘이 짙은 거대한 언덕 분지를 에워싸고 있는 고고한 봉우리들을 바라보는 것, 검은 돌들과 활기찬 소용돌이가 가득한 맑은 시내를 바라보는 것은 기쁨이었다. 강철색의 겨울 하늘 아래 서리로 얼어붙고 눈으로 덮여 있을 때 보았던 모습과는 정말 다른 풍경이었다. 그때는 죽음처럼 싸늘한 안개가 동풍의 변덕에 따라 보라색 봉우리들을 헤매 다니고, 목초지와 강가의 낮은 지대로 굴러 내려가 냉랭한 안개가 뒤섞였었는데! 그 무렵의 시내는 거칠 것 없이 치닫는 탁류를 쏟아 냈었다. 숲을 갈가리 찢어 놓고, 세차게 퍼붓는 비나 소용돌이치듯 내리는 진눈깨비에 자주 시달리던 허공에 굉음을 쏘아 보내곤 했다. 양쪽 기슭의 숲은 그야말로 그저 뼈다귀들이 줄줄이 늘어서 있는 듯했었다.

4월이 5월로 향했다. 밝고 화창한 5월이었다. 푸른 하늘, 따사로운 햇살, 부드러운 서풍이나 남풍이 하루하루를 채우는 날들이 이어졌다. 이제 초목은 쑥쑥 성장했다. 로우드는 머리채를 풀어 헤치고 흔들었다. 온통 초록빛에, 꽃들이 흐드러지게 매달렸다. 커다란 느릅나무, 물푸레나무, 참나무 뼈대들이 늠름한 모습을 회복했다. 으슥한 구석구석에서 숲 속 식물들이 풍성하게 싹을 틔웠다. 수없이 다양한 이끼가 우묵한 분지를 채우고, 그 사이에 무성하게 피어난 야생 앵초들은 기묘한 지상의 햇살 같았다. 앵초의 연한 금빛은 마치 그늘진 응달에 사랑스러운 광채를 흩뿌려 놓은 듯했다. 이 모든 것을 나는 자주, 충분히, 자유롭게 감시하는 이 없이 거의 혼자 즐겼다. 이처럼 뜻밖의 자유와 즐거움을 누리게 된 데에는 그만한 이유가 있었고, 이제부터 그 이야기를 시작하려 한다.

언덕과 숲으로 싸인 시냇가에 학교가 있다고 하면, 그곳이 꽤 아늑

할 것이라고 생각되지 않는가? 물론 꽤 아늑하긴 하다. 하지만 건강에 좋은지 나쁜지에 대해서는 또 다른 문제다. 로우드가 위치한 이 숲 속 골짜기는 안개와, 안개가 키우는 역병의 요람이었다. 역병은 빠르게 다가오는 봄과 같이 찾아와 고아원 안으로 기어들었다. 그러고는 다닥다닥 붙은 교실과 기숙사에 발진티푸스의 숨결을 불어넣었고, 5월이 되기 전에 학교를 병원으로 바꿔 놓았다.

반기아 상태와 소홀히 했던 감기 때문에 대부분의 아이들은 무방비 상태로 감염에 노출되었다. 80명 중에서 45명이 한꺼번에 앓아누웠다. 학급은 해산되고 규율은 해이해졌다. 감염되지 않은 소수의 학생들에게는 거의 무제한적인 자유가 주어졌다. 의사가 건강을 유지하려면 자주 운동해야 한다고 주장했기 때문이다. 설령 그렇지 않았다 해도, 그들을 감독하거나 통솔할 여유가 있는 사람은 하나도 없었다. 템플 선생님은 환자들에게 모든 관심을 쏟아붓고 있었다. 밤에 몇 시간 쉬는 걸 제외하고는 병실을 떠나지 않고 거기서 살다시피 했다. 교사들은 이 전염병의 소굴에서 빼내 줄 친구나 친척이 있는 운 좋은 아이들을 위해 짐을 싸고 다른 필요한 준비를 하느라 정신이 없었다. 이미 전염된 많은 아이들이 집에 가서 죽었다. 어떤 아이는 학교에서 죽었고, 지체하면 안 되는 병의 성격상 빠르고 조용하게 매장되었다.

이렇게 질병은 로우드의 주민이 되고 죽음은 단골 방문객이 되었다. 담장 안에는 두려움과 음울함이 깔렸고, 방과 복도에서는 병원 냄새가 짙게 풍겼다. 그러나 약품과 약 들이 죽음의 악취를 진압하려고 부질없는 수고를 계속하는 동안에도 우뚝 솟은 언덕과 아름다운 수풀 위에는 눈부신 5월이 구름 한 점 없이 빛나고 있었다. 정원에서도 꽃들이 반짝였다. 접시꽃이 나무처럼 높이 솟아오르고, 백합이 피어나고, 튤립과 장미가 만개했다. 작은 화단 가장자리에는 분홍빛 아르메리아와 진홍색 데이지 들이 화사함을 더했다. 들장미가 아침저녁으로 향료와 사과 향기를 뿜었다. 이 향긋한 보배들은 로우드에 사는 사람들에게 전혀 쓸모가 없었다. 이따금씩 관에 놓이는 한 줌의 허브와 꽃송이들을 제외하고는.

그러나 나와 나머지 건강한 아이들은 이런 풍경과 계절의 아름다움을 마음껏 즐겼다. 우리는 집시처럼 아침부터 밤까지 숲을 거닐었다. 하고 싶은 일을 했고 가고 싶은 곳에 갔다. 사는 형편도 나아졌다. 브로클허스트 씨와 그의 가족은 이제 로우드 근처에 얼씬도 하지 않았다. 당연히 살림살이를 꼼꼼하게 검사하지도 않았다. 심술궂은 가정부는 전염될까 봐 두려웠는지 부리나케 떠나 버렸다. 로튼 치료원의 수간호사였던 후임자는 새 근무처의 방식에 익숙지 않은 탓에 비교적 자유를 많이 주었다.

게다가 음식을 먹을 사람도 줄어들었다. 환자들은 거의 먹지 못했으니까. 우리의 아침 식사는 훨씬 넉넉히 담겨 나왔다. 정규 식사 시간에 맞춰 식사가 준비되지 않는 경우가 많았고, 그럴 때는 커다랗게 자른 차가운 파이나 두껍게 자른 치즈 빵이 주어졌으므로 우리는 그걸 가지고 숲으로 가서 각자 제일 좋아하는 자리를 골라 거하게 먹어 치웠다.

내가 좋아하는 자리는 개울 한가운데 하얗게 말라 있는 매끄럽고 널찍한 바위였는데, 물속을 걸어가야만 거기 닿을 수 있었다. 나는 맨발로 거기까지 걸어갔다. 그 바위는 나와 내가 선택한 다른 아이인 메리 앤 윌슨이 딱 편안히 앉을 정도의 넓이였다. 메리 앤 윌슨은 영리하고 눈치 빠른 소녀였다. 재치 있고 독창적인 데다가, 나를 편하게 해주는 태도를 지니고 있었기 때문에 나는 그녀와 곧잘 어울렸다. 나보다 몇 살 위인 그녀는 세상을 좀 더 알았고, 내가 알고자 하는 여러 가지 것들을 말해 주었다. 그녀와 같이 있으면 나의 호기심이 채워졌다. 그녀는 나의 결점을 너그럽게 받아 주었고, 내가 무슨 말을 해도 구속하거나 제어하지 않았다. 그녀는 얘기하는 재주가 있었고 나는 분석하는 재주가 있었다. 그녀는 알려 주는 걸 좋아했고 나는 물어보는 걸 좋아했다. 서로를 통해 좀 더 계발되지는 않았는지 몰라도 우리는 서로에게서 많은 즐거움을 얻을 수 있었고 꽤나 죽이 잘 맞았다.

그런데 그사이에, 헬렌 번스는 어디에 있었을까? 내가 왜 이 자유롭고 달콤한 나날을 그녀와 함께 보내지 않았을까? 내가 그녀를 잊어버렸을까? 아니면 그녀와의 순수한 교제가 점차 지겨워졌을 정도로 내가 하찮은 인간이었을까? 물론 메리 앤 윌슨은 나의 첫 번째 친구만은 못했다. 그녀는 재미있는 이야기를 하고, 내가 탐닉하는 통렬하고 신랄한 소문에 맞장구를 쳐 줄 수 있을 뿐이었다. 반면에, 내 생각이 틀림없다면 헬렌은 자기와 대화하는 특권을 누린 자들에게 한결 고상한 풍미를 맛보게 해 주는 그런 사람이었다.

독자여, 이건 사실이다. 나는 이것을 알았고 또 느꼈다. 수많은 결점과 얼마 안 되는 장점을 지닌 보잘것없는 존재지만, 나는 헬렌 번스에게 싫증을 낸 적이 한 번도 없었다. 내 마음에서 일어난 어느 무엇보다 강하고 부드럽고 존경스러운 애정의 감정을 늘 소중히 간직하고 있었다. 절대 불쾌하게 기분 나빠하지 않고 심란하게 짜증 내지 않고, 언제 어떤 환경에서든 조용하고 충실한 우정을 보여 주는 헬렌에게 나는 그럴 수밖에 없었다. 하지만 헬렌은 현재 앓고 있었다. 몇 주일째 내가 모르는 위층 어느 방으로 사라져 보이지 않았다. 그녀는 열병 환자들과 같이 학교 병동 구역에 있는 게 아니라고 했다. 발진티푸스가 아니라 폐결핵을 앓고 있기 때문이라나. 그리고 폐결핵에 무지했던 나는 어느 정도 시간이 지나고 치료를 받으면 틀림없이 나을 수 있는 가벼운 병이라고 생각했다.

아주 따뜻하고 화창한 오후에 그녀가 한두 번 템플 선생님에게 이끌려 아래층으로 내려와 정원으로 나왔다는 사실이 나의 이런 생각을 굳어지게 했다. 하지만 그럴 때도 내가 가까이 가서 말을 붙이는 것은 허용되지 않았다. 교실 창으로 어렴풋이 그녀를 보았을 뿐이다. 그녀가 모포를 뒤집어쓰고 멀리 베란다 아래에 앉아 있었기 때문이다.

6월이 시작되던 무렵의 어느 날 저녁, 나는 메리 앤과 같이 늦게까지 숲에 남아 있었다. 우리는 평소처럼 다른 아이들과 떨어져 멀리까지 돌아다녔다. 너무 멀리 가는 바람에 길을 잃어서 숲 속 나무 열매로 반야생 돼지를 키우며 사는 외진 오두막의 남녀에게 길을 물어야 했다. 우리가 돌아온 것은 하늘에 달이 떠오른 뒤였다. 의사가 타고 다니는 조랑말이 정원 문에 서 있었다. 메리 앤은 베이츠 씨가 이런 저녁 시간에 불려왔을 정도면 누가 아주 많이 아픈 모양이라고 말했다. 그녀는 안으로 들어갔다. 숲에서 파 온 풀뿌리들을 아침까지 그냥 두면 시들 것 같아서 나는 그것을 내 화단에 심으려고 뒤에 남았다. 일을 마치고 나서도 조금 더 서성거렸다. 이슬 젖은 꽃들의 향이 몹시 향기로웠다. 무척이나 상쾌하고 고요하고 포근한 저녁이었다. 여전히 벌겋게 타오르는 서쪽 하늘은 내일도 화창한 날이 될 거라고 굳게 약속했다. 엄숙한 동쪽에는 달이 장엄하게 떠올라 있었다. 어린아이의 심정으로 이런 것들을 바라보며 즐기고 있을 때, 전에는 해 본 적 없는 생각이 내 마음에 밀려들었다.

'지금 병상에 누워 죽을 위험에 처해 있다면 얼마나 슬플까! 이렇게 좋은 세상에서 불려 나가 어딘지 모를 곳으로 떠나야 한다면 쓸쓸하기 짝이 없겠지?'

처음으로 나는 천국과 지옥에 관해 들어 왔던 것들을 이해해 보려고 진지하게 노력했다. 처음으로 내 마음은 움츠러들었고 당황했다. 앞뒤 좌우를 흘끔거리며 사방이 온통 헤아릴 수 없는 심연인 것을 처음으로 알았다. 마음은 그게 서 있는 한 지점, 현재만을 느꼈다. 다른 모든 것은 형체 없는 구름이며 공허한 혼돈이었다. 그 혼돈 한가운데 뛰어들어 비틀거릴 생각을 하니 몸서리가 쳐졌다. 이 새로운 생각에 빠져 있는 사이에, 현관문 열리는 소리가 들렸다. 베이츠 씨가 나오고 간호사가 따라 나왔다. 말에 올라 떠나가는 의사를 지켜보고 나서 문을 닫으려는 그녀에게 내가 달려갔다.

"헬렌 번스는 어때요?"

"아주 안 좋아."

"베이츠 씨가 헬렌을 보러 온 건가요?"

"그래."

"그분이 뭐라고 하셨어요?"

"헬렌이 여기 오래 있지 못할 것 같대."

어제 내가 이 말을 들었다면 그녀가 노섬벌랜드로, 그녀의 고향으로 떠나려는 모양이라고 생각했을 것이다. 그녀가 죽어 간다는 뜻이리라고는 짐작도 못했을 것이다. 하지만 난 그 즉시 알아차렸다. 헬렌 번스가 이 세상에서의 마지막 날을 세고 있고, 영혼들의 영역이 있는지는 모르겠지만, 그리로 곧 옮겨 갈 거라는 게 명확하게 이해되었다. 충격적인 공포와 강한 슬픔의 전율을 느꼈고, 그녀를 보고 싶은 마음, 꼭 봐야겠다는 마음이 일었다. 나는 그녀가 어느 방에 있느냐고 물었다.

"템플 선생님의 방에 있어."

간호사가 말했다.

"가서 얘기해도 돼요?"

"오, 안 돼! 그건 안 될 말이야. 넌 이제 들어갈 시간이다. 밖에서 밤이슬을 맞으면 열병에 걸려."

간호사가 현관문을 닫았다. 나는 교실로 이어진 옆문으로 들어갔다. 마침 9시가 울리고 밀러 선생이 취침 시간이라고 소리치고 있었다.

두 시간쯤 지났을까, 아마 11시가 다 되어 갈 무렵이었을 것이다.

잠이 오지 않았다. 기숙사가 완벽하게 조용해졌으니 아이들이 다 깊이 잠들었으리라고 생각했다. 나는 소리 없이 일어나 잠옷 위에 겉옷을 걸치고 맨발로 살금살금 기어 나가 템플 선생님의 방으로 출발했다. 그곳은 기숙사에서 꽤 떨어진 다른 쪽 끝에 있었다. 하지만 나는 길을 알고 있었고, 구름을 걷어 낸 여름 달빛이 복도의 창 여기저기로 스며들어서 어렵지 않게 길을 찾을 수 있었다. 장뇌와 향초 타는 냄새가 열병 환자 병동에 가까이 왔음을 알려 주었다. 밤새 깨어 있는 간호사가 혹시라도 내 소리를 들을까 봐 재빨리 그 문을 지났다. 발각되어 돌려보내질까 봐 겁이 났다. 나는 헬렌을 꼭 만나야 했다. 죽기 전에 그녀를 안아 주어야 했다. 그녀에게 마지막 키스를 해 주어야 했다. 그녀와 마지막 인사를 나눠야 했다.

계단을 내려가 건물의 아랫부분을 가로질러 소리 나지 않게 두 개의 문을 열었다 닫는 데 성공한 다음, 또 다른 층계참에 도착했다. 이 계단을 오르면 바로 맞은편에 템플 선생님의 방이 있다. 열쇠 구멍과 문 밑에서 불빛이 새어 나왔다. 그 부근에 깊은 정적이 배어 있었다. 가까이 가 보니 문이 살짝 열려 있었다. 갑갑한 병실에 신선한 공기를 들이려고 열어 둔 모양이었다. 성마른 충동에 휩싸인 나는—나의 영혼과 감각들이 예리한 괴로움으로 떨었다—주저 없이 문을 열고 안을 들여다보았다. 죽음을 발견할까 봐 두려워하며 내 눈은 헬렌을 찾고 있었다.

템플 선생님의 침대 가까이에 하얀 커튼으로 반쯤 가려진 작은 침대가 놓여 있었다. 이불 밑으로 하나의 윤곽이 보였지만 얼굴은 커튼에 가려 보이지 않았다. 아까 정원에서 얘기를 나누었던 간호사가 안락의자에 앉아 잠들어 있었다. 심지를 끄지 않은 양초가 탁자에서 희미하게 타올랐다. 템플 선생님은 보이지 않았다. 그녀가 환각을 일으킨 환자 때문에 열병 병동에 불려 갔었다는 건 나중에 알게 되었다. 나는 앞으로 나아갔다. 침대 옆에서 멈췄다. 손으로 커튼을 잡았지만 그걸 걷어 올리기 전에 말을 붙여 보고 싶었다. 아직도 시체를 보게 될지 모른다는 두려움에 겁이 났다.

"헬렌! 깨어 있어?"

내가 조그맣게 속삭였다. 그녀의 몸이 꿈틀거리더니 커튼이 걷혔고, 나는 창백하고 쇠약하지만 상당히 차분한 그녀의 얼굴을 알아보았다. 별로 달라진 게 없는 것 같아서 두려움이 곧 사라졌다.

"제인, 너니?"

그녀가 특유의 부드러운 목소리로 물었다.

'아! 헬렌은 죽지 않을 거야. 사람들이 잘못 알고 있는 거야. 죽을 사람이 이렇게 차분한 얼굴로 얘기할 수는 없어.' 하고 나는 생각했다.

침대로 다가서서 그녀에게 입을 맞췄다. 그녀의 이마는 차가웠고, 뺨도 야위고 차가웠고, 손과 손목도 마찬가지였다. 하지만 그녀의 미소는 예전과 똑같았다.

"여기 웬일이야, 제인? 11시가 넘었어. 조금 전에 시계 치는 소리를 들었어."

"널 만나러 왔어, 헬렌. 많이 아프다는 말을 들어서, 얘기하기 전에는 잠을 못 잘 것 같아서."

"나한테 작별 인사를 하러 왔구나. 시간을 잘 맞춘 것 같아."

"어디로 가는 거야, 헬렌? 집에 가는 거야?"

"그래, 멀리 있는 집…… 나의 마지막 집에."

"안 돼, 안 돼, 헬렌."

나는 너무 괴로워서 입을 다물었다. 내가 눈물을 삼키려고 애쓰는 동안, 헬렌은 기침 발작을 일으켰다. 하지만 간호사는 깨지 않았다. 기침이 잦아들자 헬렌은 피곤한 듯 잠시 조용히 누워 있었다. 그러고 나서 속삭였다.

"제인, 너 맨발이구나. 내 이불을 덮고 누워."

나는 시키는 대로 했다. 그녀가 나에게 한 팔을 둘렀고, 나는 그녀에게 바짝 안겼다. 오랜 침묵이 흐른 뒤에, 그녀가 여전히 속삭이는 목소리로 말했다.

"난 아주 행복해, 제인. 내가 죽었다는 소리를 들어도 절대 슬퍼하지 마. 슬퍼할 거 없어. 누구든지 언젠가는 죽어야 하고, 나를 데려가는 이 병은 고통스럽지 않아. 부드럽게 조금씩 다가와 내 마음은 편안해. 나로 인해 많이 슬퍼할 사람도 없어. 아버지만 한 분 계시는데, 얼마 전에 결혼하셔서 날 그리워하지 않으실 거야. 젊어서 죽으니 큰 고통들도 면하게 됐어. 난 세상에서 잘 살아갈 재능이나 자질이 없어. 허구한 날 잘못만 저질렀을 거야."

"어디로 가는 건데, 헬렌? 그걸 볼 수 있어? 그걸 알아?"

"나는 믿어. 난 하느님께로 가는 거야."

"하느님이 어디 있는데? 하느님이 뭔데?"

"나와 너를 만드신 분이고, 당신의 피조물을 절대 파괴하지 않으시는 분이야. 나는 무조건 그분의 힘에 의지하고, 그의 선하심을 전적으로 신뢰해. 그분에게 돌아가 모습을 뵐 수 있는 감격의 순간이 오기를 즐거운 마음으로 기다려."

"그럼 천국이라는 게 있고, 우리가 죽으면 거기에 갈 수 있다고 확신하는 거야, 헬렌?"

"나는 내세가 있다고 믿어. 하느님의 선하심을 믿어. 나는 아무런 불안 없이 내 불멸의 부분을 그분에게 맡길 수 있어. 하느님은 나의 아버지요, 나의 친구야. 난 그분을 사랑해. 그분도 날 사랑한다고 믿어."

"내가 죽으면 다시 너를 보게 될까, 헬렌?"

"너도 똑같은 행복의 나라로 오게 될 거야. 위대한 만물의 아버지가 틀림없이 너를 받아 주실 거야, 제인."

다시 나는 질문했다. 하지만 이번에는 생각으로만 물었다.

'그 나라가 어디 있을까? 정말 있을까?'

그러고는 헬렌을 두 팔로 꼭 끌어안았다. 그녀가 전보다 더 소중하게 느껴졌다. 그녀를 놓아줄 수 없을 것 같았다. 나는 그녀의 목덜미에 얼굴을 묻고 누웠다. 그리고 잠시 뒤, 헬렌이 더할 나위 없이 감미로운 목소리로 말했다.

"참으로 편안해! 아까 기침한 것 때문에 조금 피곤해. 잠들 수 있을 것 같아. 하지만 날 두고 가지 마, 제인. 네가 옆에 있어 주면 좋겠어."

"옆에 있을게, 사랑하는 헬렌. 아무도 날 못 데려가."

"따뜻하니?"

"응."

"잘 자, 제인."

"잘 자, 헬렌."

그녀가 나에게 키스했고 나도 그녀에게 키스했다. 우리는 둘 다 금방 잠이 들었다.

잠에서 깨어났을 때는 아침이었다. 나를 깨운 건 특이한 움직임이었다. 시선을 들어 보니 내가 누군가의 품에 안겨 있었다. 간호사가 나를 안고 기숙사로 데려가는 중이었다. 침대를 빠져나갔다고 혼내는 사람은 없었다. 모두들 달리 생각할 게 있는 듯했다. 내가 아무리 물어봐도 돌아오는 건 같은 대답뿐이었다. 하지만 하루 이틀이 지난 뒤에, 그날 새벽에 방으로 돌아온 템플 선생님이 작은 침대에 누워 있는 나를 보았다는 것을 알았다. 헬렌 번스의 어깨에 내 얼굴을 기대고, 그녀의 목을 두 팔로 끌어안은 채 나는 잠들어 있었고, 헬렌은…… 죽어 있었다.

그녀의 무덤은 브로클허스트 교회 묘지에 있다. 그녀가 죽은 뒤 15년 동안 풀이 우거진 흙더미에 덮여 있었다. 하지만 지금은 그녀의 이름과 '나 부활하리.'라는 글이 새겨진 회색 대리석 비석만이 무덤의 소재를 알려 주고 있다.

제10장

지금까지 나는 나의 보잘것없는 생활에 일어난 사건들을 세세하게 기록했다. 내 생애 첫 10년을 설명하기 위해 거의 그만큼의 장을 할애한 셈이다. 하지만 자서전을 쓸 생각은 아니었다. 내가 어느 정도 관심 있게 간직하고 있는 기억들을 더듬어 보려 했을 뿐이다. 이제 나는 8년이라는 기간을 말없이 건너뛰려 한다. 맥락을 잇기 위해 몇 줄의 설명만이 필요할 뿐이다.

발진티푸스 열병은 로우드에서 약탈의 임무를 완수하고 차츰 사라져 갔다. 하지만 그 질병의 파괴력과 희생자 수는 로우드 학교로 세간의 관심을 끌었다. 재난의 원인을 규명하는 조사가 이루어졌고, 세상 사람들을 분노케 하는 다양한 사실들이 하나씩 드러났다. 건강에 해로운 학교 부지의 특성, 학생들이 먹는 식사의 양과 질, 조리에 사용된 염분 성분의 냄새나는 물, 학생들의 초라한 옷과 숙박 설비, 이 모든 것들이 밝혀졌다. 그리고 이로 인해 브로클허스트 씨에게는 굴욕적이지만 학교에는 유익한 결과가 생겨났다.

그 지역의 부유하고 자비로운 몇몇 독지가들이 보다 나은 환경에 더 편리한 건물을 세우기 위해 많은 액수의 돈을 기부했다. 새로운 규정들이 만들어졌다. 식사와 의복 상태가 개선되었다. 학교 기금은 위원회가 관리하게 되었다. 브로클허스트 씨는 재력으로나 집안의 인맥으로나 무시할 수 없는 존재였으므로 회계 책임자로서의 위치를 유지했다. 하지만 좀 더 마음이 넓고 인정 많은 신사들이 그의 업무를 보조했다. 감독관으로서의 직무 역시 엄격함과 합리성을, 경제성과 안락함을, 올곧음과 연민을 조화시킬 줄 아는 사람들이 분담했다. 이렇게 개선된 학교는 얼마 지나지 않아 매우 유익하고 훌륭한 시설이 되었다. 이 혁신 이후에 나는 8년을 더 학교에서 보냈다. 6년은 학생으로, 2년은 교사로서. 어느 입장에서든 이 학교의 가치와 중요성을 입증할 수 있다.

8년 동안 내 인생은 한결같았다. 하지만 정체되었던 것이 아니었으므로 불행하지 않았다. 탁월한 교육 수단들이 내 손이 미치는 범위에 있었다. 내가 좋아하는 몇몇 과목과 모든 과목에서 뛰어나고 싶은 욕구, 게다가 선생님들, 특히 내가 사랑하는 선생님을 기쁘게 할 수 있다는 크나큰 즐거움이 더해져서 나를 자극했다. 나는 나에게 제공된 이점을 십분 활용하여 오래지 않아 최고 학급의 최고 학생이 되었다. 그 뒤에는 교사직을 맡게 되었다. 2년 동안 열성적으로 소임을 다했다. 그러나 그 시기가 끝나 갈 무렵에 나는 달라졌다.

여러 가지 변화가 일어나는 동안에도, 템플 선생님은 줄곧 학교의 교장직을 맡고 계셨다. 내가 얻은 교양과 지식의 대부분은 그녀에게서 배운 것들이었다. 템플 선생님과 나눈 교제와 우정은 나에게 끊임없는 위안이 되었다. 선생님은 나에게 어머니이자, 가정 교사이자, 후에는 친구였다. 그런데 이제, 그녀는 결혼과 동시에 남편(그러한 아내를 얻을 자격이 있는 훌륭한 성직자)과 같이 먼 고장으로 떠나게 되었고, 결과적으로 내 곁에서도 떠나갔다.

선생님이 떠난 날부터 나는 더 이상 어제의 내가 아니었다. 로우드를 어느 정도 나의 집으로 느끼게 해 주었던 모든 연상 작용과 안정감이 선생님과 함께 사라졌다. 그녀의 몇 가지 성격과 상당한 정도의 습관, 균형 잡힌 생각들이 나에게 흡수되었다. 보다 절제할 줄 아는 감정이 내 안으로 들어왔다. 나는 의무와 질서를 충실히 지켰다. 나는 조용했다. 나는 내가 만족한다고 믿었다. 다른 사람들이 보기에나 내가 보기에도, 나는 절도 있고 차분한 사람인 듯했다.

하지만 운명은 네이즈미스 목사를 보내 나와 템플 선생님 사이를 갈라놓았다. 나는 결혼식을 끝내고 여행복 차림으로 사륜마차에 오르는 선생님을 바라보았다. 마차가 언덕을 올라 고개 너머로 사라지는 모습을 지켜보았다. 그러고는 내 방으로 돌아와 선생님의 결혼을 축하하기 위해 주어진 오후의 쉬는 시간 대부분을 그곳에서 혼자 보냈다.

나는 대부분의 시간을 방에서 걸어다녔다. 내가 잃어버린 것을 안타까워하며 상실을 메울 수 있는 방법을 찾을 뿐이라고 생각했지만 오후가 지나고 저녁으로 접어들 무렵, 생각을 끝내고 고개를 들었을 때, 또 다른 깨달음이 찾아왔다. 그사이에 나는 변혁의 과정을 겪었던 것이다. 내 마음은 템플 선생님에게 빌려 온 모든 것을 던져 버렸다. 아니 오히려 그녀의 곁에서 내가 들이쉬던 평온한 공기를 그녀가 가져가 버렸다고 해야 할까. 이제 나의 본래 성격이 돌아와 오래전의 감정들이 살아나 꿈틀거리고 있었다. 버팀목이 치워진 게 아니라, 동기가 사라진 것 같았다. 평온의 힘이 사라진 게 아니라, 더 이상 평온을 유지해야 할 이유가 없어졌다. 수년 동안 나의 세상은 로우드 안에 있었다. 이곳의 규칙과 체계가 내가 가진 경험의 전부였다. 진짜 세상은 넓다는 사실을, 그 광대함으로 나아가 세상의 위험 속에서 진정한 삶의 지식을 추구할 용기가 있는 자들을 희망과 두려움과 감각과 흥분의 다채로운 장이 기다리고 있다는 사실을, 이제 나는 기억해 냈다.

나는 창가로 걸어가 창을 열고 밖을 내다보았다. 양쪽으로 건물이 늘어서 있었다. 정원이 있었다. 로우드 숲의 외곽이 있었다. 언덕들로 이루어진 지평선이 있었다. 내 시선은 다른 모든 사물을 지나쳐, 저 멀리 푸른 봉우리들에 내려앉았다. 그것들을 넘고 싶었다. 바위와 히스의 경계 내에 있는 모든 것이 감옥의 뜰이요, 유배지처럼 느껴졌다. 산허리를 빙빙 돌아 골짜기 사이로 사라지는 하얀 길을 더듬어 보았다. 내가 그 길을 얼마나 더 따라가고 싶었는지! 마차로 그 길을 달려오던 때가 생각났다. 황혼 녘에 그 언덕을 내려오던 기억이 났다. 내가 처음 로우드에 온 날로부터 한 시대가 지난 듯했고, 그 뒤로 나는 한 번도 여길 떠나지 않았다. 방학은 항상 학교에서 보냈다. 리드 부인은 게이츠헤드로 나를 불러들이지 않았다. 그녀나 그녀의 가족 누구도 나를 찾아오지 않았다. 나는 편지나 다른 어떤 방법으로도 바깥세상과 연락하지 않았다. 학교의 규칙, 학교에서의 의무, 학교의 관습과 견해, 목소리, 얼굴, 성경 구절, 옷차림, 좋아하는 것, 싫어하는 것, 그런 것이 내가 아는 생활의 전부였다. 그리고 이제 나는 그것으로 충분하지 않다고 느꼈다. 반나절 사이에 8년의 일상이 지겨워졌다. 자유가 그리웠다. 자유를 열망했다. 자유를 위해 기도했다. 기도는 살짝 불어온 바람에 날려 흩어지는 듯했다. 나는 이것을 포기하고 더 소박한 기원을 드렸다. 변화와 자극을 달라고. 이 탄원도 모호한 공간으로 날아가 버리는 듯했다. 나는 얼마쯤 절망적으로 소리쳤다.

"그렇다면, 적어도 새로운 예속이라도 허락해 주세요!"

저녁 식사 시간을 알리는 종소리가 나를 아래층으로 불러 내렸다.

취침 시간이 될 때까지 중간에 끊긴 내 생각의 사슬은 다시 이어지지 못했다. 방에 돌아와서도 같은 방을 쓰는 교사가 언제 끝날지 모르는 잡담을 늘어놓으며 내 생각을 방해했다. 그녀가 어서 잠이 들어 조용해지기를 얼마나 바랐는지 모른다. 창가에서 마지막에 내 마음으로 들어온 그 생각으로 돌아갈 수만 있다면 나를 구원해 줄 묘안이 나올 것 같았다.

그라이스 선생이 마침내 코를 골았다. 웨일스 출신의 덩치 큰 그녀의 코 고는 습관은 지금까지는 그저 성가신 문제일 뿐이었다. 하지만 오늘 밤 나는 처음으로 그 깊은 가락이 반가웠다. 나를 방해할 사람이 사라진 것이다. 반쯤 지워졌던 생각이 다시 되살아났다.

'새로운 예속! 뭔가가 있어.' 하고 나는 독백했다(속으로 생각했다는 것이지, 크게 말했다는 것은 아니다). '그다지 달콤하게 들리지 않는 걸로 봐서 거기에는 분명 뭔가가 있을 거야. 자유, 흥분, 즐거움 같은 단어랑은 달라. 말이야 참으로 좋게 들리지만, 나에게는 그냥 소리일 뿐이야. 그렇게 공허하고 헛된 소리에 귀를 기울이는 건 시간 낭비지. 하지만 예속! 그건 사실적인 문제야. 일은 누구 밑에서든 할 수 있는 거야. 나는 여기서 8년을 일했어. 이제 다른 데서 일해 보고 싶어. 그 정도도 내 마음대로 못하겠어? 할 수 있지 않을까? 그래…… 그래, 그리 어려운 목표는 아냐. 내가 그걸 성취할 방법을 찾아낼 수만 있다면.'

나는 그 방법을 찾기 위해 침대에 일어나 앉았다. 싸늘한 밤이었다. 숄로 어깨를 감싸고 다시 있는 힘을 다해서 생각을 했다.

'내가 원하는 게 뭐지? 새로운 집, 새로운 얼굴들, 새로운 환경이 있는 새 일자리. 더 근사한 건 원해 봤자 소용없으니까 이 정도만 바라자. 새 일자리를 구하려는 사람들이 어떤 방법을 쓰지? 아마 친구들에게 부탁할 거야. 난 친구가 없어. 친구 없는 사람은 많아. 그런 사람들은 스스로 둘러보고 원하는 걸 찾아내야 돼. 그들이 어떤 방법을 쓰지?'

그건 알 수 없었다. 대답이 떠오르지 않았다. 나는 나의 두뇌에게 얼른 대답을 찾으라고 명령했다. 머릿속이 점점 더 빠르게 돌아갔다. 내 머리와 관자놀이에서 펄떡이는 맥박이 느껴졌다. 하지만 근 한 시간 동안 혼돈 속을 헤맬 뿐, 내 노력은 어떤 결실도 거두지 못했다. 소득 없는 노력에 열이 나서, 벌떡 일어나 방을 한 바퀴 돌았다. 커튼을 열어젖혀 별 한두 개를 쳐다보다가 싸늘함에 몸을 떨며 다시 침대로 기어들었다.

친절한 요정이 내가 없는 사이에 묘안을 베개에 얹어 놓고 간 게 틀림없었다. 베개에 눕자마자 저절로 방법이 떠올랐기 때문이다.

'일자리를 구하는 사람들은 광고를 내. 너도 ○○ 주 신문에 광고해야 돼. 어떻게 광고를 하지? 난 광고에 대해 아무것도 모르잖아.'

그러나 곧 대답이 술술 흘러나왔다.

'신문 편집자 앞으로 보내는 봉투에 광고문과 광고료를 넣어야 돼. 기회가 오는 대로 빨리 그걸 로튼의 우체통에 넣어. 답장은 로튼 우체국의 J. E.에게 보내게 해. 편지 보내고 일주일쯤 있다가 가서 답장 온 게 있는지 물어보고, 그 결과에 따라 행동하면 되는 거야.'

나는 두 번, 세 번 계획을 점검했다. 그러고는 마음에 잘 새겨 두었다. 명확하고 실용적인 계획이 갖춰졌다. 나는 만족스런 기분으로 잠이 들었다.

다음 날 일찌감치 자리에서 일어났다. 학교를 깨우는 종이 울리기 전에 광고문을 작성하고, 편지 봉투에 넣었다. 안에는 이런 글이 씌어 있었다.

"교사 경험이 있는 젊은 여성(내가 교사로 2년을 일한 것은 사실이니까). 열네 살 미만의 자녀가 있는 가정집에 일자리를 구함(내가 겨우 열여덟 살이니 내 나이 또래의 학생을 맡으면 안 되겠다고 생각했다). 영국의 정규 교육에 필요한 일반 과목은 물론, 프랑스어, 미술, 음악 교사 자격도 있음(독자여, 지금 생각하면 옹색하기 짝이 없지만 그 시절에는 이 정도 교양 과목이면 어지간히 종합성을 갖춘 것이었다). 주소는 ○○주, 로튼 우체국. J. E."

이 서류는 하루 종일 내 서랍에 잠긴 채로 들어 있었다. 차 시간이 지난 뒤, 나는 신임 교장에게 내 볼일과 동료 교사 한둘의 용무를 처리하러 로튼에 다녀오게 해 달라고 청했다. 허락은 쉽게 떨어졌다. 나는 출발했다. 로튼까지는 약 3킬로미터 거리였다. 비가 오는 저녁이었지만 해가 지려면 아직 꽤 시간이 남아 있었다. 한두 군데 가게에 들르고, 우체통에 편지를 넣고, 쏟아지는 비를 맞아 옷은 흠뻑 젖었지만 한결 가벼운 마음으로 학교로 돌아왔다.

이어지는 한 주는 한없이 길게 느껴졌다. 하지만 세상 모든 일이 그렇듯 결국 그 한 주도 지나가고, 나는 다시 한 번 상쾌한 가을날이 저물어 갈 무렵, 로튼으로 가는 길에 올랐다. 말이 났으니 말인데 가는 길은 그림처럼 아름다웠다. 시냇물을 따라 구불구불한 골짜기를 지나는 운치 있는 길이었다. 하지만 그날은 풀밭과 물의 매력보다 내가 향하는 작은 마을에서 나를 기다릴 수도 있고 기다리지 않을 수도 있는 편지가 내 마음을 더 많이 차지했다.

이번 외출의 표면적인 이유는 구두를 맞추는 것이었다. 나는 우선 그 일을 먼저 처리하고, 구둣방에서 우체국까지 이어진 깨끗하고 조용한 거리를 걸어갔다. 우체국에는 콧등에 뿔테 안경을 걸치고 검은 벙어리장갑을 낀 할머니가 앉아 있었다. 내가 물었다.

"J. E. 앞으로 온 편지 있어요?"

그녀가 안경 너머로 날 쳐다보더니 서랍을 열고 아주 오랫동안, 내 희망이 꺾이기 시작할 정도로 오랫동안 뒤적거렸다. 거의 5분 동안 안경 앞에 봉투 하나를 갖다 대고 있다가, 마침내 또다시 미심쩍게 캐묻는 듯한 시선을 보내고는 카운터에 올려놓았다. J. E. 앞으로 온 편지였다.

"한 통뿐인가요?"

내가 물었다.

"더는 없어요."

그녀가 말했다. 나는 그걸 주머니에 넣고 학교로 향했다. 그 자리에서 열어 볼 수는 없었다. 규칙상 8시까지 돌아가야 하는데 벌써 7시 반이었다.

학교에 도착하니 여러 가지 할 일이 나를 기다리고 있었다. 자습 시간에 아이들과 같이 앉아 있어야 했다. 그날은 내가 기도문을 읽고 아이들을 잠자리에 들여보낼 차례였다. 그다음에는 다른 교사들과 같이 식사를 했다. 겨우 숙소로 돌아온 뒤에도, 피할 수 없는 그라이스 선생이 여전히 내 동료였다. 촛대에는 타다 남은 초가 몽당하게 남아 있어서 그게 다 타 버릴 때까지 그녀가 수다를 떨면 어쩌나 걱정스러웠다. 하지만 다행히도 푸짐하게 먹은 식사가 식곤증을 일으켰는지 내가 옷을 다 벗기도 전에 그녀는 이미 코를 골고 있었다. 초가 아직 2.5센티미터가량 남았다. 나는 그제야 편지를 꺼내 들었다. F. 자가 찍힌 인장을 확인하고 봉투를 뜯었다. 내용은 간단했다.

"지난 목요일에 ○○ 주 신문에 광고를 내신 J. E.가 기재한 바와 같은 소양을 갖추었고, 품성과 능력에 대해 만족스런 추천서를 제시할 수 있다면, 열 살이 안 된 여자아이 하나뿐인 가정에서 일자리를 제공하겠습니다. 보수는 1년에 30파운드입니다. 추천서와 이름, 주소 및 기타 상세한 내용을 이 주소로 보내 주기 바랍니다. ○○ 주, 밀코트 부근, 손필드, 페어팩스 부인."

나는 그 편지를 오래도록 들여다보았다. 필체가 구식이고 흔들림이 있는 걸 보면, 나이 많은 여인의 글씨인 듯했다. 이 점은 만족스러웠다. 나 혼자서 나만의 생각으로 하는 행동이니 만큼, 어떤 곤란한 일이 발생할지 모른다는 두려움이 적잖이 나를 괴롭혀 왔다. 그리고 무엇보다도 내 노력이 정식으로 남부끄럽지 않은 적절한 결과로 이어지기를 바랐다. 이제부터 하려는 일에 나이 든 부인이 관여되어 있는 것은 그리 나쁘지 않다는 느낌이 들었다. 페어팩스 부인! 검은 옷에 미망인 모자를 쓰고, 어쩌면 쌀쌀맞을 수는 있지만, 교양이 없지는 않은 여자를 상상했다. 점잖은 영국 노부인의 전형이겠지. 손필드! 그건 분명히 그녀가 사는 곳의 이름이리라. 깔끔하고 정돈된 곳일 거라고 확신했다. 하지만 그 부지가 어떻게 생겼을지 상상해 보려는 나의 노력은 실패로 돌아갔다. ○○ 주 밀코트, 나는 영국 지도를 머릿속에 떠올렸다. 그래, 그게 보였다. 그 주와 마을이 둘 다 떠올랐다. ○○ 주는 내가 지금 사는 외진 곳보다 110킬로미터나 런던에 더 가까이 있었다. 마음에 들었다. 나는 생기와 활기가 있는 곳으로 가고 싶었다. 밀코트는 A 강 근처에 있는 큰 공업 도시였다. 틀림없이 아주 분주한 곳이리라. 이 점도 무척 마음에 들었다. 적어도 완벽한 변화가 보장될 것이다. 높은 굴뚝과 연기구름에 매혹을 느꼈던 것은 아니므로 '하지만 손필드는 아마, 도시에서 꽤 떨어진 곳에 있을 거야.' 하고 나는 나를 안심시켰다.

이때 초가 다 녹아 심지가 꺼졌다.

다음 날은 새로운 단계를 밟아야 했다. 이제 계획을 마음에만 담아 둘 수는 없었다. 목표를 달성하려면 남들에게 알려야 했다. 정오 휴식 시간에 교장에게 면담 신청을 하고, 내가 지금 받는 보수보다 두 배 많은 새 일자리를 얻을 가능성이 있다고 말했다(로우드에서는 1년에 15파운드밖에 받지 못했으니까). 브로클허스트 씨나 다른 위원님에게 이 문제를 말씀드리고, 내가 그분들을 추천인으로 언급해도 되는지 확인해 달라는 부탁도 했다. 교장은 친절하게 이 일의 중재자 역할을 맡아 주기로 동의했다. 다음 날 교장이 브로클허스트 씨에게 이 이야기를 꺼내자, 그는 리드 부인이 나의 보호자이므로 리드 부인에게 편지를 써야 한다고 말했다. 그에 따라 리드 부인에게 편지가 전달되었고,

리드 부인이 보내온 답장에는 '네 마음대로 해라. 나는 너의 일에 일체의 간섭을 끊은 지 이미 오래다.'라는 답변이 적혀 있었다. 이 편지가 위원회에 회람되고, 너무나 지루하게 느껴지는 시간이 흐른 뒤, 마침내 내가 나의 상황을 개선시킬 수 있다면 그렇게 해도 좋다는 공식 허가가 떨어졌다. 로우드에서 내가 교사로서나 학생으로서나 항상 바람직하게 행동했으므로, 나의 품성과 능력에 대해 시설 감독위원들이 서명한 추천서가 곧 제공될 거라는 보증도 덧붙여졌다.

한 달쯤 후에 추천서를 받아 페어팩스 부인에게 사본을 보냈고, 그쪽에서 결과가 만족스러우니 2주일 후에 손필드에서 가정 교사 일을 시작하는 것으로 하자는 내용의 답장이 왔다.

이제 모든 일을 서둘러야 했다. 2주일이 숨 가쁘게 지나갔다. 나는 옷이 그리 많지 않았지만 필요한 만큼은 갖고 있었다. 마지막 하루는 트렁크에—8년 전에 게이츠헤드에서 가져온 그 트렁크에—짐을 싸며 보냈다.

짐을 끈으로 묶고 꼬리표를 달았다. 30분 후에 그걸 로튼으로 가져갈 짐꾼이 오기로 했다. 나는 다음 날 아침 일찍이 로튼에서 마차를 탈 예정이었다. 검은 여행복을 솔질하고, 보닛과 장갑과 머프를 준비했다. 서랍을 죄다 열어 보며 남은 물건이 없는지 확인했다. 더 이상 할 일이 없어지자 자리에 앉아 쉬기로 했다. 하지만 쉴 수가 없었다. 하루 종일 서 있었는데도 잠시도 앉아 있을 수 없었다. 나는 너무나 흥분해 있었다. 오늘 밤에 내 인생의 한 장이 막을 내리고, 내일이면 새로운 장이 열릴 것이다. 그사이에 잠을 자기란 불가능했다. 변화가 성취되어 가는 것을 열렬하게 지켜보아야 했다.

"선생님, 아래층에 어떤 분이 찾아오셨어요."

내가 심란한 유령처럼 방황하고 있을 때, 복도에서 마주친 하인이 말했다. '짐꾼일 거야, 틀림없이.' 나는 이렇게 생각하고, 다른 질문 없이 아래층으로 달려갔다. 교사들의 휴게실로 쓰이는 뒤쪽 거실을 지나 부엌으로 가려는데 반쯤 열려 있던 휴게실 문에서 누군가가 뛰어나왔다.

"아가씨네, 틀림없어! 어디서든지 알아볼 수 있다니까."

내 앞을 가로막고 내 손을 잡으며 그 사람이 소리쳤다. 나는 그 사람을 쳐다보았다. 잘 차려입은 하인 행색이었고, 결혼한 것 같지만 아직 젊은 여인이었다. 검은 눈에 검은 머리, 혈색이 좋았고 아주 예뻤다.

"자, 내가 누굴까요?"

그녀가 어쩐지 낯설지 않은 목소리와 미소로 나에게 다시 물었다.

"설마 날 잊어버린 건 아니겠죠, 제인 아가씨?"

다음 순간 나는 기쁨에 젖어 그녀를 껴안고 키스했다.

"베시! 베시! 베시!"

그 말밖에 나오지 않았다. 베시는 울다 웃다를 반복하는 것으로 반응했고, 우리는 함께 거실로 들어갔다. 불가에 격자무늬 외투와 바지를 입은 세 살짜리 꼬마아이가 서 있었다.

"얘는 내 아들이에요."

베시가 얼른 말했다.

"결혼했어, 베시?"

"5년쯤 전에 마부로 일하는 로버트 레븐이랑 했죠. 여기 있는 바비 말고 그 밑으로 딸이 더 있는데 이름을 제인이라고 붙여 줬어요."

"그럼 게이츠헤드에 안 사는 거야?"

"문지기 오두막에서 살아요. 문지기 할아범이 죽었거든요."

"그렇구나, 다들 어떻게 지내? 거기 사람들이 어떤지 얘기해 줘, 베시. 하지만 우선 앉아야지. 바비, 이리 와서 내 무릎에 앉을래?"

하지만 바비는 엄마에게 슬금슬금 다가갔다.

"키가 별로 안 컸네요, 제인 아가씨. 살도 별로 안 찌고."

레븐 부인이 말을 이었다.

"학교에서 먹을 걸 제대로 안 줬나. 엘리자 아가씨는 그보다 머리 하나가 더 크고, 조지아나 아가씨는 살집이 두 배는 될 텐데."

"조지아나는 예쁘겠지?"

"아주 예쁘죠. 작년 겨울에 마님과 같이 런던에 갔는데 거기 사람들이 다들 감탄을 하고, 어떤 젊은 귀족은 사랑에 빠져 버렸다니까요. 그런데 그쪽 친척들이 결혼을 반대했어요. 그래서 어떻게 됐을 것 같아요? 그분이 조지아나 아가씨랑 도망치기로 마음을 먹었어요. 하지만 들켜서 다 끝나 버렸죠. 그들을 찾아낸 건 엘리자 아가씨였어요. 샘이 나서 그런 게 아니겠어요. 이제 큰아가씨와 작은아가씨는 원수처럼 지내요. 만나기만 하면 싸운다니까요."

"그렇구나, 존 리드는 어때?"

"아, 그분은 마님이 바라시는 대로 되지 못했어요. 대학에 갔는데 낙제했다던가, 사람들이 그렇게 말하던데요. 그 후에는 삼촌들이 변호사가 되게 하려고 법률 공부를 시켰는데 하도 방탕하게 굴어서 이젠 별로 기대도 하지 않을 거예요."

"모습은 어때?"

"키가 아주 커요. 간혹 잘생겼다는 말도 듣는데 입술이 무지하게 두꺼워요."

"리드 부인은?"

"마님은 퉁퉁하고 얼굴도 아주 좋아요. 하지만 마음이 그리 편치는 않으실 거예요. 도련님이 영 마음에 안 드는 짓을 하시니까요. 돈을 펑펑 써 대거든요."

"리드 부인이 여기 보낸 거야, 베시?"

"아뇨, 그럴 리가요. 오래전부터 아가씨를 보고 싶었는데 편지가 왔다고 하고, 멀리 다른 데로 갈 거라고 하기에, 바로 출발하면 내가 갈 수도 없는 먼 곳으로 떠나기 전에 얼굴을 볼 수 있겠다 싶어서 부지런히 달려온 거예요."

"베시가 날 보고 실망했을 것 같아."

내가 웃으면서 말했다.

베시의 시선에 호감은 담겨 있었지만, 감탄하는 빛은 조금도 없다는 것을 알았기 때문이다.

"아뇨, 제인 아가씨, 그렇지 않아요. 아주 점잖은 숙녀 같아 보이는걸요. 내가 예상한 그대로예요. 어렸을 때도 그리 예쁘진 않았잖아요."

베시의 솔직한 대답에 웃음이 났다. 맞는 말이기는 했지만 솔직히 무심하게 흘려버릴 수만도 없었다. 대부분의 열여덟 살 소녀들은 남들의 눈에 들기를 원하고, 그 소망을 이루기에 부족한 외모라는 게 확인되면 전혀 기쁘지 않은 법이다.

"그래도 아마, 아가씨는 영리할걸요."

위로할 요량으로 베시가 말을 이었다.

"뭘 할 수 있어요? 피아노 칠 수 있어요?"

"약간."

그 방에 피아노가 있었다. 베시가 그리로 가서 피아노를 열고, 나더러 거기에 앉아 한 곡 쳐 달라고 부탁했다. 내가 왈츠 한두 곡을 연주하자 그녀가 마음에 들어 하며 의기양양하게 말했다.

"리드 아가씨들은 그 정도로 연주 못해요! 배우는 면에서는 제인 아가씨가 훨씬 나을 거라고 내가 항상 말했답니다. 그림도 그릴 줄 알아요?"

"난로 선반 위에 있는 게 내 그림이야."

수채화로 그린 풍경화였다. 위원회에 내 일을 친절하게 중재해 준데 대한 감사의 뜻으로 내가 교장에게 선물한 것인데, 그녀가 유리 액자에 끼워 걸어 두었다.

"참 아름답네요, 제인 아가씨! 리드 아가씨의 미술 교사 못지않게 잘 그리셨어요. 물론 큰아가씨, 작은아가씨는 그 근처에도 못 가고요. 프랑스어도 배웠어요?"

"응, 말하고 읽을 수 있어."

"모슬린과 캔버스에 수도 놓을 수 있어요?"

"할 수 있지."

"와, 진짜 숙녀가 되셨네요, 제인 아가씨! 내 이럴 줄 알았다니까. 친척들이 알아주든 말든 아가씨는 잘될 거예요. 아가씨한테 물어보고 싶은 게 있는데 친가 쪽 에어 집안에서 무슨 소식 없었어요?"

"전혀 없었어."

"흐음, 마님은 항상 그들이 가난하고 비루할 거라고 말씀하셨죠. 하지만 가난할지는 몰라도 그분들은 리드 가문만큼이나 점잖은 사람들인 것 같아요. 언젠가, 그러니까 거의 7년 전에 게이츠헤드에 에어 씨가 찾아와서 아가씨를 만나고 싶어 했어요. 마님은 아가씨가 80킬로미터 떨어진 학교에 있다고 말했죠. 그분은 아주 실망하는 눈치였어요. 더 머물 수가 없었거든요. 외국으로 떠날 계획인 데다, 하루 이틀 후에 그 배가 런던에서 출항할 예정이라서. 꽤 신사 같아 보이더라고요. 아마 아가씨 아버지의 형제인 것 같았어요."

"그분이 외국 어디로 가신다고 했어, 베시?"

"수천 킬로미터 떨어진 어느 섬이래요. 와인 만드는 데라고 집사가 말해 줬는데……."

"마데이라!"

내가 말했다.

"그래, 맞아요. 바로 거기예요."

"그분은 그냥 가셨어?"

"네, 그 집에 얼마 있지도 않았어요. 마님이 아주 거만하게 굴었거든요. 나중에는 '천한 장사꾼'이라고 부르더군요. 로버트 말로는 와인 상인인 것 같대요."

내가 대꾸했다.

"그럴 수도 있겠지. 와인 상인의 중개인이나 점원일 수도 있고."

베시와 나는 한 시간 더 옛날 일을 이야기했고, 그 뒤에 베시는 떠나야 했다. 다음 날 아침에 내가 로튼에서 마차를 기다리는 사이에 우리는 잠깐 다시 만났다. 그리고 그곳 브로클허스트 암스 입구에서 마침내 헤어져 각자의 길을 갔다. 그녀는 게이츠헤드로 돌아가는 마차를 타러 로우드 펠 언덕으로 출발했고, 나는 새로운 일과 새로운 삶이 기다리고 있는 미지의 장소 밀코트로 향하는 마차에 올랐다.

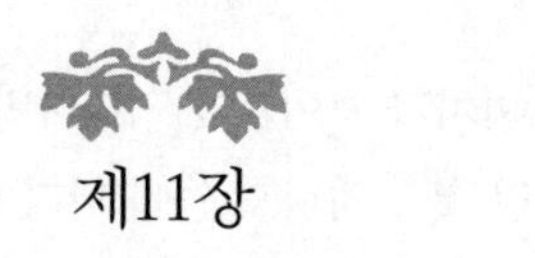

제11장

소설의 새로운 장은 연극의 새로운 장면과 같다. 독자여, 이번 막에서는 밀코트에 있는 조지 여인숙의 방 하나를 상상해 주기 바란다. 여느 여인숙의 방처럼 커다란 무늬의 벽지를 바른 벽, 여느 여인숙에나 있을 법한 양탄자, 가구, 난로 선반 위의 장식들, 그림들, 조지 3세의 초상과 황태자의 초상, 울프 장군의 최후 장면을 그린 그림, 천장에 달린 기름 램프와 활활 타오르는 난로의 불빛이 이 모든 것을 보여 주고, 그 불가에 내가 망토와 보닛 차림으로 앉아 있다. 나는 머프와 우산을 탁자에 올려놓고 으스스한 10월의 날씨 속에서 열여섯 시간이나 달려오느라 차갑게 얼어붙은 몸을 녹이고 있다. 새벽 4시에 로튼을 떠났는데 이제 밀코트의 시계가 정각 8시를 울리고 있다.

독자의 눈에는 내가 편안하게 앉아 있는 것처럼 보이겠지만 내 마음은 그리 편치 못하다. 마차가 멈춰 서면 나는 누군가 나를 맞으러 나온 사람이 있을 거라고 생각했다. 여인숙 심부름꾼이 나를 위해 놓아 준 나무 계단을 내려서면서, 나는 누군가 내 이름을 부르고 나를 손필드까지 실어 갈 마차가 보이기를 기대하며 불안하게 주위를 둘러보았다. 그러나 그런 것은 하나도 눈에 띄지 않았다. 에어 양을 찾는 사람이 있었는지 종업원에게 물어보니 아무도 없다고 했다. 할 수 없이 나는 방으로 안내해 달라고 부탁했다. 그리고 여기서 이렇게 온갖 의심과 두려움으로 머릿속을 어지럽히며 기다리고 있다.

아무 경험 없는 젊은이가 모든 연결 고리에서 끊어진 채, 가야 할 항구에 도달할 수 있을지는 알 수 없고, 떠나왔던 곳으로 돌아가기에는 갖가지 장애물이 가로막고 있어서, 세상에 혼자 덜렁 남겨져 있는 것 같은 아주 야릇한 기분이었다. 모험의 매력이 그 감각을 누그러뜨리고 자존심의 온기가 그것을 데운다. 하지만 그 뒤에는 두려움의 진동이 그것을 어지럽힌다. 30분이 지나도 찾으러 오는 사람이 없자 두려움이 더 커졌다. 종을 울려야겠다는 생각이 들었다.

"이 동네에 손필드라는 곳이 있나요?"

내 호출에 대답한 종업원에게 내가 물었다.

"손필드요? 모르겠는데요, 마담. 가서 물어보고 올게요."

그가 나가더니, 금세 다시 나타났다.

"혹시 에어 양이세요?"

"맞아요."

"기다리는 사람이 있는데요."

나는 벌떡 일어나 머프와 우산을 집어 들고 여인숙 복도를 종종걸음 쳤다. 열린 문 옆에 한 남자가 서 있었고 램프가 켜진 거리에 말 한 필이 끄는 탈것이 어렴풋이 보였다.

"이게 당신 짐이겠죠?"

그 남자가 나를 보고는 복도에 있는 내 트렁크를 가리키며 약간 무뚝뚝하게 말했다.

"네."

그는 마차라고 하기에는 좀 부족한 탈것에 짐을 실었다. 나도 거기에 올라탔다. 그가 문을 닫기 전에 나는 손필드까지 거리가 얼마나 되느냐고 물었다.

"10킬로미터쯤."

"시간은 얼마나 걸려요?"

"한 시간 반은 걸릴 거요."

마차 문을 닫고 밖에 있는 자기 자리에 올라탄 뒤에 그가 출발했다. 마차가 아주 천천히 달렸으므로 생각할 시간이 충분했다. 드디어 여행이 끝나 간다는 게 다행스러웠다. 우아하지는 않지만 편안한 좌석에 등을 기대고 앉아 느긋하게 많은 생각을 했다.

'하인이나 마차가 소박한 걸로 봐서 페어팩스 부인도 그리 화려한 사람은 아닌 것 같아. 그 편이 훨씬 좋아. 호사스런 사람들 사이에서 살아 본 건 한 번뿐이지만 그때 아주 비참했잖아. 그녀가 어린 딸과 둘이서 사는 걸까. 그렇다면, 그리고 그녀가 조금만 상냥한 사람이라면, 틀림없이 잘 지낼 수 있을 거야. 난 최선을 다할 거야. 최선을 다한다고 해서 항상 보답이 오는 게 아니라는 건 안 된 일이지만 로우드에서는 사실 그런 결심을 했고, 그대로 노력했고, 사람들의 눈에 들 수 있었어. 물론 리드 부인의 집에서는 나의 최선이 항상 비웃음만 샀지. 페어팩스 부인이 제2의 리드 부인이 아니기를 하느님께 기도해야지. 하지만 만약에 그런 경우라면 그녀에게 묶여 있을 필요는 없어. 최악의 경우에는 다시 광고를 내면 돼. 이제 얼마나 온 걸까?'

나는 창문을 내리고 밖을 내다보았다. 밀코트가 뒤로 멀어지고 있었다. 불빛이 많은 걸로 봐서 로튼에 비할 수 없이 꽤 커다란 마을인 듯했다. 우리는 이제 마을 공유지 같은 곳을 지나고 있었다. 하지만 사방에 집들이 흩어져 있었다. 로우드와는 다른 곳, 인구는 더 많고 풍경은 덜 그림 같고, 번화하긴 하지만 낭만은 덜한 곳에 와 있는 느낌이었다.

길은 울퉁불퉁하고 안개가 자욱한 밤이었다. 마부가 내내 말을 걷게 몰아 왔기 때문에 한 시간 반 예정이 내 짐작에는 틀림없이 두 시간으로 늘어난 것 같았다. 마침내 그가 뒤돌아보며 말했다.

"이제 손필드까지 얼마 안 남았어요."

나는 다시 밖을 내다보았다. 마차가 교회 앞을 지나고 있었다. 나지막하고 널찍한 탑이 하늘에 맞닿아 있고, 교회 종이 15분을 알리고 있었다. 마을이나 촌락이 있는 듯, 산허리에 가느다란 불빛들의 은하수가 보였다. 10분쯤 지나자 마부가 자리에서 내려 두 짝으로 된 정문을 열었다. 마차가 그곳을 지났고 우리 뒤로 문이 덜커덕 닫혔다. 우리는 이제 천천히 마찻길을 올라 건물의 기다란 정면으로 다가갔다. 커튼이 쳐진 내닫이창 한 군데서 촛불 빛이 흘러나왔다. 나머지 창은 모두 어두웠다. 마차가 현관문 앞에서 멈추자 하녀가 문을 열었다. 나는 마차에서 내려 안으로 들어갔다.

"이쪽으로 오세요."

그 소녀가 말했다. 나는 그녀를 따라 사방에 큰 문이 나 있는 네모난 현관홀을 지나갔다. 그녀가 안내한 방에는 난로와 촛불이 이중으로 밝혀져 있어서 두 시간 동안 어둠에 익숙해져 있던 내 눈을 부시게 했다. 하지만 그 빛에 적응하고 나니, 아늑하고 쾌적한 장면이 내 앞에 드러났다.

안락하고 아담한 방, 기운차게 타는 불길 옆에 놓인 동그란 탁자, 등받이가 높은 구식 안락의자가 있고 거기에는 미망인 모자를 쓰고 검은 비단옷에 순백의 모슬린 앞치마를 두른 아주 단정하고 조그만 노부인이 앉아 있었다. 근엄함이 덜하고 온화함이 더해 보일 뿐 내가 생각했던 페어팩스 부인의 모습 그대로였다. 그녀는 뜨개질에 몰두해 있었다. 커다란 고양이 한 마리가 그녀의 발치에 새침하게 앉아 있었다. 모든 것이 완벽했다. 새로 온 가정 교사의 마음을 이보다 더 안심시키는 첫 장면을 더 이상 상상할 수 없을 정도로. 위압적인 웅장함도 없고, 당황스럽게 하는 위엄도 없었다. 게다가 내가 들어서자 노부인이 자리에서 일어나더니 빠르고 친절하게 다가왔다.

"안녕하세요? 오시느라 지루하셨죠? 존이 말을 아주 천천히 몰거든요. 추울 텐데 불가로 오세요."

"페어팩스 부인이시겠지요?"

내가 말했다.

"그래요, 맞아요. 앉으세요."

그녀는 나에게 자기 의자를 권하고 나서, 나의 숄을 벗기고 보닛 끈을 풀어 주기 시작했다. 나는 그렇게까지 수고하실 필요 없다고 극구 만류했다.

"수고랄 게 있나요. 당신은 아마 추위로 손이 굳어 있을 거예요. 리어, 따끈한 니거스 술과 샌드위치를 좀 가져와. 저장실 열쇠는 여기 있어."

그러고는 주머니에서 주부들이 씀 직한 열쇠 뭉치를 꺼내 하인에게 건네주었다.

"자, 자, 불가로 더 가까이 와요."

그녀가 말을 이었다.

"짐을 가져왔겠지요, 그렇죠?"

"네, 마담."

"당신 방에 들여놓으라고 할게요."

그녀가 말하고는 바삐 나갔다. 혼자 남은 나는 생각했다.

'나를 손님처럼 대접하네. 이런 환영을 받을 줄은 몰랐어. 차갑고 딱딱하게 대할 거라고 예상했는데. 내가 들어 본 가정 교사 대우와는 다르잖아. 하지만 아직 기뻐하기에는 일러.'

그녀가 돌아와서 자기 손으로 탁자에 있는 책 한두 권과 뜨개질감을 치워 쟁반 놓을 공간을 만들었다. 이어 리어가 쟁반을 가져오자 나에게 직접 다과를 건넸다. 여태까지 받아 본 적 없는 극진한 대우를, 그것도 나의 고용주이자 윗사람에게 받게 되자 다소 당황스럽기까지 했다. 하지만 그녀가 자기 지위에 맞지 않는 행동을 한다고 생각하지 않는 듯했으므로, 그녀의 접대를 겸손히 받아들이기로 했다.

"오늘 밤에 페어팩스 양을 만나 볼 수 있을까요?"

그녀가 제안한 다과를 먹고 나서 내가 물었다.

"뭐라고요?"

가는귀가 먹은 그 선량한 여자가 내 입에 귀를 가까이 대며 대꾸했다. 내가 더 또렷하게 질문을 반복했다.

"페어팩스 양? 아, 바랭 양 말이로군요! 당신이 가르칠 아이는 바랭 양이에요."

"그렇군요! 그럼 따님이 아닌가요?"

"아니에요, 나에겐 가족이 없어요."

그다음에 부인과 바랭 양이 어떤 관계인지를 묻는 두 번째 질문이 이어져야 했을 것이다. 하지만 너무 꼬치꼬치 캐묻는 건 예의가 아닌 것 같았다. 게다가 분명히 시간이 지나면 알게 될 일 아닌가.

"정말이지 기뻐요."

그녀가 내 맞은편에 앉아 무릎에 고양이를 올리며 말을 계속했다.

"당신이 와서 무척 기쁘답니다. 말벗이 생겼으니 이제 여기 생활도 꽤 즐거울 거예요. 물론 항상 즐겁긴 하죠. 손필드는 오래된 멋진 저택이고, 최근에는 다소 방치된 감이 있지만 여전히 훌륭한 곳이니까요. 하지만 아무리 좋은 곳이라도 겨울철에 혼자 있으면 꽤나 적적하다는 걸 이해하실 거예요. 혼자 있으면 말이에요. 리어는 착한 아이고, 물론 존과 그의 아내도 아주 무던한 사람들이죠. 하지만 그들은 아무래도 하인이라서 대등하게 대화할 수가 없어요. 권위를 유지하려면 적당히 거리를 둬야 하거든요. 지난겨울에는(기억나실지 모르지만 아주 혹독한 겨울이었잖아요. 눈이 오지 않으면 비가 오거나 바람이 불었죠) 11월부터 2월까지, 정육 업자와 우체부밖에 이 집을 방문한 사람이 없었다니까요. 밤이면 밤마다 혼자 앉아 있어야 했으니 사실 많이 우울했어요. 가끔은 리어에게 들어와 책을 읽어 달라고 했지만, 그 가엾은 아이가 그걸 별로 좋아하는 것 같지 않았어요. 답답해했죠. 봄과 여름에는 한결 지내기가 괜찮았어요. 낮이 길어지고 햇빛이 나니 좀 낫더라고요. 그런데 바로 이번 가을이 시작할 무렵에 아델 바랭과 그녀의 유모가 왔답니다. 아이가 생기면 갑자기 집에 생기가 넘치잖아요. 이제 당신까지 왔으니 너무나 잘됐어요."

이 후덕한 부인의 얘기를 들으면서 내 마음은 따뜻해졌다. 나는 그녀에게 의자를 더 가까이 잡아당기고, 그녀의 기대에 어긋나지 않게 유쾌한 말벗이 되고 싶다는 진지한 소망을 표시했다.

"하지만 오늘 밤에는 늦게까지 잡아 두지 않을게요."

그녀가 덧붙였다.

"벌써 12시가 다 됐어요. 하루 종일 여행하셨으니 많이 피곤할 거예요. 발이 녹으면 당신이 쓸 방을 보여 줄게요. 내 방 옆방으로 준비해 놨어요. 작긴 하지만 당신 앞쪽에 있는 커다란 방보다 더 마음에 들 거예요. 거긴 가구들이 고급스럽기는 해도 너무 쓸쓸하고 적막해서 나도 거기서는 절대 안 자거든요."

나는 그녀의 배려 깊은 선택에 감사를 드리고, 긴 여정으로 인해 사실 피곤한 느낌이었으므로 이만 쉬러 가고 싶다고 말했다. 그녀가 불을 들고 일어섰고, 나는 그녀를 따라 방을 나섰다.

그녀는 현관홀의 문이 잠겼는지부터 확인했다. 그러고는 자물쇠에서 열쇠를 빼내고 나서 위층으로 길을 안내했다. 계단과 난간은 참나무로 되어 있었다. 계단의 창은 높고 격자가 달려 있었다. 그 창과 침실 문들이 이어진 기다란 복도는 집이라기보다 교회처럼 보였다. 지하실처럼 아주 싸늘한 공기가 계단과 복도에 배어 있어서 우울한 공허함과 고독의 느낌을 전했다. 마침내 내 방으로 들어서서야 나는 마음을 놓았다. 자그마하고 평범하게 현대식으로 꾸며진 방이었다.

페어팩스 부인이 상냥하게 잘 자라는 인사를 하고 떠난 뒤, 나는 문을 잠그고 느긋하게 주위를 둘러보았다. 그 작은 방의 생기 있는 모습은 넓은 홀과, 어둡고 거대한 계단과, 길고 싸늘한 복도에서 받은 오싹한 인상을 어느 정도 지워 주었다. 그제야 비로소 신체적으로 피곤하고 정신적으로 불안했던 하루가 끝나고, 이제 마침내 안전한 안식처에 도착했다는 느낌이 들었다. 감사의 충동으로 가슴이 벅차올라 나는 침대 옆에 무릎을 꿇고, 마땅히 감사드려야 할 곳에 감사를 드렸다. 앞으로도 나의 가는 길에 도움을 주시고, 상 받을 일을 하기도 전에 내게 주어진 이 호의에 보답할 수 있는 힘을 내려 달라고 간청하는 것도 잊지 않았다. 그날 밤 나의 침상에는 근심의 가시가 없었다. 나 혼자만의 방에 있다는 두려움도 없었다. 고단하고 만족스러워서, 금세 곤하게 잠이 들었다. 깨어났을 때는 환하게 날이 밝아 있었다.

아침 햇살이 화사한 푸른색 사라사 커튼 사이로 스며들어 벽지 바른 벽과 양탄자가 깔린 바닥을 보여 주었다. 널빤지와 얼룩덜룩한 회반죽이 드러난 로우드와는 전혀 달랐다. 그 작고 밝은 방의 모습이 내 기분까지 밝게 해 주었다. 겉모양은 젊은이에게 지대한 영향을 미친다. 나에게도 가시와 수고만이 아니라 꽃과 즐거움까지 있는 아름다운 삶의 한 시기가 열리고 있는 느낌이었다. 희망을 불러일으키는 새로운 장소와 변화된 환경으로 인해 나의 능력들이 모조리 활기를 띠고 일어나는 듯했다. 정확히 무언지는 몰라도 아무튼 유쾌한 기대가 마음을 가득 채웠다. 그날 또는 그달은 아니더라도, 막연한 미래의 시간에 찾아올 유쾌한 일들이.

나는 자리에서 일어났다. 신중하게 옷을 차려입었다. 지극히 수수한 옷가지밖에 없으니 소박한 차림일 수밖에 없었지만 그래도 깔끔하게 입으려고 노력했다. 나는 외모에 무관심하거나, 남에게 어떤 인상을 줘도 상관없다고 생각하는 사람이 아니었다. 오히려 최대한 괜찮아 보이고 싶었고, 허락하는 한 남들의 마음에 들고 싶었다. 때로는 내가 더 예쁘게 생기지 못한 게 불만스럽기도 했다. 장밋빛 뺨과 반듯한 콧날, 앵두 같은 작은 입술을 소망하기도 했다. 큰 키에 당당하고 멋진 몸매이기를 열망하기도 했다. 내가 너무 작고, 너무 창백하고, 눈에 띄게 균형 잡히지 않은 이목구비를 지닌 것을 불행하게 느끼기도 했다. 나는 왜 이런 열망과 애석함을 간직하게 되었던 걸까? 딱 꼬집어 말할 수는 없다. 당시에 나는 나에게 이유를 명확하게 말할 수 없었다. 하지만 이유는 있었고, 논리적이고 지당한 이유이기도 했다. 하지만 머리를 매끄럽게 빗고, 검정 옷을 입고—그건 퀘이커 교도 같은 옷이었는데 적어도 아주 잘 맞는다는 장점이 있었다—깨끗한 흰색 옷깃 장식을 바로잡자, 그 정도면 페어팩스 부인 앞에 나가도 부끄럽지 않겠다는 생각이 들었다. 내가 맡게 될 새로운 학생이 나에게 혐오감을 느껴 뒷걸음질 치는 일도 없을 것이다. 나는 방의 창문을 열고, 경대 위의 물건들이 모두 깔끔하게 정리된 것을 확인한 다음 용기를 내 밖으로 나섰다.

매트를 깔아 놓은 긴 복도를 지나 매끄러운 참나무 계단을 내려갔다. 현관홀에 도착했다. 거기서 잠시 멈춰 섰다. 벽에 걸린 그림들(하나는 갑옷을 입은 험악한 남자였고, 하나는 머리에 파우더를 뿌리고 진주 목걸이를 걸친 여인의 초상이었던 것으로 기억한다), 천장에 매달린 청동 램프, 오랜 세월과 손때로 검게 변한 기이하게 조각된 참나무 틀에 들어 있는 커다란 시계를 쳐다보았다. 모든 것이 나에게는 매우 당당하고 인상적으로 보였다. 하지만 나는 아직 웅장한 것에 그리 익숙한 사람이 아니었다. 절반이 유리로 된 현관홀 문이 열려 있었다. 나는 문지방을 넘어갔다. 맑은 가을 아침이었다. 이른 아침의 태양이 갈색으로 물든 숲과 아직 초록빛인 들판 위로 잔잔하게 빛을 비췄다. 나는 잔디로 걸어가서 고개를 들고 저택의 정면을 살펴보았다. 거대하지는 않지만 상당히 커다란 3층 건물이었다. 귀족의 저택이라기보다 신사의 저택이었다. 지붕 위에 있는 흉벽이 그림 같은 느낌을 자아냈다. 깍깍대며 비행하는 당까마귀 떼를 배경으로 건물의 회색 정면이 두드러져 보였다. 그들이 잔디와 정원 위로 날아 도랑으로 분리되어 있는 넓은 목초지에 내려앉았고, 목초지에는 참나무처럼 굵직하고 단단하고 옹이가 진 거대한 가시나무 고목들이 늘어서 있어서 이 저택의 명칭이 어디서 유래했는지 짐작게 했다(가시나무(thorn tree)가 많아서 손필드(Thornfield)라고 부른다는 뜻이다 _옮긴이). 저 멀리에 언덕들이 보였다. 로우드 주위에 있던 산처럼 높거나 험하지 않았고 세상을 단절시키는 장벽 같지도 않았다. 그럼에도 꽤나 조용하고 고적한 언덕들이어서 활기찬 밀코트 지방에 어울리지 않게 격리된 느낌을 풍기며 손필드를 감싸고 있었다. 나무 사이사이로 지붕을 드러낸 작은 촌락이 언덕의 한쪽 기슭에 뿔뿔이 흩어져 있었다. 그 구역의 교회는 손필드에 더 가까운 곳에 자리했다. 낡은 탑이 저택과 정문 사이의 둔덕을 굽어보고 있었다.

나는 그 차분한 경치와 유쾌하고 상쾌한 공기를 즐기며, 당까마귀들의 깍깍거림을 기분 좋게 듣고 있었다. 고색창연한 저택의 정면을 바라보며 페어팩스 부인처럼 외로운 노부인이 살기에는 너무 큰 곳이라고 생각하고 있을 때, 장본인이 문에 나타났다.

"어머! 벌써 나왔어요? 일찍 일어나는 편인가 봐요."

내가 가까이 다가가자, 그녀는 상냥한 키스와 악수를 선사하며 나에게 물었다.

"손필드는 어때요?"

나는 대단히 마음에 든다고 대답했다.

"그래요, 예쁜 곳이죠. 하지만 로체스터 씨가 여기서 눌러사시든지 더 자주라도 들러 주셔야 할 텐데, 더 황폐해질까 봐 걱정이에요. 큰 저택과 아름다운 정원에는 주인의 손길이 필요하거든요."

"로체스터 씨요? 그분이 누군데요?"

내가 외쳤다.

"손필드의 주인이에요."

그녀가 조용히 대답하고는 다시 물었다.

"그분의 이름이 로체스터인 걸 몰랐어요?"

당연하지, 알 리가 없잖은가. 지금까지 들어 본 적도 없는 이름인데. 하지만 이 노부인은 그의 존재를 누구라도 직감적으로 알아야 하는 보편적인 사실로 여기는 듯했다. 내가 말했다.

"저는 부인이 손필드의 주인인 줄 알았어요."

"내가요? 어머나 저런, 무슨 그런 생각을! 내 집이라뇨? 나는 여기 가정부예요. 관리하는 사람이죠. 물론, 로체스터가의 외가 쪽 먼 친척이긴 해요. 적어도 내 남편이 그랬다는 얘기예요. 남편은 저기 언덕에 있는 작은 마을인 헤이 교구를 관리하던 목사였고 정문 옆에 있는 교회에서 목회를 보았답니다. 지금의 로체스터 씨 어머니가 페어팩스였고 내 남편과는 재종간이었어요. 하지만 나는 절대 그 관계를 이용하지 않아요. 사실 나랑은 아무 상관이 없잖아요. 나는 그저 평범한 가정부일 뿐이죠. 로체스터 씨가 항상 잘 대해 주시니 그 이상 기대하는 건 없어요."

"그러면 그 아이는…… 제가 맡을 학생은요?"

"로체스터 씨가 맡아 키우는 아이예요. 나에게 그 아이의 가정 교사를 찾으라고 하셨거든요. ○○ 주에서 키우실 생각이신가 봐요. 마침 저기 오네요. 본(bonne)과 같이, 그 애는 유모를 그렇게 부르더라고요."

이제야 수수께끼가 풀렸다. 이 상냥하고 친절한 미망인은 지체 높은 귀부인이 아니라 나처럼 고용된 입장이었던 것이다. 그렇다고 해서 그녀에 대한 느낌이 나빠진 것은 아니었다. 아니, 전보다 더 기뻤다. 그녀와 나는 진짜 대등한 관계였다. 그녀가 단순히 생색을 낸 것이 아니었던 것이다. 더욱 잘된 일이었다. 나의 입장이 훨씬 자유로워졌다.

내가 이 새로운 사실에 대해 생각하고 있는 사이에, 한 소녀가 뒤에 유모를 달고 잔디로 달려왔다. 아직은 나를 알아보지 못한 듯했다. 일곱 살이나 여덟 살쯤의 어린아이로 체구가 꽤 작고, 얼굴은 파리하고, 이목구비는 오목조목하고, 곱슬곱슬한 머리카락이 허리까지 탐스럽게 늘어져 있었다. 나를 본 페어팩스 부인이 말했다.

"잘 잤어요, 아델 양? 이리 와서 앞으로 아가씨에게 공부를 가르쳐 주시고 언젠가 슬기로운 여인으로 만들어 주실 선생님께 인사드려요."

아이가 다가왔다.

"C'est là ma gouvernante(이분이 내 선생님이야)?"

아이가 나를 가리키며 유모에게 물었다. 유모가 대답했다.

"Mais oui, certainement(네, 그래요)."

"외국인이에요?"

프랑스어를 듣고 놀라서 내가 물었다.

"유모는 외국인이고 아델은 대륙에서 태어났어요. 아마 6개월 전까지는 거길 떠나 본 적이 없을 거예요. 처음 여기 왔을 때는 영어를 전혀 못했어요. 이제 조금 할 수 있기는 한데 프랑스어를 워낙 많이 섞어 얘기하기 때문에 난 이해를 못하겠더라고요. 하지만 당신이라면 아마 잘 알아들을 수 있을 거예요."

다행히 나는 프랑스인에게 프랑스어를 배웠다는 이점이 있었다. 기회가 닿는 대로 자주 피에로 선생과 대화를 나눴고, 지난 7년 동안 악센트에 신경 쓰며 선생의 발음을 최대한 똑같이 따라 하면서 프랑스어를 외워 익혔으므로 어느 정도 정확하고 능숙한 프랑스어 실력을 갖추었고, 따라서 아델 양과 얘기할 때 크게 곤란을 겪을 것 같지 않았다. 내가 자신의 가정 교사라는 말을 듣고 그녀가 다가와 나와 악수를 나눴다. 아침 식사를 하러 그녀를 데리고 들어가면서 내가 프랑스어로 몇 마디를 건넸다. 그녀는 처음에 짤막하게 대답했지만, 식탁에 앉아서 그 커다란 개암나무 빛 눈동자로 10여 분간 나를 관찰하더니 갑자기 유창하게 프랑스어로 재잘거리기 시작했다.

"와. 마드무아젤은 로체스터 씨만큼이나 프랑스어를 잘하시네요. 아저씨에게 말하는 것처럼 얘기할 수 있겠어요. 소피도 그럴 수 있겠어요. 소피가 기뻐할 거예요. 여기 사람들은 그녀의 말을 못 알아듣거든요. 페어팩스 부인은 죄다 영어로 말해요. 소피는 내 유모예요. 나랑 같이 굴뚝에서 연기 나는 커다란 배를 타고 바다를 건너왔는데(연기가 정말 심했어요!) 난 멀미가 났어요. 소피도 멀미하고 로체스터 씨도 그랬어요. 로체스터 씨는 살롱이라는 예쁜 방 소파에 누워 있었고, 소피랑 나는 다른 방에 있는 작은 침대에 있었어요. 침대에서 떨어질 뻔한 적도 있어요. 선반 같은 거였거든요. 그런데 마드무아젤…… 이름이 뭐예요?"

"에어…… 제인 에어야."

"에이르? 헤! 발음이 잘 안 되네요. 음, 우리가 탄 배는 날이 밝기도 전 새벽에 큰 도시에 도착했어요. 새까만 집들과 온통 연기뿐인 아주 커다란 도시였어요. 내가 살던 예쁘고 깨끗한 마을과는 전혀 달랐어요. 로체스터 씨가 나를 안고 널빤지를 건너 땅에 내렸고, 소피가 따라 왔고, 우리 모두 마차에 탔죠. 그걸 타고 여기보다 더 크고 멋지고 아름다운 집으로 갔어요. 호텔이라고 부르는 데였어요. 우리는 거기서 일주일 정도 있었어요. 나는 소피랑 같이 초록빛 나무들이 아주 많은 커다란 공원으로 매일 산책을 나갔어요. 거기에는 나 말고 다른 아이들도 많았고, 아름다운 새들이 떠 있는 연못도 있었는데, 내가 걔네들한테 빵 부스러기를 뿌려 줬어요."

"저렇게 빠르게 말하는데 알아들을 수 있어요?"

페어팩스 부인이 물었다.

나는 피에로 선생의 말씨에 적응이 돼 있어서 그녀의 말을 이해하는 데 어려움이 없었다.

그 선량한 노부인이 말을 이었다.

"저 아이한테 부모에 대해 좀 물어봐 주세요. 부모를 기억하는지 궁금하거든요."

아이에게 내가 물었다.

"아델, 네가 말한 그 예쁘고 깨끗한 마을에 있을 때 누구와 같이 살았니?"

"오래전에 엄마와 같이 살았는데, 엄마는 성모 마리아에게 떠났어요. 엄마가 춤추고 노래하고 시 낭송하는 걸 가르쳐 줬어요. 아주 많은 신사 숙녀 분들이 엄마를 만나러 왔는데 나는 그분들 앞에서 춤을 추거나 무릎에 앉아 노래를 부르곤 했어요. 정말 좋았어요. 제 노래 한 번 들어 보실래요?"

그녀가 아침을 다 먹은 상태였으므로 나는 그녀의 노래 솜씨를 들어 보기로 했다. 그녀가 의자에서 내려와 나에게 다가오더니 내 무릎에 앉았다. 이어 조그만 두 손을 새침하게 앞으로 모아 잡고, 곱슬머리를 뒤로 흔들며 천장으로 시선을 올리더니, 어느 오페라에 나오는 가곡을 부르기 시작했다. 버림받은 여인이 애인의 변심을 슬퍼하다가 자존심을 불러일으키는 노래였다. 시녀에게 가장 화려한 보석과 가장 값비싼 옷으로 단장시켜 달라고 하고, 그날 밤 무도회에서 그 거짓된 자를 만나 명랑한 태도를 보임으로써 그의 배신이 그녀에게 아무런 아픔도 주지 못했다는 것을 보여 주리라 결심하는 내용이었다.

어린 가수가 부르기에는 어울리지 않는 주제인 듯했다. 하지만 어린아이의 혀 짧은 소리로 부르는 사랑과 질투의 노래를 듣는 게 이 공연의 핵심이었던 모양이다. 형편없는 취향이었다. 내 생각에는 그랬다.

아델은 꽤 음정을 제대로 맞춰서 어린아이답게 순진하게 노래했다. 다 부르고 나서, 내 무릎에서 팔짝 뛰어 일어나며 말했다.

"마드무아젤, 이번에는 시를 낭송해 드릴게요."

그녀가 자세를 잡더니, 'La Ligue des Rats, fabel de La Fontaine(쥐들의 회의, 라퐁텐 우화)'를 읊기 시작했다. 구두점과 강세를 세심하게 신경 쓰며, 굴곡 있는 목소리로 적절한 몸짓까지 섞어 가며 우화를 외워 나가는데, 그 나이 또래에게는 매우 보기 드문 일이라서 꼼꼼하게 훈련받았다는 것을 알 수 있었다.

"엄마가 가르쳐 줬니?"

내가 물었다.

"네, 엄마는 이런 식으로 말했어요. 'Qu'avez vous donc? lui dit un de ces rats. Parlez(그렇다면 당신은 어떻게 할 건가요? 하고 쥐 한 마리가 그에게 말했어요. 대답해 줘요)!' 질문이 나올 때 억양 올리는 걸 잊지 않게 하려고 엄마가 이렇게 내 손을 들게 했어요. 이제 춤도 보여 드릴까요?"

"아니, 그만하면 됐어. 엄마가 네 말처럼 성모 마리아에게 떠나고 난 다음에는 누구와 같이 살았니?"

"프레더릭 부인과 그 남편과 같이 살았어요. 날 돌봐 주긴 했지만 친척은 아니에요. 엄마처럼 좋은 집이 없는 걸 보면 가난한 사람이었던 것 같아요. 거기서는 오래 있지 않았어요. 로체스터 씨가 영국에 가서 같이 살겠느냐고 물으셔서 내가 좋다고 했거든요. 로체스터 씨는 내가 프레더릭 부인을 알기 전에 알았던 분이고, 항상 나에게 친절하게 대해 주시고 예쁜 옷과 장난감들을 사 주셨죠. 하지만 아저씨는 약속을 지키지 않고 있어요. 영국으로 날 데려다 놓고 혼자 돌아가 버려서 이젠 통 보질 못하거든요."

아침 식사를 한 뒤 아델과 나는 서재로 물러갔다. 로체스터 씨가 그곳을 공부방으로 쓰라고 지시한 모양이었다. 대부분의 책은 유리문 안에 잠겨 있었다. 하지만 기초적인 학습에 필요할 만한 갖가지 책과 가벼운 문학, 시, 전기, 여행서, 로맨스 등이 꽂힌 책장 하나가 열려 있었다. 이 정도 책이면 가정 교사가 읽기에 충분하리라고 생각한 듯했다. 그리고 사실, 현재의 나에게는 충분히 만족스러웠다. 로우드에서 가끔 찾아볼 수 있었던 얼마 안 되는 책들에 비하면 풍성한 오락과 지식을 제공해 줄 만했다. 이 방에는 음색이 탁월한 새 캐비닛형 피아노도 있었다. 그림을 그릴 수 있는 이젤과 지구의도 한 쌍 있었다.

나의 학생은 공부에 별로 집중하지 않았지만 그런대로 유순한 편이었다. 무엇이건 규칙적인 일에는 전혀 익숙하지 않은 모양이었다. 처음부터 지나치게 구속하는 것은 현명한 처사가 아닐 듯했다. 나는 그녀와 많은 이야기를 나누고 공부를 조금 가르치며 오전 시간을 보내다가 정오에 유모에게 돌려보냈다. 그러고는 식사 시간이 될 때까지 아델의 학습 교재에 필요한 그림을 몇 장 그리기로 마음먹었다.

화첩과 연필을 가지러 위층으로 올라가려는데 페어팩스 부인이 나를 불렀다.

"오전 공부가 이제 끝났나 보죠?"

그녀는 접이문들이 열려 있는 방에 있었다. 그녀의 말을 듣고 내가 그리로 들어갔다. 보랏빛 의자와 커튼, 터키산 양탄자, 호두나무 패널을 댄 벽, 스테인드글라스가 화려한 큼직한 창문, 우아하게 틀 잡힌 천장이 높이 솟은 커다랗고 품위 있는 방이었다. 페어팩스 부인은 사이드보드 앞에서 보라색 섬광 광석으로 된 고급 꽃병들을 닦고 있었다.

"방이 참 아름다워요!"

내가 둘러보면서 소리쳤다. 이 방의 절반만큼이라도 인상적인 방은 한 번도 본 적이 없었다.

"그렇죠? 여긴 식당이에요. 햇빛과 공기를 통하게 하려고 방금 창문을 열었어요. 사람이 자주 드나들지 않는 방에는 아무래도 습기가 차게 마련이거든요. 저쪽 응접실은 지하실 같아요."

그녀가 창문과 비슷하게 널찍한 아치를 가리켰다. 늘어뜨려졌던 보랏빛 커튼이 이제 동그랗게 묶여 있었다. 폭넓은 계단 두 개를 올라 들여다본 그 너머의 광경이 너무나 화려해서 나의 경험 없는 눈에는 마치 동화 속의 세계처럼 보였다. 하지만 그곳은 아주 어여쁜 응접실일 뿐이었다. 안쪽에 내실이 하나 있었는데 양쪽에 모두 화려한 꽃 화환을 올려놓은 듯한 하얀 양탄자가 펼쳐져 있었다. 천장에는 하얀 포도송이와 포도 잎사귀들이 눈처럼 하얗게 새겨져 있고, 그 아래로 진홍색 카우치와 긴 의자들이 선명한 대조를 이루었다. 반면에 연한 파로스 대리석으로 된 벽난로 선반 위의 장식은 루비처럼 빨갛게 반짝이는 보헤미아 유리 제품이었다. 창문 사이사이에 있는 커다란 거울들이 눈과 불이 섞여 있는 듯한 방 안의 분위기를 그대로 재현했다. 내가 말했다.

"어쩜 이렇게 말끔히 정리해 놓으셨어요, 페어팩스 부인! 먼지도 없고 덮개도 없네요. 공기만 싸늘하지 않다면 매일같이 쓰는 방인 줄 알겠어요."

"에어 양, 로체스터 씨가 여기 오시는 경우는 아주 드물지만, 오시게 되면 항상 예상치 못하게 갑자기 오시거든요. 죄다 덮개를 씌워 놨다가 도착하신 뒤에 준비하느라 법석 떠는 걸 언짢아하시는 것 같아서 평소에 미리미리 준비해 두는 편이에요."

"로체스터 씨는 엄격하고 까다로운 편인가요?"

"딱히 그렇지는 않아요. 하지만 신사다운 취향과 습관을 지니신 분이라, 모든 것이 그에 걸맞게 관리되기를 기대하시죠."

"그분을 좋아하세요? 사람들이 대체로 그분에게 호감을 느끼나요?"

"아, 그럼요. 집안 대대로 여기서 존경을 받아 왔어요. 이 부근의 토지는 눈길이 닿는 데까지 거의 모두가 아득한 옛날부터 로체스터 가문의 것이었답니다."

"하지만 토지는 그렇다 치고 그분의 됨됨이를 좋아하시나요? 그가 인격적으로 존경받는 분인가요?"

"나로서는 주인 나리를 좋아하지 않을 이유가 없죠. 소작인들도 공정하고 관대한 영주로 생각할 거예요. 같이 얼굴 뵌 적도 별로 없지만요."

"특이한 점 같은 건 없나요? 간단히 말해서, 그분의 성격은 어때요?"

"아! 성격은 나무랄 데 없어요. 조금 별나다고 할 수 있을지는 모르겠지만요. 여행을 많이 다니시니까 세상의 이런저런 것들을 많이 보셨을 거예요. 아마 머리도 좋으실걸요. 대화를 많이 나눠 본 건 아니지만."

"어떤 식으로 별나신데요?"

"글쎄요, 설명하기가 쉽지 않네요. 확연하게 드러나는 건 아닌데 얘기하다 보면 느끼게 돼요. 그분이 농담을 하는 건지 진담을 하는 건지, 마음에 드시는 건지 아닌 건지 도통 감이 안 잡히거든요. 확실하게 이해가 안 된다고 할까요. 적어도 난 그래요. 하지만 중요한 일은 아니죠. 아주 좋은 주인이시니까."

페어팩스 부인에게 그녀와 나의 고용주에 대해 얻어들은 설명은 이게 전부였다. 세상에는 사람이나 사물의 성격을 설명하거나 두드러지는 특징을 관찰하고 묘사할 줄 모르는 이들이 있다. 이 선량한 부인도 분명 그런 부류에 속하는 사람이었다. 나의 질문은 그녀를 당황하게 했을 뿐, 별다른 정보를 끌어내지 못했다. 그녀에게 로체스터 씨는 그냥 로체스터 씨였다. 영지를 지닌 지주, 신사, 그뿐이었다. 그녀는 그 이상 알려 하지 않았고, 그에 대해 좀 더 정확히 파악하고 싶어 하는 나를 의아하게 여기는 듯했다.

식당에서 나오자 그녀가 집의 다른 부분들을 보여 주겠다고 했다. 나는 위층과 아래층으로 그녀를 따라다니며 하나같이 멋들어지고 잘 정돈된 모습에 감탄을 금치 못했다. 앞쪽의 큼지막한 침실들이 특히 웅장하게 느껴졌다. 3층의 몇몇 방들은 어둡고 천장이 낮았지만 고풍스러운 분위기가 흥미로웠다. 한때 아래층에 있던 가구들이 유행이 바뀌면서 이리로 옮겨져 온 모양이었다. 좁은 여닫이창으로 들어오는 불완전한 빛이 백 년 된 침대 틀들을 보여 주었다. 참나무나 호두나무로 만든 것 같은 궤짝들은 마치 유대인의 계율 상자처럼 종려나무 가지와 아기 천사들의 머리가 묘하게 조각되어 있었다. 등받이가 높고 폭이 좁은 아주 오래된 의자들이 줄을 이었다. 등받이 없는 의자들은 그보다 더 오래되어서, 두세 대 이상 관 속의 먼지가 되어 있는 사람들이 수를 놓았을 쿠션 윗부분의 자수들이 반쯤 지워져 있었다.

이 모든 유물들로 인해 손필드 저택의 3층은 과거의 집, 기억의 성소 같은 인상을 풍겼다. 이 으슥한 곳의 예스러움과 정적과 어둠을 낮에 보는 것은 꽤나 매력적이었다. 하지만 저 넓고 묵직한 침대들 중 하나에서 밤을 보내고 싶은 마음은 절대 일어나지 않을 것이다. 그중 어느 것은 참나무 문 안에 갇혀 있었다. 다른 것들은, 기묘한 꽃들과 더 기묘한 새들, 더더욱 기묘한 인간들의 형상을 두툼하게 수놓아 정성을 들인 고대 영국의 장막들로 가려져 있었다. 창백한 달빛이 비치면 정말로 모두 기묘해 보일 듯했다.

"하인들이 자는 곳인가요?" 하고 내가 물었다.

"아뇨. 그들은 뒤쪽에 있는 더 작은 방들을 사용해요. 여기서 자는 사람은 없어요. 손필드 저택에 유령이 있다면 아마 여기가 소굴일걸요?"

"그럴 것 같아요. 그럼 유령은 안 나오는 건가요?"

"지금까지 나온다는 말은 못 들어 봤어요."

페어팩스 부인이 미소 지으며 대답했다.

"전해 내려오는 이야기는 없나요? 전설이나 유령 이야기라도?"

"없는 것 같아요. 로체스터 집안사람들이 살아생전에 조용하다기보다 과격한 사람들이었다는 말은 있어요. 하지만 아마 그래서 지금 무덤에서 평안하게들 쉬시는 게 아닐까요?"

"네……. '인생의 끊임없는 열병을 다 치른 뒤에 편안히 잠들어 있다.'는 말이로군요."

내가 중얼거렸다.

"이제 어디 가시는 거예요, 페어팩스 부인?"

다시 걸음을 옮기고 있는 그녀에게 내가 물었다.

"납판 지붕으로요. 당신도 가서 같이 경치를 보겠어요?"

나는 계속 그녀의 뒤를 따라, 다락방으로 통하는 비좁은 계단을 올라, 거기서 뚜껑 문까지 사다리를 타고 지붕으로 나갔다. 이제 까마귀 떼와 같은 높이에서 그들의 둥지를 바라볼 수 있었다. 흉벽에 몸을 기대고 아래를 내려다보니 지도처럼 펼쳐진 부지가 눈에 들어왔다. 밝은 벨벳 같은 잔디가 저택의 회색 토대를 빈틈없이 에워싸고 있었다. 공원처럼 넓은 들판에 고목들이 점점이 박혀 있었다. 나무에 달린 잎사귀보다 이끼가 더 진한 초록빛으로 무성한 오솔길이 암갈색으로 말라붙은 숲을 나눠 놓았다. 정문 앞의 교회, 길, 평화로운 언덕들, 이 모든 것이 가을날의 태양 아래서 쉬고 있었다. 진주 같은 하얀색으로 무늬를 그린 딱 좋은 하늘색의 하늘이 지평선과 마주 닿아 있었다. 이렇다 할 특징은 없지만, 보이는 모든 것이 상쾌한 풍경이었다. 그곳에서 다시 뚜껑 문으로 내려올 때, 사다리로 내려가는 길을 찾기가 힘들 지경이었다. 내가 올려다보았던 푸른 하늘과 즐겁게 내려다보았던 저택 주위의 햇살 가득한 수풀과 목초지와 푸른 언덕에 비해 다락방은 지하 창고만큼이나 캄캄했다.

페어팩스 부인이 뚜껑 문을 닫느라 잠시 뒤로 처졌다. 나는 손으로 더듬어 다락방에서 나가는 출구를 찾아낸 뒤 좁은 계단을 내려갔다. 3층의 앞쪽 방과 뒤쪽 방들을 가르며 길게 이어진 복도에서 머뭇거렸다. 멀리 끝에 작은 창이 하나 있을 뿐이라서 복도는 어둡고 좁고 낮았다. 양쪽으로 줄지어 선 작고 검은 문들마저 모두 닫혀 있어서, 마치 《푸른 수염》의 성에 나오는 복도 같았다.

조용히 걸음을 떼어 놓는데, 이 적막한 공간에서 들으리라고는 전혀 예상할 수 없는 소리, 웃음소리가 내 귀를 때렸다. 기괴한 웃음이었다. 또렷하고 딱딱하고 기쁨이 없는 웃음에 나는 멈칫했다. 소리는 아주 잠깐 멎었다가 더 커졌다. 처음에는 뚜렷하긴 했지만 나지막한 소리였다. 하지만 이제는 시끄러울 정도로 요란해져서 텅 빈 모든 방에 메아리쳐 울리는 듯했다. 하지만 웃음소리가 나오는 방은 한곳이었고 나는 그게 어느 방인지 알 수 있었다.

"페어팩스 부인!" 하고 내가 소리쳤다. 계단을 내려오는 그녀의 발소리가 들렸다.

"저 웃음소리 들었어요? 누구 소리죠?"

"하인들 중의 누구겠죠. 아마, 그레이스 풀일 거예요."

그녀가 대답했다.

"그 소리 들으셨어요?"

내가 다시 물었다.

"네, 분명히 들었어요. 자주 듣는 소리인걸요. 그녀가 이쪽 방에서 바느질을 해요. 가끔은 리어도 같이 있는데 그들이 같이 있으면 자주 소란스러워지죠."

그 웃음은 낮게 뚝뚝 끊어지며 반복되더니, 묘한 웅얼거림으로 끝났다.

"그레이스!"

그쪽을 향해 페어팩스 부인이 소리쳤다.

나는 그레이스라는 인물이 대답할 리 없다고 생각했다. 그처럼 비극적이고 초자연적인 웃음은 들어 본 적이 없었으니까. 지금이 한낮이고, 유령이 나올 것 같지 않은 곳에서 기괴한 웃음이 들렸고, 두려움을 자아내는 상황이나 시기도 아니었기에 망정이지, 그렇지 않았다면 나는 미신적인 공포에 사로잡혔을 것이다. 하지만 내가 놀라움을 느낀 것조차 어리석었다는 사실이 곧 밝혀졌다.

나에게서 제일 가까운 문이 열리더니 하인 하나가 나타났다. 서른에서 마흔 사이로 보이는 여자였다. 단단하고 떡 벌어진 몸, 빨간 머리, 딱딱하고 못생긴 얼굴. 그보다 더 유령 같지 않은 유령은 상상하기 힘들 정도였다. 페어팩스 부인이 말했다.

"너무 시끄러워, 그레이스. 지시 사항을 잊지 말아요!"

그레이스가 말없이 예를 갖추고 들어갔다. 그러자 그 미망인이 말을 이었다.

"바느질을 하고 리어의 일을 도와주는 사람이에요. 못마땅한 점이 아주 없는 것은 아니지만 일은 아주 잘해요. 아참, 오늘 아침에 새 제자와는 어떠셨어요?"

아델 쪽으로 화제가 돌아간 우리의 대화는 아래층의 가볍고 경쾌한 지역에 도달할 때까지 계속되었다. 아델이 현관홀에서 우리를 맞으러 달려오며 소리쳤다.

"Mesdames, vous êtes servies(식사 준비가 다 됐어요)!"

그리고 덧붙였다.

"J'ai bien faim, moi(배고파 죽겠어요)!"

준비된 식사가 페어팩스 부인의 방에서 우리를 기다리고 있었다.

제12장

처음 손필드 저택에 차분하게 받아들여졌을 때 기대했던 대로, 내 생활은 그 집이나 집안사람들에게 익숙해지고 난 뒤에도 평탄하게 유지되었다. 페어팩스 부인은 보이는 그대로 차분하고 다정다감한 성격에 적절한 교육과 무난한 지성을 소유한 여성이었다. 아델은 활발한 아이였다. 응석받이로 자란 탓에 가끔 제 마음대로 하려고 고집을 부리긴 했지만, 아델의 교육은 전적으로 내 몫이었고 그것을 방해하는 사람도 없었다. 아델은 곧 특유의 변덕스러움을 버리고 가르치기 쉬운 순한 아이가 되었다. 아델에게 평범한 아이의 수준을 조금이라도 뛰어넘는 특출한 재능이나, 두드러진 성격적 특징이나, 독특한 취향이나, 감각적으로 계발된 면모가 있었던 것은 아니다. 하지만 그 수준 아래로 떨어지는 결함이나 나쁜 버릇도 없었다. 아델은 무리 없이 향상됐고, 그리 깊지는 않았지만 나에게도 명랑한 애정을 표현했다. 단순한 성격과 쾌활한 수다, 내 마음에 들려고 하는 아델의 노력 덕분에 나 역시 아이에게 애정을 느끼게 되었다. 우리 둘은 이제 서로 만족스럽게 어울릴 수 있는 사이가 되었다.

여담이지만, 어린아이의 천사 같은 성질과 그 교육을 맡은 자의 의무에 대해 엄격한 교리를 강조하며 아이들을 맹목적으로 떠받들어 주어야 한다고 생각하는 사람들에게는 내 말이 사뭇 차갑게 들릴 수도 있다. 하지만 나는 부모의 자만을 치켜세우고, 위선적인 말을 되풀이하거나 허튼소리를 지지하고 싶은 생각은 조금도 없다. 진실을 말할 뿐이다. 나는 아델의 행복과 배움에 세심하게 신경을 썼고, 그 아이를 꽤 좋아했다. 내가 페어팩스 부인의 친절에 감사하며 그녀가 내게 보여 주는 변함없는 관심과 그 균형 잡힌 태도나 성격으로 인해 그녀와 함께 어울리는 것을 즐거워하는 것처럼 말이다.

이 말에 대해서 비난하고 싶은 사람은 누구든 비난해도 좋다. 가끔씩 혼자서 정문까지 걸어가 그 사이로 바깥 길을 바라보면서, 또는 아델이 유모와 놀고 있고 페어팩스 부인이 저장실에서 젤리를 만들고 있을 때 3층까지 올라가 다락방의 뚜껑 문을 올리고 지붕으로 나가서 나는 하늘과 맞닿은 아련한 지평선을 따라 저 멀리 호젓한 들판과 언덕을 내다보았다. 경계를 넘어 바라볼 수 있는 천리안이 있다면 얼마나 좋을까 생각하면서 말이다. 듣기만 하고 보지는 못했던 분주한 세상과 도회지와 활기 넘치는 지방에 나가 지금보다 훨씬 풍부한 실제 경험을 쌓고 싶었다. 지금 여기서 할 수 있는 것보다 더 나와 비슷한 사람들과 교류하고, 갖가지 성격의 사람들을 알아 가고 싶었다. 페어팩스 부인의 좋은 점과 아델의 좋은 점을 높이 평가하지만, 세상에는 그와 달리 좀 더 생동하는 좋은 것들이 존재한다고 믿었고, 그런 내 믿음을 눈으로 확인하고 싶었다.

누가 나를 비난할까? 많은 이들이 그럴 것이다, 틀림없이. 나더러 불만이 많다고 욕하는 사람도 있을 것이다. 그래도 어쩔 수 없다. 나의 천성에는 불안이 도사리고 있었다. 때때로 그것은 나를 고통스럽게 들쑤셨다. 그럴 때 내가 할 수 있는 일은 오로지 3층의 조용하고 고독한 분위기에 젖어 그곳 복도를 앞뒤로 걸어다니며, 마음의 눈앞에 일어나는 화려한 영상들을 바라보는 것이었다. 물론, 그것들은 아주 많고 강렬했다. 괴로움으로 부어오를 수도 있지만 생기로 부풀어 오를 수도 있는 내 마음을 약동하는 환희로 들썩이게 했다. 무엇보다도 결코 끝나지 않는 이야기에 내 내면의 귀를 열게 해 주었다. 나의 상상력은 이야기를 창조해 냈고, 끊임없이 이야기보따리를 풀어 놓았다. 간절히 소망하지만 나의 현실에는 존재하지 않는 갖가지 사건과 삶과 열정과 느낌이 생생하게 살아났다.

인간에게 평온한 삶에 만족하라고 말하는 것은 별로 소용없는 일이다. 인간에게는 활동이 필요하고, 그걸 찾을 수 없으면 만들어 내기도 하는 법이다. 나보다 더 적막한 운명에 처한 사람이 수백만이고, 자신의 운명에 말없이 항거하는 사람이 수백만이다. 정치적인 반란 이외에도 지상에 살고 있는 사람들 속에서 얼마나 많은 반란들이 격동하고 있는지 어느 누가 알고 있을까. 여인들은 보통 매우 차분한 존재로 여겨진다. 그러나 여자도 남자들과 똑같이 느낀다. 그들의 오빠나 남동생처럼 여자들도 자신의 능력을 연습하고 노력해 볼 기회가 필요하다. 여자도 남자들이 괴로워하는 만큼, 경직된 속박과 답답한 정체를 고통스러워한다. 그들에게 푸딩을 만들고 스타킹을 짜고 피아노를 치고 가방에 수나 놓으라고 하는 것은 더 많은 특권을 가진 남성들의 생각이 편협한 탓이다. 관습이 허락하는 것보다 더 배우거나 더 많은 일을 하고자 한다고 해서, 그들을 비웃거나 단죄하는 것은 생각이 얕은 자들의 경솔한 행동일 뿐이다.

이렇게 혼자 있을 때면, 가끔 그레이스 풀의 웃음소리가 들리곤 했다. 처음 들었을 때 나를 오싹하게 만들었던 것과 똑같은 울림, 똑같이 나지막하고 느린 하! 하! 소리. 괴상하게 중얼거리는 소리도 들렸다. 그건 웃음보다 더 이상했다. 그녀가 꽤 조용하게 지내는 날들도 있었다. 하지만 도대체 종잡을 수 없는 소리들이 들리는 날들도 있었다. 때로는 그녀의 모습을 보기도 했다. 그녀는 방에서 대야나 접시나 쟁반을 들고 나와 부엌으로 내려갔다가 금세 돌아왔는데, 대개의 경우 (아, 낭만적인 독자여, 진실을 있는 그대로 말하는 나를 용서하라!) 흑맥주 단지를 들고 있었다. 그녀의 외모는 언제나 그녀의 입에서 나오는 괴상한 소리로 인해 부풀어 오른 호기심에 찬물을 끼얹는 작용을 했다. 험상궂은 얼굴에 착 가라앉은 태도는 그녀에게 호기심이 달라붙을 여지를 주지 않았다. 그녀를 대화에 끌어들이려고 몇 차례 시도해 봤지만 그녀는 과묵한 사람인 듯했다. 보통은 아주 간단한 대답으로 나의 노력을 무색하게 잘라 버렸다.

그 집의 다른 사람들, 즉 존과 그의 아내, 하녀 리어, 프랑스인 유모 소피는 괜찮은 사람들이었다. 하지만 별다른 특징은 없었다. 소피와는 프랑스어로 얘기를 나누었고, 가끔은 그녀에게 고향 이야기를 물어보았다. 하지만 그녀는 설명을 하거나 이야기하는 재주가 없어서 질문을 격려하기보다 가로막으려는 게 아닐까 싶을 정도로 지루하고 혼란스러운 대답을 하기가 일쑤였다.

10월, 11월, 12월이 지나갔다. 1월의 어느 오후에, 페어팩스 부인은 아델이 감기에 걸렸으니 공부를 하루 쉬게 해 달라고 했다. 열렬하게 찬성하는 아델의 모습을 보니 나도 어렸을 적에 가끔 쉬는 날을 얼마나 소중하게 여겼는지가 생각나 융통성을 발휘하기로 했다. 아주 춥긴 했지만 바람 없이 맑은 날이었다. 오전 내내 서재에 앉아 있자니 지겨워졌다. 마침 페어팩스 부인이 편지를 다 쓰고 부치려던 참이어서 내가 보닛과 외투를 걸치고 헤이 마을로 부치러 가겠다고 자청했다. 3킬로미터 거리면 상쾌한 겨울 오후의 산책 거리로는 충분했다. 아델이 페어팩스 부인과 거실 불가의 작은 의자에 편안히 앉아 있는 것을 보고, 그녀가 가지고 놀 수 있는 제일 좋은 밀랍 인형과(평소에 내가 은종이에 싸서 서랍에 넣어 두는 것) 기분 전환용으로 볼 수 있는 동화책 한 권을 안겨 주었다. "Revenez bientôt, ma bonne amie, ma chère Mdlle. Jeannette(빨리 돌아오세요, 나의 좋은 친구, 사랑하는 마드무아젤)." 하고 인사하는 그녀에게 키스로 답하며, 나는 출발했다.

땅은 꽁꽁 얼었고 바람은 잔잔했고 길은 호젓했다. 몸이 더워질 때까지 빠르게 걷다가 나중에는 그 시간과 상황이 나에게 부여하는 즐거움들을 분석하고 즐기며 천천히 걸었다. 종탑 밑을 지날 때 교회 종이 3시를 울렸다. 아래로 저물어 가며 창백한 빛을 발하는 태양과 다가오는 어두움이 이 시간의 매력이었다. 나는 손필드에서 1.5킬로미터쯤 떨어진 길에 있었다. 여름에는 들장미들이, 가을에는 나무 열매와 블랙베리들이 시선을 끄는 곳이었고, 지금도 들장미 열매와 산사나무 열매들이 군데군데 산호색 보물처럼 달려 있었지만, 겨울철에는 뭐니 뭐니 해도 그 철저한 고독과 낙엽 진 정적이 최고의 기쁨이었다. 바람이 불어도 여기에는 소리가 나지 않았다. 바스락대는 상록수도 없고, 호랑가시나무도 없었다. 잎사귀 떨어진 산사나무와 개암나무 덤불이 길 한가운데 깔려 있는 닳아빠진 흰 돌멩이들처럼 고요했다. 좌우 어디를 내다보아도 풀 뜯는 소 한 마리 없는 들판뿐이었다. 가끔 산울타리에서 움직이는 조그만 갈색 새들은 떨어지는 것을 잊어버린 갈색 나뭇잎들처럼 보였다.

이 길은 헤이 마을까지 줄곧 오르막이었다. 중턱에 도달했을 때, 나는 들판으로 통하는 울타리 계단에 내려앉았다. 매섭게 얼어붙는 날씨였지만, 외투를 꼭 여미고 머프에 두 손을 넣고 있어서 별로 춥지 않았다. 자갈길에 덮인 얼음이 맹추위를 증명하고 있었다. 지금은 얼어붙은 개울이 며칠 전에 잠깐 녹았을 때 흘러넘쳤던 모양이다. 내가 앉은 곳에서 손필드가 내려다보였다. 아래 골짜기에서 제일 뚜렷하게 보이는 것은 회색 흉벽을 갖춘 저택이었고, 숲과 검은 당까마귀들이 서쪽 배경으로 솟아 있었다. 나는 태양이 숲으로 내려가 그 뒤에서 진홍빛으로 침몰할 때까지 바라보았다. 그 뒤에 동쪽으로 고개를 돌렸다.

위쪽 언덕 꼭대기에 떠오르는 달이 앉아 있었다. 구름처럼 희끗하지만 시시각각 밝아지는 달이, 나무에 반쯤 가리고 굴뚝에서 푸른 연기를 피워 올리는 헤이 마을을 굽어보고 있었다. 1.5킬로미터쯤 떨어진 거리였지만 절대적인 정적 속에서 어렴풋한 삶의 속삭임들을 분명히 들을 수 있었다. 물살이 흐르는 소리도 들려왔다. 어떤 골짜기에서 어느 개울에서 나는 소리인지는 알 수 없었다. 하지만 헤이 마을 너머에는 언덕들이 많으니, 틀림없이 그 산길을 요리조리 누비며 지나가는 개울들도 많을 것이다. 잔잔한 저녁이라 저 멀리 흐르는 물살과 가까이서 흐르는 물살의 소리를 모두 들을 수 있었다.

그때 아주 멀리서 하지만 아주 명료하게, 어떤 거친 소리가 이 아름다운 물결 소리와 속삭임들을 깨뜨렸다. 따가닥따가닥. 부드러운 물소리를 몰아내는 금속성의 짤랑거림이었다. 그림으로 치면 전경에 어둡고 강하게 그려진 울퉁불퉁하고 단단한 바윗덩어리나 거대하고 거친 참나무 줄기가, 여러 색조들이 한데 어우러진 구름과 맑은 지평선과 하늘색 언덕의 원경을 지워 버리는 것과 같았다.

소음은 자갈길에서 들려오고 있었다. 말 한 마리가 다가오는 모양이었다. 구불구불한 길에 가려 보이지 않았지만 가까워지고 있었다. 나는 울타리 계단을 막 일어서려던 참이었다. 하지만 길이 좁아서 그것을 먼저 보내기로 마음먹고 그대로 주저앉았다. 그때만 해도 내가 젊었던 시절이라서 내 마음에는 온갖 밝고 어두운 환상들이 자리하고 있었다. 여러 잡동사니들 가운데에는 동화에 대한 기억들도 있었다. 기억들이 되살아나면서 어릴 적에는 느끼지 못했던 활기와 생동감이 더해졌다. 말이 다가와 어스름 사이로 모습을 드러내기를 기다리면서 나는 영국 북부의 정령 '가이트래시'를 주인공으로 하는 베시의 이야기들을 또렷하게 기억해 냈다. 말이나 노새나 커다란 개의 모습으로 외진 길에 나타나 밤길 가는 길손들에게 다가온다고 했던가. 지금 이 말이 나에게 다가오는 것처럼.

소리는 가까워졌지만 눈앞에는 아직 아무것도 보이지 않았다. 그때 산울타리 아래에서 따가닥 소리와 함께 바스락거리는 소리가 들리더니, 개암나무들 바로 옆으로 거대한 개 한 마리가 흑백의 얼룩을 뚜렷이 드러내며 내달렸다. 베시가 얘기해 준 가이트래시와 똑같은 모습이었다. 커다란 머리에 털이 기다란 사자 같았다. 하지만 개는 상당히 조용하게 내 앞을 지나갔다. 내가 얼마간 상상했던 대로 개의 눈이 아닌 묘한 시선으로 내 얼굴을 쳐다보거나 멈추거나 하지도 않았다. 그 뒤에 말이 따라왔다. 커다란 준마였고 사람이 타고 있었다. 남자, 인간의 존재가 단번에 마력을 깨뜨렸다. 가이트래시는 아무것도 태우지 않는다. 언제나 혼자 다녔다. 내 생각에 악귀들이 말 못하는 야수의 시체를 빌려 쓸 수는 있어도, 평범한 인간의 형상으로 나타날 리는 없었다. 이건 가이트래시가 아니라 지름길을 달려 밀코트로 가는 여행객일 뿐이었다. 그는 지나갔고 나는 걸어갔다. 몇 걸음 걷다가 뒤를 돌아보았다. 미끄러지는 소리와 "제기랄, 이게 뭐야?" 하는 소리와 덜그럭대며 넘어지는 소리가 나의 관심을 끌었기 때문이다. 남자와 말이 넘어져 있었다. 자갈길에 깔린 얼음판에 미끄러진 것이다. 개가 다시 달려와 곤경에 처한 주인을 바라보고 말이 내는 신음 소리를 듣고는, 그 거대한 덩치에 걸맞은 깊은 소리로 황혼 녘의 언덕들이 메아리치도록 짖어 댔다. 녀석은 넘어져 있는 말과 사람 주위로 킁킁대며 돌아다니다가 나에게로 달려왔다. 녀석으로서는 그게 최선이었을 것이다. 달리 도움을 청할 데가 없었으니. 나는 녀석이 원하는 대로 말에게서 벗어나려고 안간힘을 쓰고 있는 여행객에게로 다가갔다. 기운차게 움직이는 것을 보니 별로 다친 것 같지는 않았다. 그래도 나는 그에게 질문을 던졌다.

"어디 다치셨어요?"

그가 그때 욕을 하고 있었던 것 같은데 확실하지는 않다. 어쨌든 그는 어떤 주문 같은 것을 중얼거리느라고 나에게 곧바로 대답하지 못했다.

"제가 뭘 도와 드릴까요?"

내가 다시 물었다.

"옆으로 비켜서기나 하시오."

그가 대답하며 처음엔 무릎으로, 다음엔 발로 일어났다. 나는 그의 말대로 했다. 그 뒤에 끙끙 들어 올리는 소리와 발 구르는 소리와 달그락대는 소리가 이어지고, 개도 같이 컹컹 짖어 대고 울어 대는 바람에 나는 몇 걸음 뒤로 물러났다. 하지만 멀리 갈 생각은 없었다. 결과적으로 볼 때 그건 잘한 일이었다. 말이 다시 일어섰고, "그만해, 파일럿!"이라는 명령과 함께 개 소리가 잠잠해졌다. 여행객은 이제 허리를 굽히고, 자기 발과 다리가 온전한지 살피는 듯 이리저리 매만졌다. 분명 어디 문제가 생긴 모양이었다. 그가 절룩절룩 걸어가더니 내가 방금 일어난 울타리 계단에 주저앉았다.

나는 도움이 되고 싶었거나 적어도 참견하고 싶은 기분이었던 것 같다. 내가 다시 그에게로 다가갔다.

"다치셨나요? 도움이 필요하시면 손필드 저택이나 헤이 마을에 가서 사람을 불러올게요."

"고맙지만, 괜찮소. 뼈가 부러진 건 아니고 삐끗했을 뿐이오."

그가 다시 일어서려고 발을 짚다가, 무의식적으로 "윽!" 소리를 냈다.

일광이 아직 남아 있었고 달은 밝게 차오르고 있었다. 나는 그의 모습을 확연히 볼 수 있었다. 그는 모피 깃을 달고 강철 걸쇠로 여민 승마용 외투를 입고 있었다. 자세한 건 알 수 없지만, 중간 정도의 키에 가슴이 떡 벌어져 보였다. 검은 얼굴에 미간을 찌푸린 게 엄격해 보이는 인상이었다. 눈과 찌푸린 눈썹으로 보아 몹시 화가 나고 짜증스러워하고 있는 게 분명했다. 청년기는 지났지만 중년에 이르지는 않은 모습이었다. 서른다섯쯤 되었을까. 나는 그가 두렵지도 않았고 별로 수줍음이 느껴지지도 않았다. 그가 잘생기고 늠름해 보이는 젊은 신사였다면, 감히 이렇게 그의 앞에 서서 원하지도 않는 질문을 던지며 요구하지도 않는 도움을 제안하지 못했을 것이다. 나는 잘생긴 젊은이를 거의 본 적이 없다. 말을 건넨 적은 평생에 한 번도 없었다. 물론 이론적으로는 아름다움, 우아함, 용맹, 매력에 대해 존경과 경의를 갖고 있었다. 하지만 그런 자질이 남자라는 구체적인 형태로 내 눈앞에 나타난다면, 그게 나의 자질과 일치하지도 않고 일치할 수도 없음을 본능적으로 알아차리고, 불이나 번개 아니면 밝기는 해도 싫게 느껴지는 어떤 것에 반응하듯이 얼른 피해 버렸을 것이다.

내가 말을 걸었을 때 이 낯선 사람이 미소 지으며 싹싹하게 굴기만 했더라도, 내가 제안한 도움을 그가 유쾌하게 감사하며 사양했더라도, 나는 다시 물어볼 생각을 하지 않고 내 갈 길을 갔을 것이다. 하지만 그의 찌푸린 표정과 거친 태도는 나를 편안하게 했다. 그가 나에게 가라고 손을 흔들자, 나는 그 자리에 버티고 서서 이렇게 말했다.

"당신이 말에 오를 수 있다는 걸 확인하기 전에는, 이렇게 외딴길에, 이렇게 늦은 시간에 혼자 두고 갈 수 없습니다."

그가 날 쳐다보았다. 이제껏 그는 내 쪽으로 거의 눈길을 돌리지 않았었다.

"당신이야말로 집으로 돌아가야 할 것 같군. 이 근방에 살고 있다면 말이오. 집이 어디요?"

"저기 바로 아래예요. 그리고 달이 떠 있을 때는 늦도록 나와 있어도 전혀 두렵지 않아요. 원하시면, 제가 헤이 마을로 달려가 도움을 청할게요. 사실은 편지를 부치러 가는 중이었거든요."

"바로 아래라면 흉벽 있는 저 집을 말하는 건가?"

그가 손필드 저택을 가리켰다. 서쪽 하늘과 대비되어 이제 하나의 그림자 덩어리처럼 보이는 숲과 다르게, 훤한 달빛을 받은 저택이 뿌옇고 뚜렷하게 드러나 있었다.

"네, 맞아요."

"누구 집이오?"

"로체스터 씨 댁이에요."

"로체스터 씨를 아시오?"

"아뇨, 뵌 적은 없어요."

"그럼 그가 거기에 안 사는 건가?"

"네."

"그가 어디 있는지 아시오?"

"아뇨."

"저 집의 하인은 아닐 테고. 당신은……."

그가 말을 멈추고, 평소처럼 아주 소박하게 차려입은 내 옷차림을 훑어보았다. 검정 메리노 모직 외투, 검은 비버 보닛, 둘 다 어느 집 마님의 시중을 드는 하녀에도 한참 모자라는 차림새였다. 내가 뭘 하는 사람인지 영 감이 잡히지 않는 모양이었다. 내가 그를 도와주었다.

"저는 가정 교사예요."

"아, 가정 교사!"

그가 내 말을 되풀이했다.

"이런 멍청한! 그걸 생각 못하다니! 가정 교사!"

그러고는 다시 나의 차림새를 꼼꼼히 뜯어보았다. 2분 후에 그가 울타리 계단에서 일어났다. 움직일 때마다 그의 얼굴이 일그러졌다. 그가 말했다.

"당신에게 사람을 불러오라 할 수는 없소. 하지만 괜찮다면, 약간 도움을 받을 수는 있겠지."

"괜찮아요."

"지팡이로 삼을 만한 우산이 있나?"

"없어요."

"그럼 말고삐를 잡아 이리 끌어다 주시오. 겁나지 않소?"

혼자 있다면 말에게 손을 대는 게 두려웠겠지만, 그의 말을 들으니 왠지 기꺼이 해 주고 싶은 생각이 들었다. 나는 계단에 머프를 내려놓고 커다란 준마에게 다가갔다. 고삐를 잡으려고 애를 썼지만, 워낙 혈기 왕성한 녀석이라서 나를 머리 근처에도 오지 못하게 했다. 몇 번이나 시도해 봤지만 헛수고였다. 사실 나는 마구 차 대는 녀석의 앞발이 죽을 만큼 무서웠다. 여행객은 한동안 기다리며 지켜보다가 결국 웃음을 터트리며 말했다.

"산이 마호메트에게 올 것 같지 않으니, 마호메트가 산으로 가게 도와주는 수밖에 없겠군. 당신에게 이리 와 달라고 청해야겠소."

내가 걸어갔다. 그가 말을 이었다.

"실례하겠소. 피치 못하게 당신의 도움을 받을 수밖에 없겠소."

그가 내 어깨에 묵직한 손을 얹고, 약간의 무게를 실어 기대면서 절룩절룩 말까지 걸어갔다. 고삐를 잡자마자 말을 제압하고는 안장에 올라탔다. 그 와중에 삔 곳에 힘이 실리자 그가 험악하게 인상을 찡그렸다.

"자!" 하고 그가 꽉 물었던 아랫입술을 풀며 말했다.

"채찍을 집어 주시오. 저기 산울타리 아래 있을 거요."

나는 그것을 찾아냈다.

"고맙소. 이제 얼른 헤이 마을에 가서 편지를 부치고, 최대한 빨리 돌아가시오."

박차 달린 뒤꿈치가 말에게 닿자 말이 깜짝 놀라 뒷발로 일어서더니, 곧바로 달려 나갔다. 개도 그 뒤를 따랐다. 말과 사람과 개가 모두 사라졌다.

거센 바람이 휩쓸어 가는,
황야의 히스처럼.

나는 머프를 집어 들고 가던 길을 계속 갔다. 방금 일어난 사건이 뇌리에 달라붙어 떠나지 않았다. 어느 면에서 보면 중요할 것도 없고 낭만적일 것도 없고 흥미로울 것도 없는 사건이었다. 하지만 단조로운 삶의 한순간에 변화가 생겨났다. 내 도움이 필요했고 도움을 요청받았다. 나는 도움을 주었다. 무언가 했다는 게 기뻤다. 사소하고 일시적인 행위였지만, 그래도 적극적인 행위였다. 나는 너무나 소극적인 생활을 지긋지긋해하고 있었다. 새로운 얼굴 역시, 기억의 화랑에 들어온 새로운 그림과 같았다. 거기에 걸린 다른 그림들과 전혀 닮지 않은 그림이었다. 우선 그것은 남성이었고, 둘째로 그것은 어둡고 강하고 험악했다. 헤이 마을에 도착하여 우체통에 편지를 집어넣을 때까지도 여전히 그 얼굴이 내 눈앞을 떠나지 않았다. 집을 향해 언덕을 빠르게 걸어 내려오는 동안에도 내내 그 얼굴이 보였다. 울타리 계단에 닿았을 때, 나는 잠시 멈춰 서서, 다시 그 자갈길에 말발굽 소리가 울릴까 하여 귀를 기울이고, 외투 입은 남자와 가이트래시 같은 뉴펀들랜드 종 개가 다시 나타날까 하여 주위를 둘러보았다. 달빛을 맞으려고 고요히 꼿꼿하게 올라서 있는 산울타리와 가지를 짧게 친 버드나무만이 보일 뿐이었다. 1.5킬로미터 떨어진 손필드 주변의 나무 사이에서 변덕스레 배회하는 희미한 바람 소리만이 들릴 뿐이었다. 소리 나는 쪽을 흘깃 내려다보는데, 저택 정면으로 움직이던 내 눈에 창을 밝힌 불빛이 들어왔다. 너무 늦었다! 나는 서둘러 걸음을 재촉했다.

나는 손필드로 다시 들어가고 싶지 않았다. 그 문지방을 넘어가면 정체로 돌아가는 것이다. 조용한 현관홀을 지나 어둠침침한 계단을 올라, 외로운 내 작은 방으로 들어가고, 늘 변함없는 페어팩스 부인을 만나 오로지 그녀와만 긴긴 겨울밤을 보낸다는 것은, 오늘의 산책이 깨운 나의 희미한 흥분을 송두리째 없애 버리는 일이었다. 너무나 평온하고 한결같은 생활의 보이지 않는 족쇄를 다시 나에게 채우는 일이었다. 날이 갈수록 점점 더 감사할 수 없는 것이 되어 가는 편안하고 안정된 생활의 족쇄. 차라리 힘겹고 불안정한 삶의 폭풍우에 내던져져 모질고 쓰라린 일을 다 경험한 후에, 지금의 이 평온함을 갈망하는 것이라면 얼마나 좋을까! 그래, 너무 안락한 의자에 가만히 앉아 있는 게 지겨워진 사람이 오래도록 산책을 한 것만큼 좋으리라. 그리고 그런 상황에 있는 사람처럼, 나 같은 상황에서 꿈틀거리고 싶은 소망이 일어나는 것도 자연스러운 일일 것이다.

나는 정문에서 머뭇거리다 잔디에서 머뭇거리다 돌길에서 이리저리 걸어다녔다. 유리문 덮개들이 닫혀 있었다. 안을 들여다볼 수 없었다. 내 눈과 영혼이 둘 다 그 음울한 집에서, 빛 없는 독방들로 가득한 회색 동굴처럼 보이는 그곳에서 벗어나, 내 앞에 펼쳐진 하늘로, 구름으로 얼룩지지 않은 푸른 바다로 끌려가는 듯했다. 달이 장엄하게 행진하며 그리로 올라갔다. 멀리, 저 멀리 아래 언덕 뒤에서부터 올라와, 헤아릴 수 없는 깊이와 측량할 수 없는 거리의 캄캄한 어둠, 그 정점을 열망하듯 올려다보며 언덕 정상을 떠나는 듯했다. 부들부들 떠는 별들이 그 궤도를 뒤따랐다. 그 별들을 바라보는 내 가슴은 떨렸고 나의 혈관은 뜨거웠다. 우리를 세상으로 끌어 내리는 것은 아주 작은 것들이다. 현관홀에서 시계 소리가 울렸다. 그것으로 충분했다. 나는 달과 별들의 풍경을 포기하고, 옆문을 열고 안으로 들어갔다.

현관홀에는 어둡지도 않고 환하지도 않게 높이 매달린 청동 램프만 켜져 있었다. 따뜻한 광채가 현관홀과 참나무 계단 아래쪽을 채우고 있었다. 이 불그스레한 빛은 커다란 식당에서 나오는 것이었다. 그곳의 두짝문이 열려 있어서, 기분 좋게 타오르는 쇠살대 안의 불길을 볼 수 있었다. 그 불꽃은 대리석 벽난로와 놋쇠 난로용 기구에 번득이며 보라색 커튼과 윤기 나는 가구를 보기 좋게 드러냈다. 벽난로 선반 근처에 있는 사람들의 모습도 보였다. 모여 있는 사람들을 보고, 명랑하게 섞이는 목소리들 중에 아델의 목소리가 끼어 있는 것 같다고 생각하는 순간에, 문이 닫혔다.

나는 페어팩스 부인의 방으로 종종걸음 쳤다. 벽난로의 불길은 타고 있었지만, 촛불도, 페어팩스 부인도 보이지 않았다. 대신에 오솔길에서 본 가이트래시와 꼭 닮은, 검정색과 흰색의 긴 털을 지닌 큰 개 한 마리가 러그에 똑바로 앉아, 엄숙하게 불길을 응시하고 있었다. 생긴 모습이 너무나 비슷해서 나는 슬며시 앞으로 걸어가며 불러 보았다.

"파일럿."

그러자 녀석이 일어나 나에게 다가오더니 킁킁대며 냄새를 맡았다. 내가 살살 어루만져 주자 그 커다란 꼬리를 흔들어 댔다. 하지만 단둘이 있기에는 상당히 무시무시하게 생긴 녀석이었고, 그 녀석이 어디서 나타난 건지도 알 수 없었다. 나는 촛불을 청하려고 종을 울렸다. 이 개에 대해서도 물어보고 싶었다. 리어가 들어왔다.

"이 개가 웬 개예요?"

"주인님이 데려온 거예요."

"누구요?"

"주인님, 로체스터 씨요. 그분이 방금 도착하셨어요."

"그래요! 그럼 페어팩스 부인이 그분과 같이 있나요?"

"네, 아델 양도요. 모두들 식당에 있고, 존은 의사를 부르러 갔어요. 주인님이 사고를 당하셨거든요. 말이 넘어지는 바람에 발목을 삐셨대요."

"헤이 마을로 통하는 길에서 말이 넘어졌나요?"

"네, 언덕을 내려오다가 얼음에 미끄러졌대요."

"아, 네! 나에게 양초를 가져다주겠어요, 리어?"

리어가 양초를 가져왔다. 그녀가 들어온 후에, 페어팩스 부인이 뒤따라 들어와 같은 이야기를 다시 들려주었다. 의사 카터 씨가 도착해서, 이제 로체스터 씨와 같이 있다는 말도 덧붙였다. 그녀는 곧 차를 준비시키러 바삐 나갔고, 나는 외투와 모자를 벗으려고 위층으로 올라갔다.

제13장

그날 밤 로체스터 씨는 의사의 지시로 일찌감치 잠자리에 든 듯했고, 다음 날 아침에도 일찍 일어나지 않았다. 그가 내려온 것은 업무를 보기 위해서였다. 중개인과 소작인 몇 명이 찾아와 그와 얘기하려고 기다리고 있었다.

아델과 나는 이제 서재를 비워 주어야 했다. 서재는 앞으로 매일 방문객을 맞는 접대실로 사용될 것이다. 위층 방 한 곳에 불이 지펴졌고, 나는 그곳으로 책을 가져가 공부방으로 꾸몄다. 손필드 저택은 달라져 있었다. 더 이상 교회처럼 적막하지 않았고, 한두 시간마다 노크 소리가 나거나 종소리가 울렸다. 발소리들이 자주 현관홀을 가로질렀고 다른 억양으로 이야기하는 새로운 목소리들이 들렸다. 바깥세상의 시냇물이 흘러들고 있었다. 이 저택이 주인을 맞은 것이다. 나는 그 편이 훨씬 마음에 들었다.

그날은 유난히 아델을 가르치기가 쉽지 않았다. 아이는 집중을 하지 못했다. 틈만 나면 문으로 달려 나가 난간 너머를 내려다보며 로체스터 씨의 모습을 찾곤 했다. 급기야는 아래층에 내려가려고 온갖 핑계를 만들어 내기도 했다. 나 역시 그걸 모를 정도로 둔하지는 않다. 서재에 가 봐야 환영받지도 못할 텐데 내가 약간 화를 내며 가만히 앉아 있게 하자, 그녀는 로체스터 씨를 "ami, Monsieur Edouard Fairfax de Rochester(친구인 에두아르 페어팩스 드 로체스터 씨)."라고 부르며(나는 이전에 한 번도 그의 세례명을 들어 본 적이 없다) 그에 대해 끝도 없이 재잘댔고, 그가 어떤 선물을 가져왔을지 상상하느라 정신이 없었다. 전날 밤에 그가 밀코트에서 짐이 도착하면 아델이 좋아할 만한 물건이 든 작은 상자가 있을 거라고 말한 모양이었다.

그녀가 말했다.

"Et cela doit signifier, qu'il y aura là dedans un cadeau pour moi, et peut-être pour vous aussi, mademoiselle. Monsieur a parlé de vous. Il m'a demandé le nom de ma gouvernante, et si elle n'était pas une petite personne, assez mince et un peu pâle. J'ai dit qu'oui. Car c'est vrai, n'est-ce pas, mademoiselle(틀림없이 그 상자에 제게 주실 선물이 들어 있다는 뜻일 거예요, 마드무아젤에게 드릴 선물도요. 로체스터 씨가 마드무아젤에 관해 얘기를 하셨거든요. 가정 교사의 이름이 뭐냐, 안색이 창백하고 마르고 자그마한 분이 아니냐고 물으셨어요. 전 그렇다고 대답했어요. 제 말이 맞죠, 마드무아젤)?"

나와 아델은 여느 때처럼 페어팩스 부인의 거실에서 식사를 했다. 오후에는 바람이 거칠어지고 눈이 내려서, 우리는 공부방에 틀어박혀 시간을 보냈다. 날이 어두워져서야 나는 아델에게 책과 바느질감을 치우고 아래층에 내려가도 좋다고 허락했다. 아래가 비교적 조용해졌고 초인종 소리가 잠잠한 것으로 보아, 로체스터 씨가 이제 좀 한가해졌으리라 짐작했기 때문이다. 혼자 남은 나는 창가로 걸어갔다. 하지만 거기에는 아무것도 보이지 않았다. 어스름과 눈송이들이 허공을 가득 메워, 잔디 위의 관목들을 가리고 있었다. 나는 커튼을 내리고 불가로 돌아갔다. 선명한 깜부기불 속에서, 이전에 그림에서 본 적이 있는 라인 강변의 하이델베르크 성과 다르지 않은 풍경을 찾아보고 있을 때 페어팩스 부인이 들어왔다. 덕분에 불을 바라보며 이어 맞추던 모자이크와 외로운 나에게 밀려들기 시작한 무겁고 반갑지 않은 생각들이 흩어졌다. 그녀가 말했다.

"로체스터 씨가 오늘 저녁 응접실에서 당신과 아델 양과 함께 차를 드시고 싶다고 하세요. 하루 종일 일이 많아서 진작 그러지를 못하셨어요."

"차 드시는 시간이 몇 시죠?"

내가 물었다.

"아, 6시예요. 시골에 오시면 일찍 자고 일찍 일어나시거든요. 이제 옷을 갈아입는 게 낫겠어요. 내가 같이 가서 도와줄게요. 촛불 여기 있어요."

"옷을 갈아입어야 하나요?"

"네, 그러는 편이 좋아요. 로체스터 씨가 계실 때는 나도 항상 저녁에 옷을 갖춰 입는답니다."

이렇게까지 예를 갖춘다는 게 좀 야단스러운 일이 아닌가 싶기도 했지만 나는 내 방으로 돌아가 페어팩스 부인의 도움을 받으며 검은 모직 옷을 검은 비단 옷으로 갈아입었다. 로우드에서 배운 옷차림에 대한 나의 사고방식으로는 너무나 고급스러워서 아주 대단한 자리가 아니고서는 입을 수 없을 것 같은 연회색 옷 다음으로, 내 옷장에서 제일 좋고 특별한 옷이었다.

"브로치가 있어야겠어요."

페어팩스 부인이 말했다. 템플 선생님이 이별의 선물로 준 조그만 진주 장식이 내가 가진 유일한 장신구였다. 그것을 달고, 페어팩스 부인과 같이 아래층으로 내려갔다. 낯선 사람을 만나는 데 익숙하지 않은 나는 로체스터 씨 앞에 공식적으로 불려 가는 게 편치 않았다. 페어팩스 부인을 앞세워 식당으로 들어간 후에, 내내 그녀의 뒤에 숨어서 공간을 가로질렀다. 마침내 커튼이 드리워져 있는 아치를 지나 그 너머의 우아한 내실로 들어섰다.

탁자에 두 개, 벽난로 선반에 두 개의 양초가 켜져 있었다. 활활 타오르는 불빛과 열기를 쬐며 파일럿이 누워 있었고 그 옆에 아델이 앉아 있었다. 쿠션에 발을 받치고 카우치에 반쯤 기대 누운 로체스터 씨가 보였다. 그는 아델과 개를 바라보고 있었다. 불길이 그의 얼굴을 완전하게 비추었다. 새까맣고 두꺼운 눈썹만 보고도 나는 그가 그 여행객임을 알아보았다. 그의 넓은 이마는 옆으로 빗어 넘긴 검은 머리 때문에 더 네모나게 보였다. 결연해 보이는 코는 잘생겼다기보다 개성적으로 보였다. 커다란 콧구멍이 성마른 성질을 표시하는 듯했다. 엄격한 입과 위아래 턱, 세 가지 모두 아주 험악했고, 내가 잘못 본 게 아니었다. 그는 외투를 벗고 있었다. 얼굴에 어울리게 몸집도 네모나다는 걸 알 수 있었다. 키가 크거나 우아하지는 않았지만, 가슴이 넓고 허리는 가는 것이 운동선수를 해도 좋을 만한 체격이었다.

로체스터 씨는 페어팩스 부인과 내가 들어온 것을 알아차린 게 분명했다. 하지만 우리를 알아봐 줄 기분이 아닌 듯, 우리가 다가갔는데도 고개를 들지 않았다.

"에어 양이 오셨어요, 나리."

페어팩스 부인이 예의 조용한 태도로 말했다. 그는 여전히 개와 아이에게 시선을 떼지 않은 채 고개만 까딱했다.

"에어 양에게 앉으라고 하시오."

그가 말했다. 억지로 하는 딱딱한 고갯짓과 성마르고 형식적인 어조는, 마치 '에어 양이 와 있든 말든 나와 무슨 상관이야? 난 지금 그녀에게 말 걸 기분이 아니야.' 하고 말하는 것 같았다.

왠지 한결 부담이 덜어졌다. 정중하고 세련된 대접을 받았더라면 아마 당황했을 것이다. 나는 그에 어울리는 우아하고 품위 있는 대답이나 반응을 보일 수 없었을 테니까. 하지만 시큰둥한 대접에는 부담을 느낄 필요가 없었다. 오히려 그런 괴팍한 태도에 점잖고 조용하게 대응하는 내 입장이 더 유리해졌다. 게다가 그 괴팍한 방식은 나의 흥미를 끌었다. 그가 앞으로 어떻게 나올지 호기심이 일었다.

그는 그 후로도 계속 조각상처럼 굴었다. 말하지도 않고 움직이지도 않았다는 뜻이다. 누구 한 사람은 사교적으로 굴어야 한다고 생각했는지, 페어팩스 부인이 입을 열었다. 평소처럼 상냥하게, 그리고 평소처럼 다소 진부하게 그녀는 하루 종일 일하시느라 피곤하시겠다거나, 아픈 발목 때문에 많이 불편하셨을 거라며 그를 위로했다. 다음에는 그 괴로움을 견뎌 낸 그의 참을성과 끈기를 칭찬했다.

"마담, 차를 마시고 싶군요."

그녀에게 돌아온 대답은 그뿐이었다. 그녀는 서둘러 종을 울렸고, 쟁반이 들어오자 컵, 스푼 등을 바지런하고 신속하게 배열했다. 나와 아델은 탁자로 자리를 옮겼다. 하지만 그는 카우치를 떠나지 않았다.

"로체스터 씨에게 잔을 건네주시겠어요?"

페어팩스 부인이 나에게 말했다.

"아델은 흘릴지도 몰라요."

나는 부탁받은 대로 했다. 그가 내게서 잔을 받아 드는데, 그때가 나를 위해 부탁할 절호의 기회라고 생각했는지 아델이 소리쳤다.

"N'est-ce pas, monsieur, qu'il y a un cadeau pour Mademoiselle Eyre, dans votre petit coffre(아저씨, 그 작은 상자에 마드무아젤 에어께 드릴 선물도 들어 있지요)?"

"누가 선물 이야기를 하든?"

그가 퉁명스럽게 말했다.
"선물을 기대했나, 에어 양? 선물을 좋아하시오?"
그는 속을 꿰뚫어 보는 듯 어둡고 성난 눈동자로 내 얼굴을 살펴보았다.
"잘 모르겠습니다. 받아 본 적이 없어서요. 흔히들 기분 좋은 일로 생각하지요."
"흔히들 생각해? 당신은 어떻게 생각하느냐 말이오?"
"적절한 대답을 드리려면 시간이 필요할 것 같습니다. 선물에는 여러 가지 측면이 있으니까요. 그렇지 않나요? 선물의 성질에 대해 어떤 의견을 밝히려면 그 전에 모든 면을 고려해 봐야 해요."
"에어 양, 당신은 아델처럼 순진하지가 않군. 그 애는 나를 보자마자 선물을 달라고 난리인데, 당신은 돌려 말하잖소."
"아델보다 상 받을 자신이 없기 때문이지요. 아델은 잘 아는 지인에게 당연히 그런 요구를 할 수 있고 습관적으로도 그래요. 나리가 전에도 항상 장난감을 안겨 주시곤 했다니까요. 하지만 제 입장에서는 난처할 수밖에 없어요. 저는 처음 뵙는 처지인 데다 인정받을 만한 일을 하지도 않았으니까요."
"아, 지나친 겸손은 그만두시오! 아델을 살펴보니, 당신이 꽤 정성을 쏟았다는 걸 알겠더군. 똑똑하거나 재능 있는 아이가 아닌데 짧은 기간에 많이 발전했더군."
"지금 저에게 선물을 주셨습니다. 감사해요. 그건 대부분의 교사가 바라는 포상이지요. 자신의 학생이 발전했다는 칭찬 말이에요."
"흥!"
로체스터 씨가 코웃음 치고는 말없이 차를 마셨다.
"불가로 오시오."
쟁반이 치워지고, 페어팩스 부인이 뜨개질감을 들고 구석에 자리를 잡자 그가 말했다. 그사이에 아델은 내 손을 잡고 방을 돌아다니며 큰 솥과 작은 상자에 있는 아름다운 책이며 장신구 들을 보여 주었다. 우리는 의무적으로 그의 명령에 따랐다. 아델이 내 무릎에 앉으려 했지만 파일럿과 놀라는 명령을 받았다.

"여기 3개월쯤 있었나?"

"네."

"전에는 어디 있었소?"

"○○ 주의 로우드 학교에 있었습니다."

"아! 자선 재단 말이군. 거기에 얼마나 있었소?"

"8년이오."

"8년이라! 생명력이 아주 질긴가 보군. 그런 곳에서는 그 시간의 절반만 보내도 웬만한 사람은 녹초가 돼 버렸을 텐데! 다른 세상에서 온 것 같은 느낌이 나는 것도 무리가 아니야. 어디서 그런 느낌이 생겨났을까 궁금했었지. 어젯밤에 헤이 마을로 통하는 길에서 당신이 나에게 다가왔을 때, 이상하게도 요정 이야기가 떠오르면서 당신이 내 말을 홀려서 넘어뜨린 게 아니냐고 따지고 싶은 기분이 들었소. 아직도 긴가민가하긴 해. 부모님은?"

"안 계십니다."

"어릴 때 돌아가신 모양이군. 기억나긴 하나?"

"아뇨."

"그럴 줄 알았어. 그 울타리 계단에 앉아서 동족을 기다리고 있었나?"

"동족이라뇨?"

"초록 옷을 입은 요정들 말이오. 그들이 나타나기에 딱 알맞은 달밤이었잖소. 내가 당신들 놀이터를 헤치고 지나갔다고, 그 길에 빌어먹을 얼음을 깔아 놓은 건가?"

나는 고개를 흔들며 상대와 마찬가지로 진지하게 답했다.

"초록 옷을 입은 요정들은 모두 백 년 전에 영국을 떠났어요. 헤이로 가는 길에서도, 그 주위의 들판에서도, 이제는 그들의 흔적을 찾을 수 없어요. 여름 달도 가을 달도 겨울 달도, 더는 그들의 축제를 비추지 못할 거예요."

무슨 얘기가 오고 가는지 궁금한 듯, 페어팩스 부인이 뜨개질감을 내리고 눈썹을 치켜들었다.

로체스터 씨가 다시 물었다.

"부모가 없으면 친척이라도 있을 테지. 숙부나 숙모는 어떻소?"

"없습니다. 만나 뵌 적이 없어요."

"그럼, 집은 어디요?"

"없습니다."

"형제자매들은 어디서 살지?"

"형제도 자매도 없습니다."

"여기에 누구 추천으로 오게 되었소?"

"제가 광고를 냈는데 페어팩스 부인이 답신을 주셨습니다."

"그렇답니다."

이제 우리가 어떤 얘기를 하는지 알아차린 그 선량한 부인이 덧붙였다.

"저는 이 선택으로 이끌어 주신 하늘의 뜻에 매일 감사하고 있어요. 에어 양은 저에게 다시없는 소중한 친구이자, 아델에게는 사려 깊고 상냥한 선생님이에요."

로체스터 씨가 대꾸했다.

"에어 양을 설명해 주느라 수고할 것 없소. 그런 소릴 듣는다고 해서 내 의견이 흔들리진 않아. 내가 직접 판단할 거요. 그녀는 내 말을 넘어뜨리는 일부터 시작했소."

“네?”

페어팩스 부인이 말했다.

“그녀 덕분에 발목을 삐었단 말이오.”

그 미망인은 어리둥절한 표정이었다.

“에어 양, 도회지에서 살아 본 적 있소?”

“아뇨.”

“사람들과 많이 어울려 봤나?”

“로우드의 학생들과 교사들이 전부입니다. 이제 손필드 사람들이 더해졌죠.”

“책은 많이 읽었소?”

“손에 잡히는 대로 읽었을 뿐입니다. 그리 많지도 않고 수준이 대단치도 않습니다.”

“수녀처럼 살아온 셈이군. 종교적으로는 훈련이 잘 돼 있겠어. 로우드를 관리하는 브로클허스트가 목사 아니요, 그렇지?”

“맞습니다.”

“당신 같은 여자애들이 그를 숭배했겠군. 수녀원 수녀들이 원장을 숭배하는 것처럼.”

“전혀 아니에요.”

“이런 냉담할 데가 있나! 아니라니! 애송이 수녀가 원장을 숭배하지 않다니! 꽤 불경스럽게 들리는걸.”

“저는 브로클허스트 씨를 싫어했어요. 저만 그런 게 아니었고요. 그는 가혹한 사람이었어요. 거만하고 사사건건 간섭을 했어요. 우리 머리를 잘라 버리고, 경비를 절약한다는 이유로 꿰매지도 못할 형편없는 실과 바늘을 사 왔어요.”

“아주 잘못된 절약이군요.”

다시 대화의 흐름을 파악한 페어팩스 부인이 말했다.

"그런 이유로 그를 싫어했던 건가?"

로체스터 씨가 캐물었다.

"위원회가 생기기 전, 식품 공급 부서를 그가 혼자 담당할 때 그는 학생들을 굶기다시피 했어요. 일주일에 한 번씩 장황한 설교로 우리를 지루하게 했고, 저녁에는 갑작스런 죽음과 심판에 대해 자신이 쓴 책을 읽게 해서 침대에 가는 것도 무섭게 만들었어요."

"몇 살 때 로우드에 갔소?"

"열 살 무렵이었어요."

"거기서 8년을 있었으면, 지금은 열여덟?"

그렇다고 대답했다.

"보다시피 산술은 꽤 쓸모가 있어. 그게 없었으면 당신 나이를 짐작도 못했겠지. 당신처럼 용모와 표정이 일치하지 않는 사람은 가늠하기가 어렵거든. 자, 로우드에서는 무얼 배웠소? 피아노를 칠 줄 아시오?"

"약간요."

"물론 그렇겠지. 흔히들 그렇게 대답하거든. 서재로 가시오. 아, 이건 부탁하는 거요(내가 명령조로 말하더라도 불쾌해하지 마시오. 이래라저래라 하는 데 익숙해서 말이오. 새로운 사람 하나 때문에 평소 습관을 바꿀 수는 없잖소). 그럼 서재로 가시오. 촛불도 가져가고 문을 열어두시오. 피아노 앞에 앉아 한 곡 쳐 보시오."

나는 그의 지시대로 서재로 출발했다.

"그만 됐소!"

잠시 뒤에 그가 소리쳤다.

"과연 약간 치는군. 영국의 여느 여학생들처럼 어쩌면 몇몇 사람보다 나을 순 있겠지만 뛰어난 건 아니야."

내가 피아노 뚜껑을 닫고 돌아왔을 때, 로체스터 씨가 말을 이었다.

"아델이 오늘 아침에 당신이 그린 거라면서 스케치를 몇 장 보여 주던데, 그게 전적으로 당신이 그린 작품일지 모르겠군. 아마 선생이 도와주지 않았을까?"

"아뇨, 천만에요!"

내가 불쑥 말했다.

"아! 자존심이 상한 모양이군. 화첩을 가져와 보시오. 그 내용물이 당신의 것이라고 맹세할 수 있다면. 확실한 게 아니면 함부로 맹세하지는 말고. 다른 사람이 땜질한 건 금방 알아볼 수 있거든."

"저는 아무 말도 않겠습니다. 나리가 직접 판단하세요."

내가 서재에서 화첩을 가져왔다.

"탁자를 가져오시오."

그가 말했다. 내가 그의 카우치 앞으로 탁자를 끌고 갔다. 아델과 페어팩스 부인이 그림을 보려고 다가왔다.

"몰려들지 말고, 내가 다 보면 가져가."

로체스터 씨가 말했다.

"나한테 얼굴 들이밀지 말고."

그는 일부러 찬찬히 스케치와 그림들을 살펴보았다. 석 장만 따로 놔두고 나머지는 살펴보고 나서 옆으로 치웠다. 그가 말했다.

"저걸 다른 탁자로 가져가서 아델과 같이 보시오, 페어팩스 부인. 당신은 (나를 흘깃 보며) 그 자리에 앉아 내 질문에 대답하시오. 이 그림들이 한 사람의 손으로 그려진 건 알겠소. 그 손이 당신 손인가?"

"네."

"그러면 언제 이걸 다 그렸지? 시간도 많이 걸리고 생각도 좀 해야 했을 텐데."

"로우드에서 보낸 마지막 두 번의 방학 때 그린 겁니다. 일이 없을 때요."

"어디서 베낀 거요?"

"제 머리에서 나온 겁니다."

"지금 당신 어깨 위에 얹혀 있는 그 머리에서?"

"네."

"그 안에 이런 종류의 다른 알맹이도 들어 있소?"

"들어 있을 거라고 생각합니다. 더 나은 거라면 좋겠죠."

그는 자기 앞에 그림들을 펼쳐 놓고, 다시 번갈아 가며 살펴보았다.

그가 열심히 집중하고 있는 동안에, 독자여, 나는 그게 어떤 그림들인지 설명해야겠다. 우선, 별로 대단치 않은 그림이라는 것을 일러두어야겠다. 사실 그림의 주제는 내 마음에 선명하게 떠오른 것들이었다. 그걸 구체화하려고 시도하기 전에, 마음의 눈으로 본 풍경은 굉장히 인상적이었다. 하지만 나의 손은 내 심상을 따라가지 못했고, 매번 내가 상상한 광경의 창백한 초상만을 만들어 내는 데 그쳤다.

석 장 모두 수채화였다. 첫 번째 것은 넘실거리는 바다 위에 낮게 떠 있는 잿빛 구름들을 표현한 그림이었다. 원경은 어두웠고, 전방의 경치도 마찬가지였다. 육지는 전혀 없으니까 제일 가까이 있는 파도라고 말해야겠다. 한 줄기 빛이 반쯤 물에 잠겨 있는 돛대를 두드러지게 드러냈고, 그 위에 물거품이 묻어 날개가 얼룩덜룩한 검고 커다란 가마우지가 앉아 있었다. 녀석은 보석이 알알이 박힌 황금 팔찌를 부리에 물고 있었는데, 나는 이 팔찌를 내 팔레트가 만들어 낼 수 있는 가장 화려한 색조로 칠하고 붓이 그려 낼 수 있는 가장 반짝이는 느낌으로 표현했다. 그 새와 돛대 아래에, 가라앉고 있는 익사체가 초록빛 물 사이로 언뜻 보였다. 거기서 유일하게 명확히 볼 수 있는 것은 팔찌가 저절로 빠진 건지 억지로 빼낸 건지 알 수 없는 허연 팔뚝 하나뿐이었다.

두 번째 그림의 전경은 어스레한 언덕 봉우리에 풀과 나뭇잎 들이 바람 맞은 듯이 기울어져 있는 모습이었다. 그 너머 위쪽에 해 질 무렵의 암청색 하늘이 광활하게 펼쳐져 있었다. 하늘로 떠오르는 것은 여자의 상반신이었고, 나는 그것을 가장 어둑하고 부드러운 색조로 묘사했다. 그녀의 흐릿한 이마에 별 하나가 얹혀 있었다. 얼굴 아래 윤곽은 자욱한 증기에 싸인 듯이 보였다. 검은 눈이 거칠게 빛을 발했다. 머리는 폭풍이나 전류에 찢긴 먹구름처럼 어둡게 흘러내렸다. 목덜미에 달빛처럼 뿌연 빛이 걸려 있었다. 똑같이 희미한 광채를 머금고 있는 엷은 구름의 행렬 사이로 초저녁 샛별이 올라와 고개를 숙였다.

세 번째 그림은 북극의 겨울 하늘을 뚫고 올라간 뾰족한 빙산 봉우리였다. 지평선을 따라 북극광의 흐릿한 빛줄기들이 빽빽하게 창을 꽂아 놓은 듯 버티고 서 있었다. 이 빛들을 배경으로 전경에 머리 하나가 올라왔다. 빙산 쪽으로 비스듬히 기울어져 기대고 있는 거대한 머리, 야윈 두 손을 머리 뒤로 엮어 머리를 받치고 얼굴 아랫부분에 검은 베일을 끌어 올렸다. 핏기 하나 없이 백골처럼 창백한 이마와 생기 없는 절망을 제외하고 아무 의미 없이 퀭하게 고정되어 있는 눈만이 내다보였다. 관자놀이 위에, 구름처럼 자욱하고 희미한 검정색 터번의 주름 사이에, 이글이글 번뜩이는 불꽃들로 장식한 하얀 화염의 고리가 반짝였다. 이 창백한 초승달은 왕관의 닮은꼴이었다. 그것은 '형체 없는 형체'에게 관을 씌워 주었다.

"이런 그림을 그릴 때 당신은 행복했소?"

이윽고 로체스터 씨가 물었다.

"열중해 있었어요. 네, 그리고 행복했어요. 그림을 그리는 건 제가 아는 가장 강렬한 즐거움 중의 하나였어요."

"그래 봤자 별거 아니겠지. 당신 얘기를 들어 보면 즐거움이랄 게 거의 없었으니까. 하지만 이런 기묘한 색을 섞고 칠하는 동안에 아마 화가의 꿈나라 같은 데 있었을 거야. 매일 오랜 시간을 앉아 있었나?"

"다른 할 일이 없었어요. 방학이었으니까요, 아침부터 점심때까지, 점심때부터 밤까지 앉아 있었죠. 한여름이라 낮이 길어서 전념하기 좋았어요."

"그리고 그 열렬한 노동의 결과에 스스로 만족했나?"

"만족은커녕 내 생각과 결과물이 너무 차이가 나 괴로웠어요. 매번 상상한 것을 그대로 그려 낼 능력이 저에게는 없었어요."

"아주 없었던 건 아니오. 상상한 것의 그림자는 그려 냈소. 아마 그 이상은 아니겠지만. 그걸 구체적으로 표현해 낼 화가로서의 기술과 지식이 충분치 못했던 거지. 하지만 여학생이 그린 것치고 그림들이 꽤 독특해. 생각도 요정 같고. 샛별에 있는 이런 눈은 틀림없이 꿈에서 본 것일 텐데, 어떻게 이렇게 선명해 보이면서도 전혀 빛나지 않게 보일 수 있지? 위에 있는 별이 빛을 억눌러서 그런 것 같아. 그 눈의 엄숙한 깊이에는 어떤 의미가 있지? 바람을 그리는 건 누구에게 배웠나? 저기 하늘에, 여기 언덕 위에도 강한 돌풍이 불고 있어. 라트모스 산(그리스 신화에 나오는 소아시아의 산 _옮긴이)을 어디서 봤지? 이건 바로 라트모스 산이거든……. 자, 그림을 치우시오!"

내가 화첩의 끈을 묶자, 그가 자기 시계를 쳐다보며 불쑥 말했다.

"9시군. 에어 양, 아델을 이렇게 늦게까지 재우지 않는 건 뭐요? 아이를 데려가 재우시오."

아델이 방을 떠나기 전에 그에게 키스하러 갔다. 그는 그 키스를 견뎌 냈지만, 파일럿이 그랬더라도 그보다는 기꺼워했을 것이다.

"이제 모두 잘들 주무시오."

우리와 같이 있는 것이 피곤하니 물러가라는 듯, 그가 문 쪽으로 손짓하며 말했다. 페어팩스 부인이 뜨개질감을 접었다. 나는 화첩을 집어 들었다. 우리는 그에게 예를 갖추었고, 그 역시 딱딱한 고갯짓으로 인사를 대신했다.

"로체스터 씨가 그리 특이하지 않다고 말씀하셨잖아요, 페어팩스 부인."

아델을 재우고는 그녀의 방으로 들어가서 내가 말했다.

"글쎄요, 그분이 특이한가요?"

"제가 보기에는 그래요. 아주 변덕스럽고 퉁명스러워요."

"그래요. 틀림없이, 처음 보는 사람에게는 그렇게 보일 수도 있겠어요. 하지만 그런 태도에 익숙해져서 그런지 나는 그런 생각이 안 들어요. 그리고 그분 성격이 좀 독특하더라도 이해를 해 드려야 해요."

"왜요?"

"타고난 성품이 그렇기도 하고……, 천성은 누구도 어쩔 수 없는 거잖아요. 또 심적인 고통이 분명 그분의 마음을 괴롭히고 영혼을 불안정하게 하는 걸 거예요."

"어떤 고통인데요?"

"가족에 관련된 그런 게 있어요."

"그분은 가족이 없잖아요."

"지금은 없지만, 전에는 있었어요. 아니, 적어도 핏줄은 있었죠. 몇 년 전에 형님이 돌아가셨어요."

"그분의 형님이오?"

"그래요. 지금의 로체스터 씨가 재산을 상속받은 건 얼마 안 됐답니다. 겨우 9년쯤 됐죠."

"9년이라면 웬만큼 치유가 됐을 텐데요. 아직도 형님을 잃은 슬픔을 달래지 못할 정도로 형님을 좋아했나요?"

"어머, 아니에요. 아마 그런 건 아닐 거예요. 두 분 사이에 오해가 좀 있었던 것 같아요. 로랜드 로체스터 씨가 에드워드 씨에게 공정하지 않으셨어요. 아버지에게 동생에 대한 편견을 심은 것 같기도 하고요. 그 노신사는 돈을 몹시 좋아하셨고, 가문의 영지를 고스란히 유지하고 싶어 하셨어요. 영지를 나누면 작아지니까 그걸 마땅치 않아 하셨던 반면에, 에드워드 씨도 가문의 이름에 걸맞은 부자가 되기를 바라셨죠. 나리가 성년이 된 직후에, 매우 부당하고 대단히 해악을 끼치는 어떤 일들이 진행됐어요. 부친과 로랜드 씨가 에드워드 씨를 부자로 만들려고 그분이 고통스러워하는 그런 상황으로 몰아넣으신 거예요. 그게 정확히 어떤 상황인지는 잘 모르지만, 그로 인한 고통을 참기 힘들었던가 봐요. 나리는 그리 마음이 넓으신 분이 아니에요. 가족과 인연을 끊고, 수년째 방황하며 살아오셨어요. 형님이 유언장 없이 돌아가셔서 이 영지의 주인이 되신 뒤로도 2주일 이상 손필드에 머무른 적이 없었답니다. 사실 나리가 이 옛집을 멀리하는 것도 당연해요."

"왜 여길 멀리해야 하는데요?"

"아마 음침하다고 생각하시는 게 아닐까요."

모호한 대답이었다. 나는 좀 더 명확한 답변을 듣고 싶었다. 하지만 페어팩스 부인은 로체스터 씨가 겪은 고난의 원인과 성격에 대해 더 분명하게 말해 줄 수 없거나 아니면 말해 주고 싶지 않은 모양이었다. 그녀는 자신도 잘 모르는 일이며, 대부분은 짐작으로 알 뿐이라고 말했다. 어쨌든 그녀가 이 이야기를 계속하고 싶어 하지 않는 게 분명했으므로, 나는 더 묻지 않았다.

제14장

그 후 며칠 동안은 로체스터 씨를 거의 보지 못했다. 아침에는 할 일이 아주 많은 듯했고, 오후에는 밀코트나 이웃 동네에서 신사들이 찾아와 만찬을 같이하기도 했다. 승마를 해도 될 만큼 상처가 회복되자, 그는 자주 말을 타고 나갔다. 전에 찾아온 이들에게 답례 방문을 하는지 대개는 밤늦은 시간까지 돌아오지 않았다.

이 기간 동안에는 아델도 그의 앞에 불려 가는 일이 거의 없었다. 내가 그를 보는 경우는 이따금씩 현관홀이나 계단이나 아니면 복도에서 우연히 마주칠 때뿐이었는데, 그럴 때면 그는 쌀쌀맞게 고개를 까닥이거나 싸늘한 시선으로 겨우 알은체를 하고는 오만하고 차갑게 나를 지나쳐 갔고, 또 어쩔 때는 신사답게 상냥한 미소를 지으며 고개를 숙여 보이기도 했다. 그의 기분 변화가 나와 아무 관계가 없다는 걸 알았기 때문에, 나는 그의 변덕에 별로 신경 쓰지 않았다. 나와는 전혀 상관없는 이유가 그의 기분을 오락가락하게 만드는 것이니까.

하루는 그가 손님들과 같이 식사를 하다가, 손님들에게 보여 주려는 모양인지 나의 화첩을 가져오라고 사람을 보냈다. 페어팩스 부인은 그 손님들이 밀코트에서 열리는 공적인 모임에 참석하려고 일찌감치 떠났다고 나에게 알려 주었다. 하지만 비바람이 몰아치는 밤이라서 로체스터 씨는 그들과 같이 출발하지 않았다. 손님들이 떠나자 그가 종을 울렸다. 나와 아델에게 아래층으로 내려오라는 전갈이 왔다. 나는 아델의 머리를 빗기고 단정하게 차려 주고 나서 나 역시 평소와 마찬가지로 말쑥한 퀘이커 교도 차림임을 확인하고—땋은 머리를 비롯해서 모든 게 잘 맞고 무난해서 흐트러질 여지가 없었다—아래층으로 내려갔다. 아델은 드디어 '작은 상자'가 온 게 아닐까 궁금해했다. 무슨 착오가 일어나서 그게 지금까지 도착하지 않았기 때문이다. 아델의 기대는 곧 충족되었다. 우리가 식당에 들어갔을 때 탁자 위에는 작은 상자가 놓여 있었던 것이다. 아이는 본능적으로 그걸 알아차린 듯했다.

"Ma boîte! ma boîte(내 상자! 내 상자)!"

아델이 소리치며, 그것을 향해 달려갔다.

"그래, 드디어 네 상자가 왔다. 파리의 꼬마야, 구석으로 가져가 내장을 꺼내며 놀아라."

난롯가의 커다란 안락의자에서 로체스터 씨의 깊은 목소리가 다소 냉소적으로 흘러나왔다. 그가 말을 이었다.

"하지만 명심해라. 해부 절차나 내장의 상태에 대해 일일이 나한테 알려 줄 필요는 없어. 조용히 하란 말이다. tlenstoi tranquille, enfant, comprends-tu(조용히, 꼬마야, 알았냐)?"

아델에게는 굳이 이런 경고가 필요하지 않은 듯했다. 이미 자기 보물을 소파로 가져가서 뚜껑에 묶인 끈을 푸느라 정신이 없었기 때문이다. 끈을 풀어내고 은색의 얇은 포장지를 들어 올리더니 아이가 탄성을 질렀다.

"Oh ciel! Que c'est beau(어머나! 예뻐라)!"

그러고는 홀린 듯이 바라보았다.

"에어 양, 거기 있나?"

이제 그가 의자에서 반쯤 일어나, 내가 서 있는 문 쪽을 돌아보며 다그쳤다.

"아, 그래. 이리 오시오. 여기 앉으시오."

그가 자기 자리 가까이로 의자를 끌어당겼다.

"난 아이들이 재잘거리는 걸 좋아하지 않소. 나이 든 독신남이라서 그런지 그 혀 짧은 소리가 영 유쾌하게 들리지 않는단 말이야. 저녁 내내 꼬마 녀석과 'téte-à tête(마주 앉아)' 있는 건 견딜 수가 없지. 의자를 멀리 가져가지 마시오, 에어 양. 내가 놔둔 그 자리에 앉으시오. 아…… 부탁한다는 뜻이오. 빌어먹을 예의! 그걸 자꾸 잊어버린단 말이야. 얼빠진 노부인 흉내를 내는 것도 아니고. 아참, 그러고 보니 이 집에 있는 노부인을 생각해야겠군. 그녀를 소홀히 하면 안 되지. 그녀는 페어팩스, 아니 페어팩스와 결혼한 사람이잖아. 피는 물보다 진하다던데."

그가 종을 울려 페어팩스 부인을 데려오라고 했고, 그녀가 곧 뜨개질 바구니를 들고 도착했다.

"잘 오셨소, 마담. 자선을 좀 부탁드리려고 오시라 했소. 나한테 선물에 대해 얘기하지 말라고 아델에게 일러 놨는데, 지금 저 아이는 얘기하고 싶어 죽을 지경인 것 같소. 부디 저 아이의 얘기를 들어 주고 대화 상대도 돼 주시오. 그렇게 해 준다면 더없이 자비로운 행동이 될 거요."

실제로 아델은 페어팩스 부인을 보자마자, 그녀를 소파로 불러들이더니 자신의 상자에서 도자기, 상아, 밀랍으로 된 것들을 줄줄이 꺼내 무릎에 펼쳐 놓았다. 그동안에 그녀의 입에서는 엉터리 영어로 기쁨과 설명이 쏟아져 나오고 있었다. 로체스터 씨가 말했다.

"이제야 착실하게 주인 역할을 마쳤군. 손님들을 서로 즐기게 해 주었으니 나도 내 즐거움을 추구할 자유가 있어야지. 에어 양, 의자를 좀 더 앞으로 끌어오시오. 아직 너무 뒤쪽에 있잖소. 당신을 보려면 이 편안한 의자에서 내 자세를 바꿔야 하는데, 난 그렇게 할 생각이 전혀 없거든."

나는 어두운 곳에 남아 있는 편이 더 좋았지만, 그가 시키는 대로 했다. 로체스터 씨는 직접적으로 명령을 내리는 사람이었고, 즉시 순종하는 게 당연한 일 같았다.

앞서 얘기한 대로 우리는 식당에 있었다. 만찬을 위해 켜 놓은 불빛이 빛의 축제를 벌이듯 방 안을 가득 채웠다. 벽난로의 불길이 온통 빨갛고 선명하게 타올랐다. 높은 창문과 더 높은 아치 앞에 호화롭고 풍성하게 보라색 커튼들이 늘어져 있었다. 아델의 숨죽인 속삭임과(그녀는 감히 큰 소리로 말하지 못했다) 그 사이사이에 유리창을 때리는 겨울비 소리를 제외하고는 모든 것이 고요했다.

다마스크 천이 덮인 의자에 앉아 있는 로체스터 씨는 전과 달라 보였다. 그리 험악해 보이지 않았다는 뜻이다. 그리고 훨씬 덜 음울해 보였다. 입술에는 미소가 머물렀고 눈은 반짝거렸다. 그게 와인 때문인지 아닌지는 확실치 않지만 와인 때문이었을 가능성이 크다고 생각한다. 간단히 말해서, 그는 식사 후의 느긋한 기분을 즐기고 있었다. 딱딱하고 냉랭한 아침 기분보다 더 너그럽고 상냥하고 거리낌 없는 기분. 그래도 불룩한 의자 등에 커다란 머리를 기대고, 화강암으로 깎은 듯한 얼굴과 그 크고 검은 눈에 불빛을 받아들이고 있는 모습은 대단히 무시무시해 보였다. 그의 눈은 크고 검고, 또 아주 근사했다. 때때로 그 깊은 눈동자에서 부드러움까지는 아니더라도, 그 비슷한 느낌을 연상시키는 변화가 일기도 했다.

그는 2분 정도 불길을 바라보았고 나는 그동안 그를 바라보고 있었다. 자신의 얼굴을 빤히 쳐다보는 내 눈길을 알아차린 듯 갑자기 그가 고개를 돌려 말했다.

"나를 살펴보고 있군, 에어 양. 내가 잘생겼다고 생각하나?"

내가 좀 더 신중했더라면 이런 질문에 대해 전통적으로 이어지는 애매하고 정중한 대답을 했을 테지만, 나도 모르는 사이에 입에서 다른 대답이 튀어나왔다.

"아뇨."

그가 말했다.

"하! 이것 참! 하여튼 특이한 데가 있어. 당신에게는 어린 수녀 같은 분위기가 숨어 있소. 두 손을 앞으로 모으고 앉아 양탄자로 눈을 내리고 있을 때면(아참, 그 눈이 꿰뚫을 듯이 내 얼굴로 향해 있을 때는 제외해야지, 예를 들면 바로 지금처럼), 예스럽고 조용하고 엄숙하고 단순해 보여. 그런데 누가 질문을 하거나, 꼭 대답해야 할 말을 건네기라도 하면, 거칠다고까지는 할 수 없어도 퉁명스럽고 거침없이 대답을 해 버린단 말이지. 그건 어떤 의미지?"

"제가 너무 솔직했어요. 사과드립니다. 외모에 대한 질문은 즉석에서 대답하기 쉽지 않다거나, 사람마다 취향이 다르다거나, 잘생기고 못생긴 건 중요하지 않다거나 그런 식으로 대답했어야 했습니다."

"그렇게 대답하면 안 되지. 사실은 외모가 중요하지 않다니! 좀 전의 모욕을 얼버무리고, 나를 어르고 달래는 척하면서, 내 귀 아래에 교활한 칼을 찌르는군! 계속해 보시오. 부디, 나에게 어떤 결함이 보이는지 말해 주겠소? 내가 생각하기에는 여느 남자들처럼 사지 멀쩡하고 이목구비도 제대로 갖춘 것 같은데?"

"로체스터 씨, 처음에 한 대답은 취소할게요. 신랄한 대답을 하려던 게 아니었어요. 그냥 말이 잘못 나온 거예요."

"그렇겠지. 나도 그렇게 생각해. 그래도 말에 대한 책임은 져야지. 나를 비판해 보시오. 내 이마가 마음에 안 드나?"

그는 눈썹 위에 가로놓인 검은 곱슬머리를 들어 올려, 지성적인 면은 충분하지만 관대하고 부드러운 느낌이 매우 부족한 단단한 이마를 드러냈다.

"자, 내가 멍청해 보이나?"

"전혀 그렇지 않아요. 혹시 박애주의자이신지 여쭤 본다면 저를 무례하게 여기실까요?"

"또! 또 내 이마를 토닥이는 체하면서 칼을 찌르는군. 그리고 그건 내가 아이와 늙은 여자와 어울리는 걸 좋아하지 않는다고 말했기 때문일 거야(이건 작게 얘기해야지). 아니, 나는 박애주의자라고 할 수는 없소. 하지만 양심은 있어."

그러고는 흔히 양심적인 성격을 나타낸다고 하는 이마의 불룩한 부분을 가리켰고, 다행스럽게도 그 부분은 아주 눈에 잘 띄었다. 사실 그의 이마 위쪽은 두드러지게 넓은 편이었다.

"뿐만 아니라, 나도 한때는 투박하고 부드러운 마음을 지닌 적이 있었소. 당신만 한 나이였을 때는 제법 감정이 풍부한 친구였지. 어리고 의지할 데 없고 불운한 이들을 동정할 줄 아는 사람이었소. 하지만 그 후 운명은 나를 학대했어. 운명의 손이 나를 하도 주물럭거려서 이제는 고무공처럼 질기고 단단해진 내가 대견스러울 정도야. 여전히 한두 군데 틈이 벌어져 있어서 감각을 느끼는 지점이 있기는 하지만. 그래, 그게 나에게 희망을 줄 것 같은가?"

"무슨 희망요?"

"고무공에서 다시 인간으로 돌아가는 나의 마지막 변혁의 희망이랄까?"

'와인을 너무 많이 드셨나 봐.' 하고 나는 생각했다. 그 괴상한 질문에 어떻게 대답해야 할지 갈피를 잡을 수 없었다. 그가 변할 수 있을지 없을지 내가 어떻게 알겠는가?

"몹시 당황스러운 모양이군요, 에어 양. 내가 잘생기지 않은 것처럼 당신도 그리 예쁘지는 않지만 당황하는 분위기는 어울리는군. 게다가 그 관찰하는 시선을 내 얼굴에서 떨어뜨려 러그의 털꽃들 위를 바쁘게 돌아다니게 하니, 편리한 면도 있어. 그러니 계속 궁리하시오. 나는 오늘 밤 사교적으로 대화를 나누고픈 기분이오."

이 말을 하면서 그는 의자에서 일어나 대리석 벽난로 선반에 팔을 기대고 섰다. 그 자세를 취하자 그의 얼굴뿐 아니라 몸도 확연하게 드러났다. 보기 드물게 넓은 가슴은 팔다리 길이에 어울리지 않을 지경이었다. 대부분의 사람들은 그를 못생겼다고 생각할 것이다. 하지만 그의 행동거지에는 무의식적인 자신감이 배어 있었다. 그의 태도는 여유로웠고, 자신의 외모에 대해 철저히 무관심한 표정이었다. 본래의 것이건 후천적인 것이건, 외적인 매력의 결핍을 보상하는 자신의 다른 자질들을 오만하다 싶을 정도로 굳게 믿고 있어서, 그를 바라보는 사람도 부지불식중에 그런 초연한 태도에 감화되어 맹목적이고 불완전한 감각이라 할지라도 그 자신감을 신뢰하게 만들 것 같았다. 그가 다시 입을 열었다.

"오늘 밤에는 사교적으로 대화를 나누고픈 기분이오. 그래서 당신을 부른 거요. 불길과 샹들리에로는 만족이 되지 않더군. 파일럿도 마찬가지요. 어느 것 하나 말을 못하니까. 아델은 그나마 낫지만, 그래도 기준에 한참 못 미치지. 페어팩스 부인도 마찬가지고. 당신은 당신이 그럴 마음만 있다면 내 말상대가 될 수 있을 것 같더군. 처음 당신을 여기로 불러들인 날, 당신은 날 당황하게 했어. 그 후로는 거의 당신을 잊고 있었어. 다른 생각들이 내 머리에서 당신을 몰아냈지. 하지만 오늘 밤에는 느긋해질 생각이오. 귀찮은 것들을 다 쫓아내고 즐거움을 찾을 생각이오. 지금은 당신에게 마음대로 지껄이게 하고……, 당신에 대해 알아보는 게 즐거워. 그러니 말해 보시오."

말 대신 나는 미소를 지었다. 그리 상냥하고 고분고분한 미소는 아니었다.

"얘기하시오."

그가 재촉했다.

"무슨 얘기를요?"

"하고 싶은 건 뭐든지. 어떤 주제를 택하든, 어떤 식으로 말하든 온전히 당신에게 맡겨 두겠소."

나는 아무 말 없이 앉아 있었다. '내가 쓸데없이 주절거리고 과시하기를 기대하시는 거라면, 사람을 잘못 골랐다는 걸 알게 될 거예요.' 하고 나는 생각했다.

"벙어리가 되셨군, 에어 양."

나는 계속 입을 열지 않았다. 그가 살짝 내 쪽으로 고개를 기울이며, 순간적으로 내 눈을 들여다보며 말했다.

"고집인가? 짜증도 좀 났군. 아, 그럴 만도 하지. 내가 터무니없이 오만하게 내 요구만 했으니까. 에어 양, 용서하시오. 사실 나는 절대 당신을 아랫사람처럼 다루고 싶지 않소. 말하자면(자신의 뜻을 정확히 하며), 20년의 나이 차와 한 세기쯤 차이 나는 경험의 우위를 주장할 뿐이오. 이 정도는 정당할 거요. 아델의 말마따나 et j'y tiens(난 확실하게 믿어). 그리고 오로지 그 우위 하나만으로 도대체 한 지점에서 떨어지지 않고 나를 미치게 하는, 녹슨 못처럼 부식되어 가는 내 생각들을 전환하고 싶을 뿐이오. 당신이 들려주는 약간의 이야기를 들으면서 말이오."

그는 일부러 해명을 했다. 거의 사과에 가까운 해명이었다. 나는 그의 겸손한 태도를 무심하게 받아들이지 않았고, 그렇게 보이고 싶지도 않았다.

"제가 할 수 있다면 기꺼이 나리를 즐겁게 해 드리겠어요. 아주 기꺼이요. 하지만 나리가 어떤 주제를 흥미로워하실지 모르니, 무슨 이야기를 꺼내야 할지 모르겠군요. 저에게 질문을 하시면 최선을 다해 답해 드릴게요."

"그럼 우선, 방금 전과 같은 이유로, 그러니까 내가 당신 아버지뻘이 될 정도로 나이가 많고, 당신이 한곳에서 똑같은 사람들과 조용히 사는 동안에 내가 여러 나라의 많은 사람들과 다양한 경험을 거쳐 왔고, 지구의 반을 헤매 다녔다는 이유로, 약간 거만하고 퉁명스럽고, 때로는 다소 까다롭게 굴어도 된다는 데 동의하겠소?"

"좋으실 대로 하세요."

"그건 대답이 아니오. 아니 대단히 애매모호해서 약이 오를 정도인걸. 확실하게 대답하시오."

"나리가 저보다 나이가 많거나 더 많은 세상을 보았다는 이유로, 저에게 명령할 권리가 있다고는 생각지 않습니다. 그 시간과 경험을 어떻게 사용했느냐에 따라 우위가 결정되겠지요."

"흠! 영리한 대답이군. 하지만 내 경우에는 맞지 않으니 용인하지 않겠소. 내가 이 두 가지 장점을 악용했다고까지는 할 수 없어도, 별 의미 없이 사용한 건 사실이니까. 그러면 우위에 대해서는 문제 삼지 않기로 하지. 그래도 내가 가끔 명령을 하더라도 당신이 내 명령조의 말투에 발끈하거나 상처받지 않겠다고 동의해야 돼. 동의하겠지?"

나는 미소 지었다. 속으로, 로체스터 씨가 특이한 사람이라고 생각했다. 그는 자신이 명령할 수 있는 대가로 나에게 연 30파운드씩 지불하고 있다는 사실을 잊은 듯했다. 스쳐 지나가는 그 표정을 바로 알아차리며 그가 말했다.

"그 미소는 아주 좋아. 하지만 말도 하시오."

“급료를 받는 고용인에게, 명령을 받아 화나고 기분 상하냐고 물어보는 주인은 아마도 거의 없을 거라고 생각하고 있었어요.”

“급료를 받는 고용인! 그래, 당신은 내 고용인이야, 그렇지? 맞아, 그걸 깜빡했군! 그럼 급료를 받는 입장에서 내가 약간 을러대도 괜찮다고 동의하겠나?”

“아뇨, 그 이유로는 아니에요. 하지만 나리가 그 점을 잊으셨고, 고용인이 나리의 밑에서 편안한지 불편한지에 관심을 가졌다는 면에서 진심으로 동의합니다.”

“그리고 여러 전통적인 형식과 어투를 생략하더라도 무례한 것으로 받아들이지 않겠다는 데 동의하나?”

“격식이 없는 것과 무례함을 착각하면 안 된다고 생각합니다. 한쪽은 제가 좋아하는 것이나, 다른 한쪽은 자유인으로 태어난 자라면, 설령 급료 때문이라 하더라도 복종하지 않을 것이지요.”

“제기랄! 자유인으로 태어난 자들도 대부분은 급료를 위해서라면 무엇에든 복종할 거요. 그러니 그런 건 속으로 묻어 두고 당신이 전혀 모르는 일에 일반론을 내걸지 마시오. 하지만 비록 부정확하긴 해도 나는 당신의 대답에 정신적으로 당신과 악수를 나누는 바요. 말의 내용뿐 아니라 말하는 태도에 대해서도 솔직하고 진솔한 태도였소. 그런 태도는 자주 보기 힘들지. 아니, 반대로 허식이나 냉담함, 어리석고 천박한 오해가 흔히 솔직함의 보상이 되지. 학교를 갓 나온 가정 교사 3천 명 중에서 방금 전 당신처럼 대답할 사람은 세 명도 채 안 될 거요. 하지만 당신을 치켜세우려는 건 아니오. 당신이 대다수의 사람들과 다르게 만들어졌다 해도, 그건 당신의 공이 아니야. 자연이 그렇게 만든 거지. 게다가 어차피 내가 너무 성급하게 결론 내리는 걸 수도 있어. 아직은 뭘 아는 게 아니니, 당신이 다른 이들보다 낫지 않을 수도 있어. 그 얼마 안 되는 장점들을 덮어 버릴 만큼 참을 수 없는 결점들을 가졌을 수도 있지."

'그건 나리도 마찬가지예요.' 하고 나는 생각했다. 그 생각이 내 마음을 스칠 때 내 눈이 그와 마주쳤다. 그가 내 시선을 읽었던 걸까? 그 생각이 말로 표현되기라도 한 듯 그가 대답했다.

"그래, 그래, 당신 말이 맞아. 나도 결점이 많은 사람이오. 그걸 모르는 게 아니고 변명하고 싶지도 않아. 하느님은 내가 다른 사람들에게 엄하게 굴 처지가 아니라는 것을 아시지. 나의 비난과 비웃음을 이웃이 아닌 나에게 돌려, 내 과거와 갖가지 행위와 삶의 색채들을 가슴 깊이 묵상해야 하오. 나는 스물한 살의 나이에 잘못된 길로 빠져들기 시작했소. 아니, 밀려 들어갔어(자기 의무에 태만한 다른 이들처럼 나도 얼마쯤은 불운과 해로운 환경을 원망하고 싶군). 그 후로 바른 길로 돌아오지 못하고 있소. 하지만 완전히 다른 길을 갈 수도 있었소. 당신처럼 착하고 좀 더 현명하고 오점 없이 살 수도 있었다는 얘기지. 당신이 가진 마음의 평화가, 깨끗한 양심이, 오염되지 않은 기억이 부럽소. 오염이나 얼룩 없는 기억은 틀림없이 절묘한 보물일 거야. 무궁무진하게 순수를 재생시키는 원천. 그렇지 않나?"

"열여덟 살 때의 기억은 어떠세요?"

"그때는 괜찮았지. 맑고 건전했어. 바닥에 괸 구정물이 그걸 악취 나는 웅덩이로 바꿔 놓거나 하지는 않았어. 내 나이 열여덟 때는 당신과 다르지 않았소. 꽤 비슷했지. 자연은 웬만하면 나를 좋은 놈으로 키워 낼 생각이었소, 에어 양. 더 나은 놈으로. 그런데 보다시피 나는 그렇지가 못하오. 당신은 나에게 그렇게 보이지 않는다고 말할 셈이군. 적어도 당신 눈에서 그런 느낌을 읽은 것 같아(말이 났으니 말인데, 그 눈으로 표현하는 것을 조심하시오. 나는 그런 걸 아주 민감하게 알아채거든). 이것만은 분명히 말할 수 있소. 나는 악한 사내가 아니오. 나를 악당으로 보지 마시오. 몹쓸 놈으로 생각지 말라는 말이오. 하지만 내가 굳게 믿기로는 타고난 성향보다는 환경 때문에, 돈 많고 가치 없는 놈들처럼 그 모든 한심하고 하찮은 방탕에 빠져 노닥거리는 흔해 빠진 보통 죄인이 되었지. 내가 당신에게 이런 고백을 하는 게 이상한가? 알아 두시오. 앞으로도 당신은 뜻하지 않게 지인들의 비밀 얘기를 자주 들어 주는 처지가 될 거요. 내가 그랬듯이, 사람들은 당신이 자기 얘기를 하는 것보다 남들 얘기를 들어 주는 쪽으로 더 뛰어나다는 것을 본능적으로 알게 될 거요. 또한 당신이 그들의 경솔한 행위를 악의적인 경멸이 아니라 진심으로 동정을 느끼며 들어 주는 것을 알게 될 것이오. 표현하지 않는다고 해서 위로와 격려가 되지 않는 것은 아니거든."

"그걸 어떻게 아세요? 그걸 어떻게 짐작할 수 있죠?"

"난 그런 걸 잘 알아. 그러니까 일기에 생각을 정리하듯 이렇게 기탄없이 말하는 게 아니겠나. 당신은 내가 환경에 굴복하지 말았어야 했다고 말하겠지. 그랬어야 했어…… 그랬어야 했지. 하지만 보다시피 나는 그러질 못했소. 운명이 나를 학대할 때 차분하고 지혜롭게 견뎌 내지 못했소. 나는 자포자기했소. 그리고 타락했지. 지금은 그 어떤 사악한 얼간이가 비열하고 상스러운 짓으로 나를 역겹게 하더라도, 내가 그보다 낫다고 자신할 수 없는 신세요. 내가 그놈과 다르지 않음을 고백할 수밖에 없소. 좀 더 꿋꿋하게 버텼어야 했는데 지금의 내 심정을 하느님은 아실 거요! 잘못된 길로 가고자 하는 유혹이 생기면 후회를 두려워하시오, 에어 양. 후회는 인생의 독이오."

"회개하면 치유가 된다고들 하죠."

"그건 치료책이 아니오. 사람이 완전히 바뀐다면 모를까. 나는 달라질 수 있소. 아직은…… 그럴 힘이 있소. 하지만 짐에 묶여 저주받고 방해받는 나 같은 사람이 그런 생각을 하는 게 무슨 소용이 있을까? 행복도 늘 예외 없이 나를 거부할 뿐이니, 이 인생에서 쾌락쯤은 얻을 권리가 있겠지. 무슨 수를 써서라도 쾌락을 찾아내겠어."

"그러면 더 타락하게 될 거예요."

"그럴 수도 있지. 하지만 달콤하고 신선한 쾌락을 취한다고 해서 꼭 타락하는 것일까? 황야의 야생 꿀벌이 그러하듯이 달콤하고 신선한 꿀을 얻을 수도 있지 않겠소."

"그 가시가 찌를 거예요. 쓴맛이 날 거예요."

"당신이 어떻게 알지? 맛을 본 적도 없잖아. 표정이 참으로 진지하고 심각하군. 당신은 이 카메오에 조각된 머리처럼 그런 문제에 대해 아무것도 몰라."

그는 벽난로 선반에서 카메오 하나를 집어 들었다.

"애송이 수녀 아가씨, 삶의 문을 지나 보지도 않고, 그 불가사의를 전혀 경험해 보지 않는 당신은 나에게 설교할 자격이 없소."

"저는 나리가 하신 말씀을 일깨워 드렸을 뿐이에요. 잘못을 저지르면 후회가 따르고, 후회는 삶의 독이라고 하셨잖아요."

"잘못이라니, 누가 그런 소리를 하나? 나는 내 머리에 스친 그 생각을 잘못으로 여기지 않소. 유혹이라기보다는 오히려 영감이지. 그건 아주 상냥하게 나를 달래 줘. 난 그걸 알아. 다시 그게 오는군! 장담하건대, 그건 악마가 아니오. 아니 악마라 해도 빛의 천사의 옷을 입은 악마야. 이렇게 아름다운 손님이 내 마음에 들어오겠다고 하면 당연히 맞아들여야지."

"그걸 믿지 마세요. 진짜 천사가 아니에요."

"이번에도 역시, 당신이 어떻게 알지? 지옥에 떨어진 천사와 영원한 권좌에서 보내온 사자를, 안내자와 유혹자의 차이를 어떤 본능으로 구별해 낸다는 거요?"

"나리의 표정을 보고 구별했어요. 심란한 표정이셨어요. 그게 다시 돌아온다고 말씀하실 때요. 그런 말에 귀를 기울이면 더 비참해지실 거라는 확신이 느껴져요."

"그렇지 않소. 그건 세상에서 가장 친절한 소식을 가져다주지. 당신이 내 양심을 지키는 파수꾼도 아니니 다른 것에 대해서는 괜하게 신경 쓸 것 없소. 자, 들어오시오, 아름다운 방랑자여."

그는 자신의 눈에만 보이는 환영에게 말하는 듯 이렇게 말을 했다. 그러고는 보이지 않는 존재를 포옹하듯이 팔을 반쯤 벌렸다가 가슴을 감싸 안고는 다시 말을 이었다.

"자! 나는 그 순례자를 맞아들였소. 그건 틀림없이 변장한 신일 거야. 벌써부터 나에게 이로운 일을 하는군. 내 마음은 납골당 같았으나 이제 신성소가 될 거요."

"솔직히, 저는 무슨 말씀인지 전혀 이해가 안 돼요. 제 이해 능력을 벗어나는 것이라서 이 대화를 계속할 수가 없겠어요. 다만 이거 하나만은 알아요. 나리는 자신이 선량하지 않다고 하셨고, 자신의 불완전함을 애석해하셨어요. 제가 이해할 수 있는 것은 이거 하나예요. 나리는 더럽혀진 기억이 영원한 맹독이 될 수 있다고 하셨죠. 제가 보기에 나리가 열심히 노력한다면 언젠가 스스로 기뻐할 수 있는 사람이 될 수 있을 것 같아요. 이날로부터 생각과 행동을 바꾸기 위해 단호하게 시작한다면 몇 년 후에 새로이 오점 없는 기억들, 즐거이 돌이켜 볼 수 있는 기억들이 쌓일 거예요."

"옳은 생각이야. 정확히 말했소, 에어 양. 이 순간에 나는 열심히 지옥의 길을 포장하고 있소."

"네?"

"부싯돌처럼 단단하리라 믿는 선의를 깔고 있는 중이오. 물론, 어울리는 자들이나 추구하는 일도 전과는 달라질 거요."

"더 나은 쪽인가요?"

"더 낫지. 순수한 광석이 더러운 불순물보다 나은 것만큼. 날 의심하는 모양이군. 하지만 나는 나를 의심하지 않소. 내 목적이 무언지, 나의 동기가 무언지 알고 있소. 이제 나는 메디아와 페르시아의 법령처럼 올바르고 변치 않는 법을 제정하겠소."

"정당성을 주장하기 위해 새로운 법이 필요하다면, 그건 옳은 게 아니에요."

"절대적으로 새로운 법이 필요하긴 하지만, 그건 옳은 것이오, 에어 양. 전에 없는 상황에서는 전에 없는 규칙들이 필요한 거요."

"위험한 격언처럼 들리는군요. 악용될 게 뻔하니까요."

"독선적인 현자로군! 그건 그렇소. 하지만 내 집안의 수호신을 걸고 악용하지 않을 것을 맹세하겠소."

"하지만 인간인 이상 오류를 범할 수 있어요."

"그래, 당신도 마찬가지야. 그래서 뭐가 어떻다는 거지?"

"오류를 범하기 쉬운 인간은 완벽한 신에게만 마음 놓고 맡길 수 있는 힘을 사사로이 남용하면 안 돼요."

"무슨 힘 말이오?"

"인정받지 못할 이상한 행동에 대해 '그것을 옳다고 하라.'고 말하는 힘 말이에요."

"'그것을 옳다고 하라.' 바로 그거야. 정확히 말해 줬어."

"그럼 아무쪼록 그것이 옳기를 바랍니다."

도무지 이해할 수 없는 대화를 계속하는 것이 쓸데없는 일이라 생각되어 나는 자리에서 일어섰다. 게다가 내 능력으로는 상대의 성격을 파악할 수 없을 것 같았다. 적어도 현재로서는 그랬다. 무지에 대한 자각과 함께 불확실함과 막연한 불안감이 동반되었다.

"어디 가는 거요?"

"아델을 재우려고요. 잠잘 시간이 지났어요."

"날 두려워하는군. 내가 스핑크스처럼 말해서."

"나리의 말씀은 수수께끼 같아요. 하지만 혼란스럽기는 해도 두렵지는 않습니다."

"당신은 두려워하고 있어. 당신의 자기애가 실수를 겁내고 있는 거야."

"그런 면으로 염려스럽기는 해요. 허튼소리를 늘어놓고 싶지 않거든요."

"당신은 허튼소리를 할 때도 대단히 진지하고 조용한 태도로 말할 테니, 나는 그걸 분별 있는 얘기로 오해할 거요. 당신은 절대 웃는 법이 없나, 에어 양? 대답할 거 없소. 당신이 좀처럼 웃지 않는다는 거 알아. 하지만 당신은 아주 명랑하게 웃을 수 있소. 내가 천성적으로 악하지 않은 것처럼 당신도 천성적으로 심각한 사람이 아니오. 아직 로우드의 속박이 당신에게 매달려 있을 뿐이지. 그게 당신의 표정을 통제하고, 목소리를 억누르고, 손발을 붙잡아 매고 있는 거요. 당신은 남자 앞에서—형제나 아버지나 주인이나 당신이 두려워하는 존재가 있을 때—쾌활하게 미소 짓고, 자유롭게 말하고, 재빠르게 움직이는 것을 불편해하지. 하지만 때가 되면 내가 당신에게 관습적으로 대하지 못하는 것처럼, 당신도 내 앞에서 자연스러워질 수 있으리라 생각하오. 당신의 표정과 움직임도 지금보다 한결 쾌활하고 다양해질 거요. 촘촘한 새장의 창살 사이로 흘끔흘끔 밖을 내다보는 호기심 어린 새 같은 모습이 가끔 보이거든. 활발하고 불안정하고 결연한 자질이 그 안에 붙잡혀 있소. 그게 자유로워지기만 하면 구름 높이 비상할 거요. 당신은 여전히 자리를 뜰 생각뿐이군."

"9시가 다 됐어요."

"상관없어, 좀 더 있어요. 아델은 아직 자러 갈 상태가 아니오. 에어 양, 내가 난로를 등지고 방 쪽을 바라보고 있어서 관찰하기가 수월하다오. 당신과 얘기하는 동안에 가끔 아델을 지켜봤소(내가 그 아이를 흥미로운 연구 대상으로 생각하는 나름의 이유가 있소. 언젠가 당신에게도 그 이유를 얘기해 줄 날이 있겠지. 꼭 얘기해 주겠소). 10분쯤 전에, 아델은 상자에서 조그만 분홍색 비단 옷을 꺼냈소. 그걸 펼치면서 얼굴에는 기쁨이 가득 찼지. 아델의 피에는 교태가 흘러. 그게 두뇌와 섞여 골수까지 스며들어 있소. 'Il faut que je l'essaie! et à l'instant même(입어 볼래! 지금 당장)!' 이렇게 소리치고는 방에서 달려 나갔소. 지금 소피가 옷을 입혀 주는 중일 거요. 잠시 후에 돌아오겠지. 어떤 광경이 펼쳐질지 잘 알아. 막이 오를 때 무대에 등장하던 셀린 바랭의 축소판이겠지. 그건 상관없어. 하지만 내 마음의 아주 여린 감정은 충격을 받을 거요. 내 예감이 그래. 여기 남아서 그게 맞을지 두고 보시오."

오래지 않아 현관홀을 달려오는 아델의 작은 발소리가 들렸다. 로체스터 씨의 예상대로 아이는 달라진 모습으로 들어왔다. 아까 입고 있던 갈색 옷 대신 치마에 잔뜩 주름을 잡은 짧은 장밋빛 공단 드레스를 입고 있었다. 이마에는 장미꽃 봉오리 화환을 쓰고, 비단 스타킹과 하얀색의 작은 공단 샌들을 신고 있었다. 아이가 앞으로 뛰어오며 소리쳤다.

"Est-ce que ma robe va bien(이 옷 잘 어울려요)? et mes souliers? et mes brás? Tenez, je crois que je vais danser(신발은 어때요? 양말은 어울려요? 제가 춤을 춰 볼까요)?"

아이가 드레스를 펼치고 미끄러지듯이 빠르게 방을 가로질렀다. 로체스터 씨 앞으로 다가가 그 앞에서 발끝으로 가볍게 한 바퀴 돌고, 그 발치에 한쪽 무릎을 꿇고 앉으며 소리쳤다.

"Monsieur, je vour remercie mille fois de votre bonté(친절을 베풀어 주셔서 너무너무 고맙습니다)."

그러고는 일어서며 덧붙였다.

"C'est comme cela que maman faisait, n'est-ce pas, monsieur(엄마가 이렇게 하셨죠, 네)?"

그가 대답했다.

"똑-같-구-나! 그렇게 해서 나의 영국제 바지 주머니에서 금화를 꾀어냈지. 나는 풋내기였소, 에어 양. 그래…… 새파란 풋내기였어. 지금 당신을 싱싱하게 해 주는 봄은 왕년에 나를 싱싱하게 해 주던 봄의 색채만 못해. 하지만 나의 봄은 가 버렸소. 내 손에 저 작은 프랑스 꽃을 남기고. 기분이 언짢을 때는 버리고 싶어지지. 지금은 그 꽃을 피워 낸 뿌리를 가치 있게 여기지 않거든. 거름으로 금가루만 줘야 한다는 것을 알고 나니 별로 정이 안 가. 특히 지금처럼 일부러 꾸미는 것처럼 보일 때는 크건 작건 하나의 선한 행실로 수많은 죄를 보상한다는 로마 가톨릭의 원칙에 따라 저 꽃을 보호하고 키우는 거요. 언젠가 자세히 설명해 주리다. 잘 자요."

제15장

후에 로체스터 씨는 그 일에 대해 설명해 주었다.

어느 날 오후, 그가 우연히 나와 아델을 정원에서 만났을 때였다. 아이가 파일럿과 셔틀콕을 가지고 노는 동안, 그는 나에게 아델의 모습이 보이는 긴 너도밤나무 길을 걷자고 했다.

그때 그는 아델이 자신이 한때 대단한 정열을 품었던 프랑스의 오페라 무희 셀린 바랭의 딸이라고 말했다. 셀린은 더욱 열렬한 정열로 보답하는 체했다. 그는 자신이 그녀의 우상인 줄 알았다나. 못생기긴 했지만 그는 그녀가 아폴론의 우아함보다 그의 늠름한 체격을 더 좋아한다고 믿었단다.

"에어 양, 프랑스의 요정이 영국의 못생긴 난쟁이를 좋아해 주자, 나는 기분이 우쭐해져서 그녀에게 호텔을 잡아 주었소. 하인, 마차, 캐시미어, 다이아몬드, 값비싼 레이스 등을 완벽하게 갖춰 주었지. 간단히 말하면 여자한테 사족을 못 쓰는 얼간이들이 걷는 파멸의 과정을 그대로 답습했던 거요. 새로운 길을 개척하는 독창성도 없이, 남들이 다 아는 길에서 한 치도 어긋나지 않게 아주 정확하고 어리석게 그 오래된 길을 밟았던 거요. 그런 꼴을 당해도 싸지. 그리고 다른 얼간이들과 똑같은 운명에 처했소. 어느 날 밤에 우연히 예고 없이 셀린을 찾아갔는데 그녀가 외출하고 없더군. 무더운 밤이었고, 파리 거리를 돌아다니느라 피곤해서 나는 그녀의 침실에 앉아 있었소. 바로 얼마 전까지 그녀로 인해 신성해진 공기를 행복하게 들이쉬면서. 아니, 그건 과장이군. 그녀에게 신성한 미덕 같은 게 있다고 생각해 본 적은 없소. 그건 거룩한 냄새라기보다 그녀가 남기고 간 사향과 용연향 같은 향제의 냄새였지. 온실의 꽃들과 향수 냄새에 숨이 막힐 것 같아서 창을 열고 발코니로 나가 보기로 했소. 달빛에 가스등까지 켜져 있었고 아주 조용하고 평온했지. 발코니에 의자가 한두 개 놓여 있었소. 나는 거기에 앉아 시가를 꺼냈어. 실례지만, 지금 하나 피워야겠군."

잠시 말이 끊기고, 그가 시가를 꺼내 불을 붙였다. 그걸 입에 물고 싸늘하고 흐릿한 허공에 하바나 시가 냄새가 나는 연기를 뿜어내더니, 그가 말을 이었다.

"나는 그 시절에 사탕 과자를 좋아했다오, 에어 양. 와드득와드득(듣기 거북하더라도 용서하시오) 초콜릿 과자를 깨물어 먹거나 시가를 피우면서, 세련된 거리를 따라 근처 오페라 극장으로 달려가는 사륜마차들을 쳐다보고 있었는데, 아름다운 한 쌍의 영국 말이 끄는 우아한 마차가 화려한 도시의 밤거리에 확연하게 나타나더군. 내가 셀린에게 준 'voiture(마차)'였소. 그녀가 돌아오는 거였지. 당연히 내 심장은 내가 기대고 있는 철창살에 닿아 열렬하게 쿵쾅거렸소. 내 예상대로 마차가 호텔 앞에서 멈췄소. 나의 불꽃이(이건 오페라 무희인 그 여자를 말하는 거요) 거기서 내렸소. 외투로 감싸긴 했지만, 말이 났으니 말인데 무더운 6월 저녁이라 그건 거추장스러운 물건에 지나지 않았어. 나는 마차 계단을 내려오는 치맛자락 밑으로 살짝 보이는 그 작은 발만 보고도 그녀를 즉시 알아봤소. 발코니 너머로 고개를 내밀고 '나의 천사'라고 부르려던 참이었소. 물론 사랑하는 이의 귀에만 들리는 목소리로. 그때 마차에서 다른 사람이 그녀를 따라 뛰어내렸소. 역시 외투를 걸쳤더군. 하지만 길에 닿은 건 박차 달린 발뒤꿈치였고 아치형의 호텔 입구로 들어서는 것은 모자 쓴 머리였소.

질투를 느껴 본 적이 없겠지, 에어 양? 물론 없을 거야. 물어볼 필요도 없어. 사랑을 느껴 본 적이 없을 테니까. 앞으로 그런 감정을 경험하게 되겠지. 당신의 영혼은 잠들어 있소. 그걸 깨워 줄 충격이 아직 오지 않았으니 당신은 당신의 젊음이 지금까지 흘러왔던 대로 모든 인생이 조용하게 흘러갈 거라고 생각할 거야. 눈을 감고 귀를 막고 떠내려가다 보면, 멀지 않은 곳에 솟아 있는 바위도 보이지 않고 바위 밑에서 부글거리는 파괴의 소리도 들리지 않겠지. 하지만 실은 말이오, 내 말을 새겨들으시오. 언젠가는 당신의 인생도 소용돌이와 혼란, 물거품과 소음으로 부서지는 험난한 물길에 도달할 거요. 날카로운 바위에 부딪혀 산산조각 나거나 아니면 더 커다란 물결에 실려 보다 평온한 물길로 나서게 되거나 둘 중 하나가 되는 거지. 지금의 나처럼.

나는 이런 날이 좋소. 강철빛을 띤 하늘도 좋고 서리에 묻힌 세상의 적막함과 단단함도 좋아. 나는 손필드가 좋소. 이 고풍스럽고 외진 느낌, 까마귀들이 사는 고목과 가시나무들, 건물의 회색 정면과 저 금속빛의 하늘을 비추는 어두운 창문들. 하지만 이 집을 생각하는 것만으로도 내가 얼마나 오랫동안 진저리를 쳐 왔는지. 이 집을 얼마나 전염병처럼 피해 왔는지! 지금도 너무나 혐오스러워……."

그는 이를 악물며 입을 다물었다. 걸음을 멈추고 부츠로 딱딱한 땅을 걸어갔다. 증오스러운 생각 하나가 그를 사로잡아, 앞으로 나아가지 못하게 꽉 움켜쥐고 있는 것처럼 보였다.

그가 그렇게 멈췄을 때 우리는 너도밤나무 길을 올라가고 있었다.

저택이 정면으로 보였다. 그는 흉벽으로 시선을 들어 올려, 내가 전에도 후에도 본 적이 없는 지독한 눈빛으로 노려보았다. 고통과 치욕과 분노가, 성마름과 역겨움과 증오가 새까만 눈썹 아래서 팽창되는 그의 커다란 동공에서 순간적으로 갈등을 일으키는 듯했다. 그들이 서로 세력을 차지하기 위해 치열한 전투를 벌였다. 하지만 또 다른 감정이 일어나 승리를 거뒀다. 단호하고 냉소적이고 고집스럽고 결연한 무언가가 그것이 그의 흥분을 가라앉히고 그의 얼굴을 돌처럼 바꿔 놓았다. 그가 말을 이었다.

"내가 입을 다물고 있던 사이에, 에어 양, 나는 내 운명과 한 가지 결판을 내고 있었소. 운명의 여신이 저기 너도밤나무 옆에 서 있었소. 포레스의 황야에서 맥베스 앞에 나타났던 자들 가운데 하나처럼 생긴 마귀할멈이었지. '손필드를 좋아하나?' 그녀가 그렇게 말하면서 손가락을 들어 올리더니 허공에 경고문을 썼소. 집 정면의 끝에서 끝까지 위쪽 창문과 아래쪽 창문 사이에 섬뜩한 상형 문자를 휘갈겼소. '좋아할 수 있으면 좋아해 봐라! 감히 그럴 배짱이 있다면 좋아해 봐!'

나는 대답했소. '좋아할 거다. 감히 좋아할 거다.' 그리고(그가 침울하게 덧붙였다) 나는 그렇게 할 거요. 행복해지고 선량해지는 걸 방해하는 것들을 부셔 버리겠소. 그래, 선량함. 전보다 더 나은 사람이 되고 싶소. 지금보다도 나은 사람이 되고 싶어. 《욥기》의 괴물 리바이어던이 작살과 화살과 쇠사슬 갑옷을 끊어 버렸듯이, 다른 이들이 무쇠와 놋쇠로 여기는 장애물들을 나는 썩은 나무와 지푸라기쯤으로 여길 거요."

여기까지 얘기했을 때 아델이 셔틀콕을 들고 그의 앞으로 달려왔다. 그가 거칠게 소리쳤다.

"저리 가! 가까이 오지 마, 꼬마야. 소피한테 돌아가든지!"

나는 잠자코 그의 걸음을 쫓아가다가 그의 얘기가 갑자기 빗나갔던 부분을 일깨워 줬다.

"마드무아젤 바랭이 들어왔을 때 발코니에서 나오셨나요?"

시기적절하지 못한 이 질문이 무시당할 거라고 예상했지만, 예상과 달리 그는 인상을 찌푸리고 몰두해 있던 상념에서 벗어나 내게로 시선을 돌렸다. 그의 이마에서 어두운 그늘이 걷히는 듯했다.

"아, 셀린 얘기를 하다 말았군! 그래, 다시 시작해야지. 나를 홀린 여자가 다른 기사를 대동하고 들어오는 것을 보니, 질투의 초록 뱀이 쉭쉭대면서 달빛 내리는 발코니에서 구불구불 똬리를 틀고 올라와 내 조끼 안으로 기어들고, 2분 만에 내 심장의 깊숙한 데까지 파고들어 오는 것 같았어. 이상한 일이야!"

그가 다시 본론에서 벗어나 불쑥 소리쳤다.

"내가 이 모든 얘기를 당신에게 털어놓다니 참으로 이상한 일이야, 어린 아가씨. 마치 나 같은 남자가 오페라 무희 애인의 이야기를 당신처럼 경험 없고 별난 여자에게 말하는 게 세상에서 제일 흔한 일인 것처럼 당신이 내 말을 조용히 듣고 있는 것도 대단히 이상해! 하지만 내가 전에도 말했듯이 당신의 특징 때문일 거야. 당신은 진지하고 신중하고 조심스러운 사람이라서 비밀을 말하기에 제격이야. 게다가 나는 내가 어떤 마음에게 내 마음을 털어놓는지 알고 있지. 그건 웬만해서 감염되지 않아. 독특해. 아주 진기해. 다행히 그 마음에 해를 끼칠 의도는 전혀 없어. 하지만 설사 그런 의도가 있더라도, 그 마음은 나로 인해 해를 입지 않을 거야. 당신과 나는 얘기를 많이 하면 할수록 좋아. 나는 당신을 말려 죽일 수 없지만, 당신은 나를 기운 차리게 할 수 있거든."

이렇게 사족을 덧붙인 뒤 그는 하던 이야기로 돌아갔다.

"나는 발코니에 그대로 있었소. '그들이 틀림없이 침실로 들어올 거야. 숨어서 보자.' 그렇게 생각했소. 그래서 열린 창으로 손을 넣어 내가 들여다볼 수 있는 틈만 남기고 커튼을 잡아당겼지. 연인들의 속삭이는 맹세가 흘러나올 정도의 공간만 남기고 여닫이창도 닫았소. 그리고 살며시 의자로 돌아갔소. 내가 다시 앉았을 때 두 사람이 들어오더군. 나는 얼른 창틈에 눈을 갖다 댔소. 셀린의 하녀가 들어와 램프를 켜고 그걸 탁자에 놓고 나갔어. 덕분에 두 사람의 모습을 분명하게 볼 수 있었지. 둘은 외투를 벗었고, 바랭은 공단 옷에 보석으로 빛나더군. 물론 내가 준 선물들이었어. 남자는 장교 제복을 입은 자였소. 나는 그가 난봉꾼으로 소문난 젊은 자작이라는 걸 알았소. 가끔 사교계에서 얼굴을 마주쳤지만 너무나 경멸스러워서 싫어할 생각조차 안 나던, 머리에 든 것 없이 악덕만 가득한 청년이었소. 그를 알아보는 순간, 초록 뱀, 질투의 독니가 부러지더군. 그 순간에 셀린에 대한 내 사랑이 완벽하게 꺼져 버렸던 거요. 그런 놈 때문에 나를 배신할 수 있는 여자라면 차지하려고 싸울 가치도 없었소. 경멸이나 퍼부어 줘야 마땅할 여자였지. 그녀에게 속아 넘어간 나는 그보다 더하지만.

그들이 얘기를 하기 시작했소. 그 대화가 내 마음을 아주 홀가분하게 해 주더군. 어찌나 경박하고 탐욕스럽고 비정하고 무의미하던지, 분노가 일기보다 차라리 따분해지더군. 내 이름이 적힌 카드가 탁자에 놓여 있었소. 그걸 보면서 그들이 나에 대해 떠들어 대더군. 두 사람 모두 나를 호되게 공격할 만한 재치도 능력도 가지고 있지 못했소. 하지만 그들 나름의 천박한 방식으로 상스럽게 나를 모욕하더군. 특히 셀린이 더했어. 내 외모의 결함을 제법 영리하게 깎아내리더군. 그걸 기형이라고 칭하면서, 나를 자신의 '아름다운 남자'라고 부르며 열렬하게 감탄하는 게 그녀의 습관이었는데 말이오. 그런 면에서 두 번째 만났을 때 나더러 잘생기지 않았다고 딱 잘라 말한 당신과는 정반대였지. 당시에 나는 전혀 다른 그 소리에 놀랐고……."

이때 아델이 다시 뛰어 올라왔다.

"아저씨, 대리인이 만나 뵈러 찾아왔다고 방금 존이 알려 주고 갔어요."

"아! 얘기를 빨리 끝내야겠군. 나는 창을 열고 그들에게 걸어갔소. 셀린을 나의 보호로부터 해방시켜 줬소. 그녀에게 호텔을 비우라고 통고했소. 당장 필요한 데 쓰라고 지갑을 쥐어주었소. 비명, 히스테리, 애원, 항변, 발작은 무시했소. 그 자작과는 불로뉴 숲에서 만나기로 했지. 다음 날 아침에 나는 그놈과 마주하는 즐거움을 누렸소. 병든 닭의 날개처럼 허약하고 가련하고 허옇게 뜬 그자의 한 팔에 총알을 박아 넣고, 내가 그 패거리를 완전히 처리했다고 생각했소. 하지만 그보다 6개월 전에 바랭이 아델을 낳고는 내 딸이라고 주장했다는 게 불행이었어. 어쩌면 사실일 수도 있어. 아무리 얼굴을 뜯어봐도 험악한 아비를 닮은 구석이라곤 찾아볼 수 없지만. 그녀보다 차라리 파일럿이 더 나를 닮았어. 바랭은 나와 헤어지고 몇 년 후에, 제 아이를 버리고 음악가인지 가수인지 하는 놈과 이탈리아로 도망쳤소. 나는 나에게 아델을 부양해야 하는 친권이 있다는 걸 인정하지 않았소. 인정하지 않는 건 지금도 마찬가지요. 난 그 아이의 아비가 아니거든. 하지만 아이가 꽤 궁핍하게 산다는 얘기를 듣고, 파리의 더러운 진창에서 그 가엾은 것을 건져 내 영국의 건전한 시골 정원에서 깨끗하게 자라라고 이리 옮겨 심었소. 페어팩스 부인이 그걸 교육시킬 사람으로 당신을 찾아낸 거요. 하지만 아이가 프랑스 오페라 무희의 사생아라는 걸 알게 된 이상, 당신의 일자리와 학생에 대한 생각이 달라졌을지도 모르겠군. 어느 날 다른 일자리를 찾았으니 새 가정 교사를 찾으라는 등등의 통지를 들고 나에게 찾아오는 건 아니겠지, 응?"

"아뇨. 아델은 자기 엄마나 당신이 저지른 잘못에 전혀 책임이 없어요. 저는 그 아이를 좋아하고, 이제 부모가 없다시피 한 상태라는 것을 알았으니—엄마에게는 버림받고 나리에게는 딸로 인정받지 못하니—전보다 더 친근한 애정으로 다가갈 거예요. 가정 교사를 성가셔하고 미워하는 부유한 집안의 버릇없는 아이보다는 나를 친구로 믿고 의지하는 외로운 고아를 더 좋아할 수밖에 없겠죠."

"아, 당신이 이 문제를 바라보는 관점은 그렇군! 자, 나는 이만 가 봐야겠소. 당신도 들어가야지. 날이 어두워지고 있소."

하지만 나는 아델과 파일럿과 같이 잠시 더 밖에 남아 있었다. 달리기를 하고 셔틀콕과 라켓으로 게임을 했다. 안으로 들어가 보닛과 외투를 벗겨 준 뒤에 아이를 내 무릎에 앉혔다. 한 시간 동안 무릎에 안고, 아델이 원하는 대로 마음껏 재잘거리게 했다. 흔히 관심을 많이 받을 때 하던 대로 아델이 약간 제멋대로 굴고 시시콜콜하게 지껄여 대도 나무라지 않았다. 그것은 아마도 엄마에게서 물려받았을 경박한 성격을 드러냈고, 영국인의 기호에는 맞지 않는 것이었다. 그래도 아델에게는 나름의 장점이 있었다. 나는 아이의 좋은 점들을 최대한 인정해 주고 싶었다. 그 표정과 모습에서 로체스터 씨와 닮은 점을 찾아보았지만, 하나도 찾을 수 없었다. 부녀간이라고 할 만한 표정 변화도 없고, 생김새의 특징도 없었다. 딱한 일이었다. 닮았다는 것을 증명할 수만 있다면 로체스터 씨가 좀 더 소중히 여겨 주었을 텐데.

밤에 내 방으로 돌아온 뒤, 나는 로체스터 씨가 한 이야기를 곰곰이 돌이켜 보았다. 그의 말대로 내용 자체는 그리 특별할 게 없는 이야기였다. 프랑스 무희에 대한 부유한 영국 남자의 열정과 그녀의 배신은 틀림없이 사교계에서 흔하게 일어나는 일일 것이다. 하지만 그가 오래된 저택과 그 환경에서 새로이 찾아낸 즐거움과 현재의 만족 상태를 표현하던 중에, 갑자기 느닷없이 폭발시킨 감정에는 분명히 괴상한 데가 있었다. 나는 그 사건을 이상히 여기며 생각에 잠겼다. 하지만 현재로서는 도저히 설명이 안 되는 부분이라서 그 생각을 접고, 나를 대하는 로체스터 씨의 태도 쪽으로 생각을 돌렸다. 그가 나를 신뢰할 만한 사람으로 여기는 것은 나의 신중함에 대한 칭찬인 듯했다. 나는 그렇게 해석하고 받아들였다. 이제 몇 주일째 그가 나를 대하는 태도는 처음보다 훨씬 일관성이 있었다. 나를 귀찮아하는 것 같지도 않았고, 싸늘하거나 오만하게 굴지도 않았다. 뜻밖에 나를 만나면 매우 반가워하는 듯 보이기도 했다. 항상 나에게 말을 건넸고 때로는 미소를 지었다. 정식으로 그의 앞에 불려 갔을 때는, 그런 저녁 모임이 나를 위해서만이 아니라 그의 기쁨을 위해서인 듯이, 정말로 그를 즐겁게 할 능력이 내게 있다고 느껴지게 하는 진심 어린 대접을 받았다.

사실 나는 비교적 말이 적은 편이었다. 하지만 그의 이야기를 재미있게 들었다. 그는 이야기하기를 즐기는 성격이었다. 세상을 모르는 이에게 세상의 갖가지 모습과 방식을 보여 주는 것을 좋아했다(부패한 모습과 부정한 방식 들이 아니라, 그 규모의 크기와 특징을 이루는 기이한 진기함 때문에 흥미를 일으키는 이야기들이었다). 나는 그가 제시한 새로운 생각들을 받아들이고, 그가 묘사한 새로운 광경들을 상상했다. 머릿속으로 그가 펼쳐 보이는 새로운 영역으로 따라가는 일에 짜릿한 기쁨을 느꼈으며, 듣기 거북한 말이 나와도 절대 놀라거나 불안해하지 않았다.

그의 편안한 태도가 나를 답답한 구속에서 풀어 주었다. 그는 친근하고 솔직하게, 진심으로 예의 바르게 나를 대했고, 그것이 나를 그에게로 끌어당겼다. 가끔은 그가 나의 주인이라기보다 친척 같은 기분이 들기도 했다. 여전히 독선적으로 구는 경우도 가끔 있었지만, 나는 신경 쓰지 않았다. 그게 그의 방식이라는 것을 알고 있었기 때문이다. 생활에 새로운 재미가 생겨나자 나는 너무나 행복하고 만족스러워서 친척을 찾고픈 갈망도 접어 두었다. 얇은 초승달 같던 내 운명이 점점 커지는 듯했다. 생활의 공백들이 메워졌다. 신체적인 건강도 좋아졌다. 나는 살이 붙고 튼튼해졌다.

그러면 로체스터 씨가 지금도 내 눈에 못생기게 보였을까? 독자여, 그렇지 않다. 늘 즐겁고 기분 좋은 만남들과 감사하는 마음까지 더해져서, 그의 얼굴은 내가 가장 보고 싶은 얼굴이 되었다. 그가 방에 있으면 그의 존재가 밝은 불길보다 더 나의 기운을 북돋았다. 하지만 내가 그의 단점을 잊은 것은 아니었다. 사실 그가 내 앞에서 자주 단점을 드러내 보였기 때문에 잊으려야 잊을 수 없었다. 그는 자만심이 강하고, 냉소적이고, 자기보다 못한 이들에게 가혹했다. 그가 나에게 베푸는 크나큰 친절이 다른 이들에게 행하는 부당한 가혹함을 균형 잡고 있다는 것을 나는 은밀하게 알고 있었다. 그는 종종 우울한 기분에 빠져들기도 했다. 왜 그러는지 알 수 없었다. 책을 읽어 달라는 부름을 받고 서재에 들어갔다가 두 팔에 머리를 기대 얹고 혼자 앉아 있는 모습을 본 적이 한두 번이 아니었다. 고개를 들 때면, 시무룩하고 거의 무서울 정도로 찌푸린 표정이 그의 얼굴을 어둡게 했다. 하지만 나는 그런 침울함과 가혹함과 예전의 도덕적인 과오들(이제 그런 문제들이 고쳐진 것 같아서 '예전'이라고 말하는 것이다)이 그가 겪어 온 잔인한 운명의 심술 때문이라고 믿었다. 환경이 키우고 교육이 주입하고 운명이 격려한 것보다, 본래는 더 선량한 성향과 고상한 원칙과 순수한 취향을 지닌 남자라고 믿었다. 그에게 탁월한 점들이 있다고 생각했다. 현재는 그것들이 다소 망가지고 헝클어져서 한데 뭉쳐 있긴 하지만 그의 슬픔이 무엇이건, 내가 그의 슬픔 때문에 가슴이 아프고, 그 괴로움을 덜어 주기 위해 수고를 아끼지 않으리라는 점은 부인할 수 없었다.

촛불을 끄고 침대에 누웠지만 잠을 이룰 수 없었다. 그가 길에 멈춰 섰을 때, 운명이 눈앞에 나타나 손필드에서 감히 행복해져 보라고 도전했다던 말을 할 때의 표정이 뇌리에서 떠나지 않았다. 나는 나 자신에게 물었다.

'왜 행복해질 수 없다는 거지? 무엇이 그를 이 집에서 멀어지게 하는 걸까? 그가 조만간 다시 여기를 떠나려나? 페어팩스 부인은 그가 2주일 이상 여기에 머무는 경우가 없다고 했는데 벌써 8주가 됐어. 그가 떠나면 슬픈 변화가 일어나겠지. 그가 없는 봄, 여름, 가을을 생각해 봐. 햇살 가득한 맑은 날들이 얼마나 쓸쓸하게 느껴질까!'

이런 생각을 하다가 내가 잠이 들었는지 어땠는지는 잘 모르겠다. 여하튼, 희미하게 웅얼거리는 소리를 듣고는 화들짝 잠에서 깨어났다. 기묘하고 구슬픈 소리가 내 바로 위에서 들리는 것 같았다. 양초를 켜 두지 않은 게 후회스러웠다. 황량하게 캄캄한 밤이었다. 나의 영혼은 우울하게 가라앉았다. 나는 침대에 일어나 앉아 귀를 기울였다. 소리는 잠잠해졌다.

다시 잠을 청했지만 가슴이 불안하게 두근거렸다. 내 마음의 평정이 깨어졌다. 멀리 아래 현관홀의 시계가 2시를 쳤다. 바로 그때 내 침실 문이 흔들리는 듯했다. 마치 어두운 복도를 더듬어 가는 누군가의 손가락이 문을 쓸고 지나간 것처럼. 나는 "거기 누구예요?" 하고 속삭였다. 아무런 대답이 없었다. 나는 두려움으로 오싹해졌다.

문득 그게 파일럿일지도 모른다는 생각이 떠올랐다. 어쩌다 부엌문이 잠기지 않았을 때면, 녀석은 곧잘 로체스터 씨의 방문까지 찾아 들어오곤 했다. 아침에 거기에 누워 있는 녀석을 내 눈으로 본 적도 있었다. 생각이 거기에 미치자 두려움이 약간 진정되었다. 나는 침대에 누웠다. 고요함은 긴장된 신경을 가라앉혀 주는 효과가 있다. 이제 다시 깨지지 않는 침묵이 온 집 안을 지배하자, 차츰 졸음이 밀려오기 시작했다. 하지만 그날 밤, 나는 잠을 잘 운명이 아니었다. 내 귀에 다가오는 듯하던 꿈이, 뼛속까지 얼어붙게 하는 하나의 사건에 놀라 소스라쳐 달아나 버렸다.

그것은 내 방문의 열쇠 구멍에서 들려오는 듯한, 나지막하고 깊고 억제된 악마 같은 웃음소리였다. 내 침대머리가 문 가까이에 있어서, 처음에는 악마가 내 침대 옆에 서서, 아니 내 베개 옆에 웅크리고 앉아 웃어 대는 거라는 생각이 들 정도였다. 벌떡 일어나 사방을 둘러보았지만 아무것도 보이지 않았다. 내가 바라보는 동안에도, 그 괴상망측한 소리는 계속되었다. 방 바깥에서 들리는 소리였다. 내가 제일 먼저 한 행동은 일어나서 빗장을 채우는 것이었다. 그 뒤에 다시 소리쳤다.

"거기 누구예요?"

뭔가가 꿀꺽거리며 신음했다. 얼마 후, 복도에서 3층 계단 쪽으로 발소리가 물러갔다. 최근에 그 계단을 막으려고 문을 하나 달아 두었는데 그 문이 열렸다 닫히는 소리가 들리더니 모든 게 조용해졌다.

'그레이스 풀이었나? 그 여자가 악마에게 홀렸나?'

나는 더 이상 혼자 있을 수가 없었다. 페어팩스 부인에게 가야 할 것 같았다. 서둘러 겉옷과 숄을 걸쳤다. 빗장을 풀고 떨리는 손으로 문을 열었다. 문 바로 밖 복도의 매트 위에 양초 하나가 타고 있었다. 나는 놀랐다. 하지만 연기로 가득한 것처럼 공기가 아주 흐리다는 것을 알고는 더욱 놀랐다. 이 푸른 소용돌이가 어디서 나오는지 알아보려고 오른쪽 왼쪽을 바라보는 동안, 어디선가 타는 냄새가 심하게 난다는 것을 차츰 알아차렸다.

뭔가가 삐걱거렸다. 로체스터 씨의 방문이 약간 열려 있었고, 거기서 연기구름이 쏟아져 나왔다. 이제 페어팩스 부인에 대한 생각은 내 머리에서 사라졌다. 그레이스 풀이나 그 웃음에 대한 생각도 사라졌다. 나는 곧 그 방으로 뛰어 들어갔었다. 화염의 혓바닥이 침대 주위에서 널름거리고 있었다. 커튼에도 불이 붙어 있었다. 화염과 연기 한가운데, 깊은 잠에 빠진 로체스터 씨가 미동 없이 누워 있었다.

"일어나세요! 일어나세요!"

내가 소리쳤다. 그를 흔들어 깨웠지만, 그는 중얼대며 돌아누울 뿐이었다. 연기가 그의 감각을 마비시킨 것이다. 1분도 지체할 겨를이 없었다. 이불에 불이 붙어 타들어 가기 시작했다. 나는 대야와 물동이가 있는 곳으로 달려갔다. 다행히 하나는 넓고 다른 건 깊었는데, 둘 다 물이 차 있었다.

그것들을 가져와 침대와 사람에게 물을 뿌리고, 내 방으로 달려가서 물병을 가져와 다시 침대에 물세례를 주고 나자, 하느님이 도우사, 침대를 집어삼키고 있던 불길이 꺼졌다.

칙-칙 불 꺼지는 소리, 내가 물을 퍼붓고 나니 내팽개친 물병이 요란한 소리를 내며 깨졌다. 그리고 무엇보다도 내가 양껏 쏟아부은 물세례가 마침내 로체스터 씨를 깨웠다. 방 안이 어두컴컴했지만 나는 그가 깨어난 것을 알았다. 자신이 물웅덩이에 누워 있다는 것을 알고 그가 이상한 욕설을 내뱉었다.

"홍수가 났나?"

그가 소리쳤다.

"아니에요."

내가 대답했다.

"불이 났어요. 일어나세요, 어서요. 흠뻑 젖으셨어요. 제가 초를 가져올게요."

"그리스도 나라의 모든 요정의 이름으로 묻겠는데, 당신은 제인 에어인가?"

또다시 그가 다그쳤다.

"나한테 무슨 짓을 한 거지, 이 마녀, 요술쟁이야? 이 방에 당신 말고 또 누가 있지? 나를 익사시켜 죽일 계획이었나?"

"제가 초를 가져올게요. 그리고 제발 일어나세요. 누군가가 뭔가를 계획하긴 했어요. 그게 뭔지 누가 그랬는지 곧 알아낼 수 있을 거예요."

"자…… 난 이제 일어났소. 하지만 초는 아직 가져오지 마. 내가 마른 옷을 걸칠 때까지 2분만 기다리시오. 마른 옷이 있을지 모르겠지만. 그래, 여기 가운이 있군. 이제 달려가시오!"

나는 달렸다. 여전히 복도에 남아 있던 양초를 가져왔다. 그가 내 손에서 초를 받아 들어, 온통 꺼멓게 그을린 침대와 흠뻑 젖은 이불과 물에 흥건히 잠긴 주위의 양탄자를 살펴보았다.

"이게 어떻게 된 거요? 누가 이랬어?" 하고 그가 물었다.

나는 일어난 일을 간단하게 설명했다. 복도에서 들은 이상한 웃음소리, 3층으로 올라가는 발소리, 연기……, 나를 그의 방으로 이끈 타는 냄새. 그 방의 상태가 어떠했는지, 그리고 내가 어떻게 손에 잡히는 대로 그에게 물을 퍼부었는지.

그는 아주 엄숙하게 듣고 있었다. 내 말이 이어지는 동안, 그의 얼굴에는 놀라움보다 걱정이 드러났다. 내 말이 끝났는데도 그는 곧바로 입을 열지 않았다.

"페어팩스 부인을 부를까요?"

내가 물었다.

"페어팩스 부인? 아니, 뭐하러 그녀를 부르나? 그녀가 무얼 할 수 있겠어? 편안히 자게 놔두시오."

"그러면 리어를 부르고 존 내외를 깨울게요."

"관두시오. 그냥 가만히 있어요. 숄을 걸쳤나? 추우면 저기 있는 내 외투를 입어도 돼. 그거 걸치고 안락의자에 앉아요. 자, 내가 입혀 주지. 이제 발이 젖지 않게 의자에 올려놔. 나는 잠시 다녀와야겠소. 초를 가져갈게. 내가 돌아올 때까지 거기 앉아 있어요. 아주 얌전하게. 난 3층에 올라가 봐야겠소. 명심하시오, 꼼짝하지 말고 누굴 부르지도 마시오."

그가 방을 나갔다. 나는 멀어지는 불빛을 지켜보았다. 그는 소리 없이 복도를 지나, 최대한 소리 나지 않게 계단 문을 열고 뒤로 문을 닫았다. 마지막 불빛이 사라졌다. 나는 새까만 암흑 속에 남겨졌다. 무슨 소리든 들어 보려고 귀를 세웠지만 아무 소리도 들리지 않았다. 아주 오랜 시간이 흘렀다. 나는 차츰 지쳐 가고 있었다. 외투를 걸쳤는데도 추웠다. 집안사람들을 깨우지 않을 거면, 거기 앉아 있는 게 무슨 소용이 있을까 싶었다. 로체스터 씨가 언짢아하더라도 명령을 거역해야겠다고 마음먹고 있는데, 다시 한 번 복도의 벽에 불빛이 어슴푸레하게 빛나더니 맨발로 매트를 밟고 다가오는 소리가 들렸다. 나는 생각했다.

'제발 저 소리가 그분이기를. 더 나쁜 일이 아니기를.'

그가 창백하고 몹시 우울한 표정으로 다시 들어왔다. 그러고는 세면대에 양초를 내려놓으며 말했다.

"모든 것을 알아냈소. 내가 짐작한 대로야."

"어떻게 된 거예요?"

그는 대답 없이 팔짱을 끼고 바닥을 내려다보며 서 있었다. 몇 분 뒤, 그가 약간 묘한 어조로 물었다.

"방문을 열었을 때 뭔가를 봤다고 했던가?"

"아뇨. 바닥에 있는 촛대만 봤어요."

"하지만 이상한 웃음소리를 들었다고 했지? 전에도 그 비슷한 소리를 들었나?"

"네. 그레이스 풀이라고, 바느질하는 여자가 있는데…… 그녀가 그런 식으로 웃어요. 특이한 사람이죠."

"그래. 그레이스 풀……, 그렇게 짐작하고 있었군. 당신 말대로 특이한 여자야, 아주 특이해. 그 부분은 내가 생각해 보겠소. 그나저나 오늘 밤에 벌어진 일을 자세히 아는 사람이 당신과 나뿐이라서 다행이오. 당신은 수다스러운 바보가 아닐 테니 이 일에 대해 입을 열지 마시오. (침대를 가리키며) 이게 왜 이 지경이 됐는지는 내가 설명하겠소. 이제 방으로 돌아가요. 나는 남은 시간을 서재 소파에서 보낼 테니까. 4시가 다 됐군. 두 시간 후면 하인들이 일어날 거요."

"그럼 안녕히 주무세요." 하고 내가 인사하고 걸음을 옮겼다.

그는 놀란 듯했다. 방금 나에게 방으로 돌아가라고 했던 그의 말과는 너무나 모순되게.

"뭐야! 벌써 나를 두고 떠나는 건가, 그런 식으로?"

그가 소리쳤다.

"가도 된다고 하셨잖아요."

"하지만 작별 인사도 없이, 한두 마디 호의와 감사의 말도 안 듣고 가 버리면 안 되지. 그렇게 간단하게 시시하게 보낼 수야 있나. 당신은 내 생명을 구했소! 끔찍하고 괴로운 죽음에서 나를 건져 주었소! 그런데도 생면부지의 사람처럼 그렇게 나를 지나가 버리다니! 최소한 악수라도 해야지."

그가 손을 내밀었다. 내가 그에게 손을 맡겼다. 그는 처음에 한 손으로 잡았다가 두 손으로 내 손을 잡았다.

"당신이 내 생명을 구했소. 나는 당신에게 이렇게 큰 빚을 진 게 기쁘오. 더는 말할 수가 없어. 다른 누군가가 이런 일의 채권자로 나타났다면 견딜 수 없었을 거요. 하지만 당신은 달라. 나는 당신의 은혜가 전혀 부담스럽지 않소, 제인."

그가 말을 멈추고 나를 물끄러미 바라보았다. 눈에 보일 정도로 떨리는 입술이 무언가 말하려는 듯했지만, 소리가 되어 나오지는 않았다.

"다시, 안녕히 주무세요. 빚이나 은혜나 부담이나 채무 같은 건 전혀 없어요."

"난 알고 있었소."

그가 계속했다.
"당신이 언젠가 어떤 식으로든, 나에게 좋은 일을 하리라는 것을. 당신을 처음 봤을 때 당신 눈에서 그것을 봤소. 그 표정과 미소가…… (다시 그가 말을 멈췄다) 아무 이유 없이(그가 서둘러 말을 이었다) 내 가슴 가장 깊숙한 곳을 그렇게 기쁘게 했던 게 아니었어. 타고난 교감이라는 게 있다고들 하지. 선한 정령이 있다는 얘기도 들어 봤어. 허황한 동화에도 일말의 진실이 있소. 나의 소중한 수호자여, 잘 자요!"
그의 목소리에 이상한 힘이 담겨 있었다. 그의 눈빛에 이상한 불이 담겨 있었다.
"저도 제가 마침 깨어난 게 다행이라고 생각해요."
나는 이렇게 말하고는 걸음을 옮겼다.
"뭐야! 당신 가는 거요?"
"추워서요."
"추워? 그래, 물웅덩이에 서 있었으니! 그럼, 가요, 제인. 가시오!"
하지만 그가 여전히 내 손을 쥐고 있어서 손을 빼낼 수 없었다. 나는 편법을 생각해 냈다.
"페어팩스 부인이 일어나는 소리가 들린 것 같아요."
"그럼, 가 보시오."
그가 손가락의 힘을 풀었고, 나는 그 방을 나섰다.
내 침대로 돌아왔지만 잠을 잘 수 없었다. 아침이 밝을 때까지 용솟음치는 기쁨 아래 근심의 물결이, 경쾌하면서도 소란스런 바다에서 출렁거렸다. 때로는 그 거친 바다 너머로 뷸라(이스라엘의 빛나는 미래를 상징하는 안식의 땅 _옮긴이)의 언덕처럼 아름다운 해안이 보이는 것도 같았다.
가끔은 상쾌한 바람이 나의 희망을 깨워, 의기양양하게 그 목적지를 향해 내 영혼을 실어 날랐다. 하지만 상상에서조차 나는 그곳에 닿을 수 없었다. 육지에서 불어오는 맞바람이 계속해서 나를 뒤로 밀어냈다. 분별력이 흥분을 가로막았다. 판단력이 정열에 경종을 울렸다. 열에 들떠 쉴 수가 없었으므로, 나는 날이 밝자마자 자리에서 일어났다.

제16장

이렇게 불면의 밤을 지새운 다음 날, 나는 로체스터 씨를 만나고 싶기도 하고 한편으로는 만나는 것이 두렵기도 했다. 그의 목소리를 다시 듣고 싶었지만 그의 눈을 마주 보는 것은 겁이 났다. 이른 오전 중에, 나는 문득문득 그가 오기를 기대했다. 그는 공부방에 자주 들어오지 않았다. 하지만 때로는 몇 분쯤 들르는 경우가 있었고, 그날은 그가 틀림없이 찾아오리라 믿었다. 하지만 오전 시간은 평소처럼 지나갔다. 무엇 하나 아델의 조용한 공부를 방해하지 않았다. 아침 식사 직후에, 로체스터 씨의 침실 부근에서 페어팩스 부인과 리어와 요리사와—즉, 존의 아내—심지어 존의 무뚝뚝한 목소리까지 뒤섞인 떠들썩한 소리가 들렸을 뿐이다. "주인 나리가 화재로 돌아가시지 않은 게 얼마나 다행인지!" "어쨌든 밤에 초를 켜 두면 위험하다니까." "그 경황에 물동이 생각을 해내시다니 참으로 하늘이 도우셨어요!" "왜 아무도 안 깨우셨을까!" "서재 소파에서 주무시다 감기에라도 걸리신 건 아닌지." 이런 이야기들이었다.

수많은 잡담 소리에 이어 북북 닦고 정리하는 소리들이 계속 이어졌다. 아래층으로 식사하러 내려가기 위해 그 방을 지나면서 열린 문틈으로 보니 모든 게 다시 완벽하고 질서 정연하게 복구되어 있었다. 침대 커튼이 떼어져 있을 뿐이었다. 리어가 창턱에 서서 연기에 그을린 유리창을 닦고 있었다. 어젯밤 사건이 어떻게 설명되었을지 궁금해서, 나는 그녀에게 말을 걸어 보기로 했다. 하지만 몇 걸음 걷다가 나는 그 방에 있는 두 번째 인물을 알아보았다. 침대 옆 의자에 앉아 새 커튼에 고리를 꿰매고 있는 여자는 다름 아닌 그레이스 풀이었다.

그녀는 갈색 모직 옷에 체크무늬 앞치마, 하얀 목수건에 모자 차림으로 평소처럼 침착하고 과묵하게 거기 앉아 있었다. 생각이 온통 일에 쏠려 있는 듯 바느질에 열중해 있었다. 그녀의 단단한 이마와 평범한 이목구비에는 살인을 시도한 여자의 얼굴에서 나타날 만한 절망이나 파리함은 물론이고, 자신이 죽이려 했던 사람이 어젯밤에 방으로 쫓아가(내가 믿기로는) 그녀가 저지르려 했던 범죄를 추궁했으리라고 짐작할 만한 모습을 전혀 찾아볼 수 없었다. 놀랍고 기가 막혔다. 내가 응시하고 있는 사이에 그녀가 고개를 들었다. 죄책감이나 발각의 두려움 때문에 안색이 붉어지거나 창백해지지도 않았고 움찔하지도 않았다. 그녀는 여느 때와 다름없이 차분하고 간단하게 "안녕하세요." 하고 말했다. 그러고는 다른 고리와 끈을 집어 들고 바느질을 계속했다. 나는 속으로 생각했다.

'저 여자를 시험해 봐야겠어. 어떻게 저렇게 아무렇지 않을 수 있지? 이해가 안 돼.'

그녀를 향해 내가 말했다.

"안녕하세요, 그레이스. 여기서 무슨 일이 있었어요? 좀 전에 하인들이 무슨 얘기를 하는 것 같던데요."

"주인 나리가 어젯밤에 침대에서 책을 읽으시다가 초를 켜 둔 채로 잠이 들어서 커튼에 불이 붙었대요. 하지만 다행히 침구나 목조에 불이 붙기 전에 깨어나셔서 물동이의 물로 불을 끄셨어요."

"이상하네." 하고 내가 낮은 소리로 중얼거렸다. 그런 다음 나는 그녀를 뻔히 쳐다보며 말했다.

"로체스터 씨가 아무도 안 깨우셨어요? 아무도 그분이 움직이는 소리를 못 들었나요?"

그녀가 다시 나에게 눈을 들어 올렸다. 이번에는 그 눈에 뭔가 의식하는 표정이 서렸다. 신중하게 나를 살피는 얼굴이었다. 그 뒤에 그녀가 대답했다.

"아시다시피 하인들이 자는 곳은 멀리 떨어져 있으니까, 그들은 아무 소리도 못 들었을 거예요. 페어팩스 부인과 당신의 방이 주인 나리의 침실에서 제일 가까워요. 하지만 페어팩스 부인은 아무 소리도 못 들었다고 하더군요. 나이가 들면 깊은 잠에 빠지곤 하잖아요."

그녀가 잠시 멈췄다가, 무심한 척하면서도 상당히 의미심장한 어조로 덧붙였다.

"하지만 당신은 젊은 분이고 깊이 잠드는 편이 아닌 것 같은데 혹시 무슨 소리 들으셨나요?"

나는 아직 유리창을 닦고 있는 리어에게 들리지 않게 목소리를 낮춰 말했다.

"들었어요. 처음에는 그게 파일럿인 줄 알았어요. 하지만 파일럿은 웃을 수 없어요. 그런데 웃음소리 같은 이상한 소리를 분명히 들은 것 같아요."

그녀가 새로 실을 풀어 거기에 살살 밀랍을 바르고, 안정된 손놀림으로 바늘에 실을 꿰고 나서, 아주 침착하게 말했다.

"그렇게 위험한 상황에 처해 있던 나리가 웃었을 것 같지는 않네요. 꿈을 꾸셨나 봐요."

"꿈을 꾼 게 아니에요."

뻔뻔할 정도로 차분한 그녀의 태도에 화가 나서, 내가 약간 격앙된 어조로 대꾸했다. 그녀가 다시 나를 쳐다보았다. 아까처럼 생각에 잠겨 찬찬히 뜯어보는 눈으로.

"웃음소리를 들었다고 나리께 말씀드렸나요?"

"아직 얘기할 기회가 없었어요."

그녀가 또다시 물었다.

"문 열고 복도를 내다볼 생각은 안 하셨어요?"

도리어 그녀가 나를 심문하고, 나에게서 무의식적인 정보를 끌어내려는 것 같았다. 내가 그녀의 죄를 알거나 의심하고 있다는 것을 눈치채면, 그녀가 나에게 악의적인 간계를 부릴 수도 있다는 생각이 스쳤다. 조심하는 게 좋을 것 같았다. 내가 대답했다.

"반대로, 문을 잠갔어요."

"그러면 매일 밤 자기 전에 문을 잠그지 않는다는 건가요?"

'사악해라! 내 습관을 알아내서 그에 맞춰 계획을 세우려는 거야!'

다시 분한 마음이 조심성을 누르고 말았다. 나는 날카롭게 쏘아붙였다.

"지금까지는 자주 빗장 잠그는 걸 잊어버렸어요. 그럴 필요가 없는 줄 알았죠. 손필드 저택에서 어떤 위험이나 골칫거리를 걱정할 필요는 없다고 생각했거든요. 하지만 앞으로는(나는 이 말을 두드러지게 강조했다) 자기 전에 모든 게 잘 잠겼는지 꼼꼼하게 확인할 거예요."

"그러는 편이 현명할 거예요. 내가 알기로 이 동네는 아주 조용하고, 이 저택이 들어선 후로 여기에 강도가 들었다는 말은 한 번도 들어 본 적이 없어요. 하지만 식기장에 수백 파운드 값어치의 접시가 들어 있다는 건 다들 아는 사실이죠. 보다시피, 집은 이렇게 넓은데 하인은 얼마 안 돼요. 주인 나리가 여기서 많이 사시는 게 아니니까요. 집에 오시더라도 홀몸이시라 시중들 일도 별로 없고요. 하지만 나는 언제든지 안전을 기하는 게 최선이라고 생각해요. 일찌감치 문을 잠그고, 자신과 주위에 있을지 모르는 해악과의 사이에 빗장을 단단히 걸어 놔야죠. 하느님의 뜻에만 모든 것을 맡기는 사람이 많지만 나는 재앙을 막는 수단을 갖추고 있어야 하느님의 뜻도 이루어지는 거라고 생각해요. 그 수단을 신중하게 사용하면 하느님이 자주 축복을 내려 주시죠."

그녀가 열변을 끝냈다. 그녀로서는 꽤 긴 연설이었고, 퀘이커 교도처럼 새침한 어조였다.

이 믿어지지 않는 차분함과 꿰뚫을 수 없는 위선으로 여겨지는 그녀의 태도에 내가 할 말을 잃고 멍하니 서 있을 때, 요리사가 들어왔다. 그녀가 그레이스에게 말을 건넸다.

"풀 부인. 하인들 식사가 곧 준비될 거예요. 내려올래요?"

"아뇨. 흑맥주와 푸딩을 조금 쟁반에 담아 주면, 내가 위층으로 가져갈게요."

"고기도 좀 놓을까요?"

"고기 한 조각과 치즈 약간, 그거면 돼요."

"사고(사고 야자나무에서 나오는 흰 전분으로, 식용이나 풀의 원료로 쓰인다 _옮긴이)는?"

"지금은 그냥 두세요. 차 시간 전에 내가 내려갈게요. 내가 알아서 만들게요."

요리사가 나를 돌아보더니 페어팩스 부인이 나를 기다린다고 말했다. 그래서 나는 방을 나섰다. 식사하는 동안 나는 페어팩스 부인이 설명하는 커튼 화재 사건에 좀처럼 귀를 기울이지 못했다. 그레이스 풀의 불가해한 성격과 손필드에서 차지하는 그녀의 위치에 대해 생각하느라 정신이 없었다. 왜 그녀는 그날 아침에 감옥에 갇히지 않았을까. 어째서 해고조차 되지 않은 것일까. 간밤에 로체스터 씨는 그녀의 소행에 유죄 판결을 내린 것이나 다름없었다. 그런데 어떤 불가사의한 이유로 그녀를 고발하지 못한 것일까? 왜 나에게는 비밀로 하라고 했을까? 이상한 일이었다. 대담하고 앙심 깊고 오만한 신사가 왠지 모르게 고용인 중에서도 제일 비천한 자의 수중에 잡혀 있는 듯했다. 그 손아귀에 얼마나 꽉 잡혀 있기에 그의 생명을 노리는 짓을 저질렀는데도 그녀를 벌하기는커녕 드러내 놓고 죄를 비난하지도 못하는 것일까?

그레이스가 젊고 예쁜 여자였다면 두려움이나 신중함보다 더 다정한 감정이 로체스터 씨를 그녀의 편으로 끌어간 게 아닐까 하고 생각했을지도 모른다. 하지만 그렇게 험상궂고 나이도 어리지 않은 여자에게 그럴 가능성이 있으리라고는 생각되지 않았다. 하지만 나는 생각했다. '그녀에게도 젊은 시절이 있었어. 로체스터 씨와 비슷한 나이였을 거야. 페어팩스 부인도 전에 얘기했잖아. 그녀가 여기서 꽤 오래 살았다고. 그녀가 한때나마 미인이었을 거라고는 생각되지 않지만, 외모의 부족을 보상하는 독특하고 뛰어난 점이 있을 수도 있어. 로체스터 씨는 단호하고 별난 사람을 좋아해. 그레이스가 적어도 별나긴 하잖아. 예전에 어떤 일탈을(그처럼 성급하고 고집스러운 성격에 저지르고도 남을 만한 일탈을) 저질러서 그녀에게 약점을 잡혔고, 그녀가 지금 그의 행동들을 뒤에서 은밀히 조종할 수 있는 거라면, 그가 자신의 무분별한 행동 때문에 그녀의 영향력을 떨쳐 낼 수도 무시할 수도 없는 건 아닐까?' 하지만 이런 추측까지 도달했을 때, 풀 부인의 네모지고 납작한 몸매와 예쁘지 않을 뿐 아니라 냉담하고 거칠기까지 한 얼굴이 내 마음의 눈에 너무나 또렷이 떠올랐다. '아니야, 있을 수 없는 일이야! 내 짐작이 맞을 리 없어, 하지만.' 마음에서 말하는 은밀한 목소리가 속삭였다. '하지만 너도 아름답지 않은데, 로체스터 씨가 마음에 들어 하는 것 같잖니. 아무튼 자주 그 비슷한 느낌이 들었고, 지

난밤에는…… 그가 한 말을 기억해 봐. 그의 시선을 생각해 봐. 그의 목소리를 떠올려 봐!'

나는 그 모든 것을 또렷하게 기억했다. 말, 시선, 어조가 그 순간에 생생하게 되살아나는 듯했다. 나는 이제 공부방에 있었다. 아델은 그림을 그리고 있었다. 나는 아이에게 몸을 숙여 연필 잡는 법을 가르쳐 주었다. 아델은 깜짝 놀란 듯 시선을 들어 올리며 말했다.

"QU'avez-vous, mademoiselle(왜 그러세요, 마드무아젤)? Vos doigts tremblent comme la feuille, et vos joues sont rouges. Mais, rouges comme des cerises(손가락이 나뭇잎처럼 떨려요, 볼도 버찌처럼 새빨개요)!"

"몸을 굽히고 있었더니 더워서 그래!"

그녀는 계속 스케치를 했고, 나는 다시 생각에 잠겼다.

나는 그레이스 풀에 관해 이어지는 불쾌한 생각들을 내 마음에서 몰아냈다. 생각만으로도 역겨웠다. 나 자신과 그녀를 비교해 보았고, 우리가 다르다는 것을 발견했다. 베시 레븐이 나더러 점잖은 숙녀 같다고 했던 말은 사실이었다. 나는 숙녀였다. 게다가 지금은 베시가 나를 보았을 때보다 한결 나아진 모습이었다. 얼굴빛이 좋아졌고 살도 붙었다. 더 생기 있고 활기차 보였다. 더 밝은 희망과 더 즐거운 기쁨들을 누리고 있었으니까. 창 쪽을 바라보며 내가 중얼거렸다.

"저녁이 다 됐어. 오늘은 이 집에서 로체스터 씨의 목소리도 발소리도 듣지 못했어. 하지만 밤이 되기 전에는 뵙게 되겠지. 아침에는 만나기가 두려웠는데 이제는 어서 만나 뵙고 싶어. 너무 오래 기다렸어."

어스름이 내리고, 아델이 소피와 같이 놀려고 육아실로 떠나자 소망은 더더욱 간절해졌다. 아래층에서 종소리가 울리나 싶어 귀를 기울였다. 연락을 갖고 올라오는 리어의 발소리에 귀를 기울였다. 때로는 로체스터 씨의 발소리를 들은 것 같아서, 문을 바라보며 그게 열리고 그가 들어오기를 기대했다. 그 문은 닫힌 채로 남아 있었다. 어둠만이 창으로 들어올 뿐이었다. 하지만 아직 늦은 시간은 아니었다. 그는 7시나 8시에 나를 부른 적도 많았고, 지금은 겨우 6시였다. 그에게 할 말이 너무나도 많은데 오늘 밤에 실망하게 되지는 않을 것이다! 다시 그레이스 풀의 얘기를 꺼내서 그의 대답을 듣고 싶었다. 어젯밤에 그 소름 끼치는 짓을 저지른 장본인이 정말로 그녀라고 생각하는지 솔직하게 물어보고 싶었다. 만약에 그렇다면, 왜 그녀의 못된 행동을 비밀로 덮어 두는지. 나의 호기심이 그를 화나게 하더라도 문제될 것은 없었다. 나는 그를 성나게 했다가 달래 주는 방법을 알고 있었다. 그것은 나의 주된 즐거움 중 하나였고, 믿음직한 본능이 내가 너무 지나치게 나아가는 것을 늘 막아 주었다. 도발의 한계를 넘어선 적은 한 번도 없었다. 그 아슬아슬한 경계의 끝에서 내 솜씨를 시험해 보는 게 재미있었다. 변함없이 존경을 보이고 내가 갖춰야 할 모든 예의를 지키면서 한편으로는 불편한 구속을 겁내지 않고 그와 논쟁을 벌일 수 있었다. 그것은 그에게도 나에게도 만족스러웠다.

드디어 계단에서 삐거덕거리는 소리가 올라왔다. 리어가 나타났다. 하지만 그녀의 용건은 단지 페어팩스 부인의 방에 차가 준비되었다는 말을 전하기 위해서였다. 나는 아래층으로 내려가는 것만으로도 기뻐서 그리로 향했다. 로체스터 씨에게 나를 좀 더 가까이 데려가는 거라고 상상했다. 내가 들어서자 그 선량한 숙녀가 말했다.

"차 생각이 나실 것 같아서요. 식사 때 너무 조금밖에 안 드셨잖아요. 오늘 어디가 불편하신가요? 얼굴이 발그레하니 열이 있는 것 같아요."

"아뇨, 아무 문제없어요! 이보다 더 좋을 수 없을 정도예요."

"그렇다면 왕성한 식욕으로 증명해 봐요. 내가 이 바늘 들어간 만큼만 마저 뜰 테니까 찻주전자에 물을 부어 줄래요?"

그녀는 그 일을 끝내고, 지금까지 올려져 있던 블라인드를 내리기 위해 일어섰다. 일광을 최대한 받아들이려고 걷어 놓았던 모양이다. 하지만 이제 어스름이 빠르게 어둠으로 깊어지고 있었다. 그녀가 창밖을 내다보며 말했다.

"오늘 밤은 날이 좋네요. 별빛은 없지만, 대체로 로체스터 씨가 여행하기에는 무리가 없겠어요."

"여행이오? 로체스터 씨가 어디 가셨어요? 저는 그런 줄은 몰랐는데요."

"아, 아침 드시고 바로 출발하셨답니다! 리스에 가셨어요. 밀코트 저쪽으로 16킬로미터쯤 떨어진 애시턴 씨 댁이죠. 거기서 꽤 여러분이 모이나 봐요. 잉그램 경, 조지 린 경, 덴트 대령, 그 외에도 많은 분들이 있겠죠."

"오늘 밤에 돌아오시나요?"

"아뇨, 내일도 어려울걸요. 아마 일주일 이상 머무르시지 않을까 싶어요. 이렇게 멋진 사교계 인사들이 모일 때면 온통 우아하고 경쾌한 분위기에 휩싸이지요. 즐겁게 누릴 수 있는 것들이 고루 갖춰져 있으니 서둘러 헤어지게 되질 않나 봐요. 그런 경우에 특히 신사들이 빠질 수 없죠. 로체스터 씨는 사교에 능하고 활발하셔서 인기가 많으실 거예요. 숙녀들도 그분을 아주 좋아해요. 당신은 그분이 숙녀들의 눈에 특출하게 들 만한 외모가 아니라고 생각할 수도 있겠지만요. 하지만 나는 그분의 학식과 능력에 어쩌면 재산과 좋은 혈통까지 더해져서 외모의 사소한 단점이 보완될 거라고 생각한답니다."

"리스에 숙녀들도 있나요?"

"애시턴 부인과 세 따님들이 있어요. 매우 품위 있는 아가씨들이에요. 잉그램 경의 따님인 블랑시 아가씨와 메리 아가씨도 있어요. 너무너무 아름다우시죠. 사실 육칠 년 전에, 열여덟 살 소녀였던 블랑시 아가씨를 본 적이 있어요. 여기서 열린 로체스터 씨의 크리스마스 무도회와 파티에 참석했었거든요. 그날 식당이 어땠는지 당신이 봤어야 하는데. 장식은 얼마나 호화로웠는지, 불은 얼마나 눈부시게 켜져 있었는지! 손님이 50명은 족히 되었을 거예요. 다들 이 지방의 일류 가문 출신이었죠. 잉그램 양이 그날 밤 최고의 미인이었어요."

"그녀를 직접 보셨다고 했죠, 페어팩스 부인. 어떻게 생기셨나요?"

"네, 봤어요. 식당 문이 열리고, 크리스마스 시즌이라서 하인들도 현관홀에 모여 숙녀분들의 노래와 연주를 들을 수 있었어요. 로체스터 씨가 안으로 들어오라고 하셔서 나도 조용한 구석에 앉아 지켜봤답니다. 그보다 화려한 광경은 본 적이 없어요. 숙녀들이 아주 화려하게 차려입었었지요. 대부분은, 적어도 젊은 분들 대부분은 참으로 예쁘더군요. 물론 잉그램 양이 그중의 여왕이었지만요."

"어떻게 생겼는데요?"

"키는 훤칠하고 어깨선이 곱고 가슴은 풍만해요. 목은 길고 우아해요. 안색은 가무잡잡하고 깨끗한 올리브색이었고, 이목구비는 고상했죠. 눈은 로체스터 씨와 비슷하게 크고 검은데, 그녀가 달고 있는 보석들처럼 반짝거렸죠. 머리도 너무나 아름다웠어요. 갈까마귀 같은 검은 머리를 참으로 잘 어울리게 단장했더군요. 뒤쪽은 굵게 땋아 틀어 올리고, 앞머리는 반짝반짝하는 곱슬머리를 아주 길게 늘어뜨렸었지요. 순백의 드레스를 입고 있었는데, 맑은 노란색 스카프를 어깨에서 가슴으로 걸쳐 옆으로 묶고, 술이 길게 달린 끝부분을 무릎 아래로 내려뜨렸더군요. 머리에 똑같은 색의 꽃도 달았죠. 그게 새까만 곱슬머리와 멋지게 대조를 이루었어요."

"사람들이 무척 감탄했겠네요?"

"그럼요. 미모만이 아니라 기량 면에서도 감탄을 자아냈죠. 노래도 불렀거든요. 신사 한 분이 피아노 반주를 맡고 잉그램 양과 로체스터 씨가 이중창을 불렀어요."

"로체스터 씨가요? 그분이 노래를 잘하시는 줄은 몰랐어요."

"어머나! 목소리가 아주 멋진 저음이에요. 음악적인 취향도 탁월하시고."

"잉그램 양도 마찬가지겠죠. 그분 목소리는 어때요?"

"성량이 풍부하고 힘찬 목소리예요. 유쾌하게 노래를 하셨죠. 듣는 귀가 즐거울 정도였어요. 그 뒤에는 연주도 했어요. 나는 음악을 잘 모르지만 로체스터 씨는 조예가 깊으세요. 대단히 훌륭한 솜씨라고 칭찬하시더군요."

"그렇게 아름답고 재주가 뛰어난 여성이 아직 미혼이시라는 건가요?"

"그런 모양이에요. 그분도 동생분도 재산이 별로 없으신 것 같아요. 노 잉그램 경의 영지는 주로 한정 상속되었는데, 장남이 거의 다 물려받았거든요."

"하지만 부유한 귀족이나 신사가 그녀에게 호감을 가졌을 것 같은데요. 예를 들면 로체스터 씨 같은 분이. 그분은 부자시잖아요?"

"아! 그럼요. 하지만 나이 차가 상당히 나요. 로체스터 씨는 마흔에 가까운데 그 아가씨는 겨우 스물다섯이에요."

"그게 어때서요? 더 차이 나는 사람들도 얼마든지 결혼하는걸요."

"그렇긴 하죠. 하지만 로체스터 씨가 그런 쪽으로 생각하시는 것 같진 않아요. 그런데 전혀 드시질 않네요. 차 마시기 시작한 후로 거의 손도 안 댔어요."

"네. 목이 말라서 아무것도 못 먹겠어요. 차 한 잔 더 주시겠어요?"

나는 로체스터 씨와 아름다운 블랑시의 결합 가능성에 대해 더 이야기하고 싶었지만 아델이 들어오는 바람에 대화는 다른 방향으로 흘러갔다.

다시 혼자 남게 되자 나는 내가 얻은 정보를 곱씹어 보았다. 내 마음을 들여다보고, 그 생각과 느낌들을 조사하고, 길도 없고 끝도 없는 상상의 황야에서 헤매고 있던 것들을 엄한 손으로 붙잡아 상식이라는 안전한 우리로 돌려보내려고 노력했다.

내 마음의 법정에 나를 세웠을 때, 기억은 내가 어젯밤 이후로 소중히 품어 왔던 희망과 소망과 감상의 증거를, 내가 지난 2주일 동안 탐닉했던 전반적인 심경의 증거를 제시했다. 그러자 이성이 앞으로 나와 특유의 조용한 목소리로, 내가 현실을 인정하지 않고 어떻게 미친 듯이 이상을 탐식하고 있었는지를 꾸밈없이 솔직하게 드러냈다. 나는 다음과 같은 판결을 내렸다.

지금까지 제인 에어보다 더한 바보는 세상에서 숨을 쉰 적이 없었다고. 달콤한 거짓말을 폭식하고, 독을 과즙인 양 삼켰던 그보다 더 지독한 얼간이는 없었다고. 나는 나에게 말했다.

'네가' 로체스터 씨에게 총애를 받아? '네가' 그를 기쁘게 할 능력이 있어? '네가' 어떤 식으로든 그에게 중요한 존재라고? 집어치워라! 너의 어리석음이 역겹구나. 너는 그가 가끔 보여 주는 호의에서 기쁨을 끌어냈어. 세상 물정에 통달한 좋은 가문의 남자가 풋내기 고용인에게 보이는 애매모호한 표시에서 말이다. 어떻게 감히 네가? 불쌍하고 어리석은 멍청이! 자신을 위해서라도 좀 더 똑똑하게 굴 수 없니? 오늘 아침에 너는 간밤의 그 짧은 장면을 얼마나 반복해서 떠올렸니? 얼굴을 가리고 부끄러운 줄 알아라! 그가 네 눈을 칭찬하더냐? 눈먼 강아지 같으니! 그 침침한 눈꺼풀을 열어 너의 저주받은 무분별을 똑똑히 바라보아라! 자신과 결혼할 마음이 있을 리 없는 윗사람의 호의는 여자에게 아무 소용이 없는 거야. 마음에 비밀스런 사랑을 불태우는 여자는 다 미친 거야. 상대가 알아주지도 않고 보답해 주지도 않는 사랑은 인생을 삼켜 버리지. 상대가 그걸 알고 응답해 주면 도깨비불에 홀린 듯이 빠져나올 길 없는 수렁의 황무지로 말려들어 가게 돼.

그러니 너의 선고에 귀를 기울여라, 제인 에어. 내일 거울 앞에 앉아, 네 모습을 크레용으로 충실하게 그리려무나. 단점 하나도 가리지 마. 보기 싫은 선도 빼먹지 말고, 보기 흉한 부조화도 없애지 마라. 그 아래, '연고 없고, 가난하고, 못생긴 가정 교사의 초상.'이라고 써라.

그 후에 매끄러운 고급 종이를 한 장 꺼내. 그림 도구 상자에 있을 거야. 팔레트를 가져다가 제일 상큼하고 곱고 선명한 색을 섞어라. 제일 섬세한 낙타 털로 된 화필을 골라라. 네가 상상할 수 있는 가장 사랑스런 얼굴의 윤곽을 조심스럽게 그려라. 페어팩스 부인이 설명한 블랑시 잉그램의 모습대로 가장 부드러운 색조와 가장 달콤한 빛깔로 그걸 칠해라. 갈까마귀 색의 곱슬머리와 그 동양적인 눈을 잊지 마. 뭐야! 로체스터 씨의 눈을 모델로 떠올리는 거냐! 명령이야! 훌쩍거리지 마! 감상적으로 굴지 마! 아쉬워하지 마! 분별력과 결의만을 허용하겠어. 당당하고 조화로운 생김새, 그리스 조각 같은 목과 풍만한 가슴을 떠올려라. 둥그렇고 눈부신 팔과 섬세한 손이 보이게 해야 돼. 다이아몬드 반지도 금팔찌도 빠뜨리지 마. 의상도 충실하게 묘사해. 하늘하늘한 레이스와 반짝이는 공단, 우아한 스카프와 황금빛 장미까지. 그 그림에 '재색을 겸비한 명문가의 숙녀 블랑시.'라고 이름 붙여.

앞으로 로체스터 씨가 너에게 호감을 갖고 있다는 환상에 빠질 때마다, 이 두 개의 그림을 꺼내 비교해 보아라. '로체스터 씨는 마음만 먹으면 이 고귀한 숙녀의 사랑을 얻을 수 있어. 그런 그가 가난하고 볼품없는 평민 여자에게 진지한 생각을 낭비할 것 같아?' 이렇게 말해. '그렇게 하겠어.' 결심을 하고 나니 마음이 차분하게 가라앉아 그제야 잠이 들 수 있었다.

나는 내가 한 약속을 지켰다. 크레용으로 내 초상화를 그리는 데에는 한두 시간이면 충분했고, 2주일이 지나기 전에 상상으로 그린 블랑시 잉그램의 고급스런 작은 초상을 완성했다. 그것은 꽤 사랑스러운 얼굴로 그려졌고, 크레용으로 그린 커다란 자화상과 비교해 볼 때, 자기 통제력이 원하는 만큼의 현격한 차이를 드러냈다. 나는 그 작업에서 이로움을 얻어 냈다. 내 머리와 손을 분주하게 놀리며, 내 마음에 지워지지 않게 각인시키려 했던 새로운 인상을 효과적으로 고정시킬 수 있었다.

머지않아, 나는 내 감정을 이렇게 굴복시켰던 유익한 훈련 과정을 스스로 축하할 수 있게 되었다. 그 덕분에 나는 후에 이어진 상황들을 점잖고 차분하게 맞이할 수 있었다. 만약 준비되지 않았더라면, 나는 어쩌면 겉으로도 평온을 유지하기 힘들었을 것이다.

제17장

일주일이 지나도 로체스터 씨에게서는 아무 소식이 오지 않았다. 열흘이 지나도 여전히 그는 오지 않았다. 페어팩스 부인은 그가 리스에서 곧장 런던으로 가, 거기서 대륙으로 건너간 다음, 앞으로 1년간 손필드에 다시 얼굴을 보이지 않는다 하더라도 놀라운 일은 아니라고 했다. 그전에도 그는 예기치 않게, 급작스럽게 그곳을 떠나곤 했다는 것이다. 이 말을 듣자 가슴이 무너지면서 묘한 한기가 느껴지기 시작했다. 나는 내 마음이 구질구질한 실망감에 빠지는 것을 허락하고 있었다. 하지만 정신을 차리고 스스로 정한 원칙들을 되새기며 나의 감각들에게 주의하라고 소리쳤다. 나는 이 일시적인 실수를 놀라운 방법으로 극복했다. 로체스터 씨의 행동을 나에게 중요한 관심사가 될 만한 문제로 생각하는 실수를 일거에 사라지게 했다. 비천한 자격지심으로 나를 비하했던 것은 아니다. 반대로, 나는 간단히 이렇게 말했다.

'너는 손필드의 주인과 아무런 상관이 없어. 그가 보호하고 있는 아이를 가르치는 대가로 급료를 받고 있는 거야. 본분을 다하고 그에 상응하는 정중하고 친절한 대접에 감사하면 그뿐이야. 그가 너와의 사이에 진지하게 인정하는 끈은 그거 하나밖에 없다는 것을 명심해. 그러니 그를 너의 좋은 감정, 환희, 고통, 기타 등등의 대상으로 삼지 마. 그는 너와 같은 부류가 아니야. 네 신분을 지켜. 그리고 온 마음과 영혼과 기력을 다한 사랑을 원하지도 않고 경멸하는 이에게는 너의 선물을 아낌없이 퍼붓지 말아야 해. 그게 네 자존심을 지키는 일이야.'

나는 평온하게 하루 일과를 계속해 나갔다. 하지만 가끔씩 내가 손필드를 떠나야 할 이유들이 막연하게 내 머릿속을 떠다니기도 했다. 나는 나도 모르게 광고문을 짜고 새로운 일자리를 상상하며 시간을 보내곤 했다. 이런 생각들을 굳이 억눌러야 한다고는 생각지 않았다. 가능한 일이라면 그들이 싹을 틔우고 열매를 맺을 것이다.

로체스터 씨가 집을 비운 지 2주일이 지났을 때, 우체부가 페어팩스 부인에게 편지 한 통을 가져왔다. 겉봉을 보고 그녀가 말했다.

"주인님이 보내신 거네. 이제 나리가 돌아오실지 어떨지 알게 되겠어요."

그녀가 밀봉을 뜯고 편지를 읽는 동안, 나는 계속해서 커피를 마셨다(우리는 아침 식사 중이었다). 커피는 뜨거웠고, 갑자기 내 얼굴에 불같은 홍조가 올라왔다. 커피 탓이었으리라. 내 손이 떨리는 이유와 부지불식중에 커피의 반을 접시에 엎지른 이유에 대해서는 생각하고 싶지 않았다.

"음…… 가끔은 여기가 지나치게 조용하다고 생각했는데, 이제는 상당히 바빠질 것 같아요. 적어도 한동안은."

페어팩스 부인이 여전히 안경을 쓰고 편지를 들여다보며 말했다.

왜 그런 말을 하는지 물어보기로 마음먹기 전에, 나는 마침 풀어져 있던 아델의 앞치마 끈을 묶어 주었다. 그녀에게 빵을 하나 더 먹게 하고 잔에 우유를 다시 채워 주고 나서 태연하게 물었다.

"로체스터 씨가 곧 돌아오진 않으시겠죠?"

"실은 곧 오실 모양이에요. 사흘 뒤라고 하시네요. 돌아오는 목요일이겠군요. 혼자 오시는 것도 아니에요. 리스의 고상하신 분들이 몇 분이나 같이 오실지 모르겠네요. 제일 좋은 침실을 모조리 준비해 두고 서재와 응접실을 다 청소하라고 지시하셨어요. 밀코트의 조지 여인숙이나 다른 어디서든 부엌일 도와줄 사람을 구해야겠어요. 숙녀들에게는 하녀들이, 신사들에게는 시종들이 따라올 테니 이 집이 꽉 차겠어요."

페어팩스 부인은 아침 식사를 얼른 삼키고 준비를 시작하기 위해 서둘러 떠났다.

페어팩스 부인이 예언한 대로 사흘간은 눈코 뜰 새 없이 바빴다. 나는 손필드의 방들이 모두 아름답고 깨끗하게 잘 정리되어 있다고 생각했는데, 그것은 착각이었던 모양이다. 일을 거들어 줄 여자 셋이 고용되었다. 그렇게 쓸고, 닦고, 도료를 씻어 내고, 양탄자 먼지를 털고, 그림을 내렸다 올리고, 거울과 샹들리에와 촛대에 광을 내고, 침실마다 불을 지피고, 난롯가에 깃털 침대와 시트를 널어놓으며 법석을 떨어 대는 광경을 나는 전에도 후에도 본 적이 없다. 아델은 그 가운데서 신나게 뛰어 놀았다. 손님맞이 준비와 손님이 올 거라는 예상이 이 아이를 황홀경으로 몰아넣은 듯했다. 아델은 소피에게 프록이라 부르는 의상을 빠짐없이 살펴보게 했다. 옛날 것은 전부 새것처럼 만들게 하고, 새것은 말려서 정리하게 했다. 아델이 하는 일이라고는 이 방 저 방을 뛰어다니고, 침대 틀에 올라갔다 내려오고, 굴뚝마다 굉음을 일으키며 타오르는 불길 앞에 쌓아 둔 매트리스와 베개와 덧베개 무더기 위에 누웠다 일어나는 것이 전부였다. 게다가 아델은 공부에서도 해방되었다. 페어팩스 부인이 나에게 도움을 청했기 때문에 나는 하루 온종일 저장실에서 그녀와 요리사의 일을 거들었다(아니면 방해했다고 해야 할까). 커스터드와 치즈 케이크와 프렌치 패스트리 만드는 법을 배웠고, 새고기를 꼬챙이에 끼우거나 디저트 접시에 고명 올리는 법도 알게 되었다.

손님 일행은 목요일 오후 6시 만찬 시간에 맞춰 도착할 예정이었다. 그 기간 동안에는 공상에 빠질 겨를이 없었다. 아델만큼은 아니지만 나도 누구 못지않게 적극적이고 쾌활했던 것으로 기억한다. 그러나 이따금씩 나의 쾌활함은 물벼락을 맞은 듯 가라앉았고, 어느새인지 모르게 의심과 불길한 느낌과 어두운 억측의 영역으로 밀려들어갔다. 내가 이런 기분이 되는 것은 3층 계단 문이 천천히 열리고(최근에 이 문은 항상 잠겨 있었다) 새침한 모자와 하얀 앞치마와 목수건 차림의 그레이스 풀이 나타나는 것을 볼 때였다. 또 천 슬리퍼를 신은 그녀가 소리 나지 않게 조용히 복도로 걸어가는 것을 보았을 때, 그녀가 부산하고 뒤죽박죽된 침실들을 들여다보는 것을 보았을 때도 그랬다. 그저 날품 파는 여자에게 쇠살대를 제대로 윤내는 방법이나 대리석 벽난로 선반을 청소하는 법이나 벽지 바른 벽에서 얼룩을 제거하는 법 등에 대해 한마디 하고 지나가려는 것뿐이겠지만 그렇게 그녀는 하루에 한 번 부엌으로 내려가, 식사를 하고, 난롯가에서 싸구려 파이프를 한 대 피우고, 개인적인 위안거리로 흑맥주 단지를 들고, 다시 우울한 위층 소굴로 되돌아갔다. 그녀가 아래층에서 동료 하인들과 어울리는 시간은 24시간 중 딱 한 시간이었다. 나머지 시간은 모두 3층의 어느 천장이 낮은 참나무로 된 방에서 보냈다. 지하 감옥의 죄수처럼 말상대도 없이 거기에 앉아 바느질을 했다. 아마도 혼자 황량하게 웃으면서.

무엇보다 가장 이상한 것은 이 집에서 나를 제외한 어느 누구도 그녀의 습관을 눈여겨보거나 이상하게 여기는 것 같지 않았다는 점이

다. 그녀가 하는 일이나 그녀의 위치를 입에 올리는 사람도 없었다. 그녀의 고독이나 격리된 상황을 동정하는 사람도 없었다. 사실 나는 리어와 임시 고용된 여자가 그레이스에 대해 얘기하는 것을 잠깐 엿들은 적이 있다. 내가 알아듣지 못한 어떤 말을 리어가 하자 다른 여자가 말했다.

"보수는 넉넉히 받겠네요?"

"그럼요." 하고 리어가 말했다.

"나도 그만큼 받으면 좋겠어요. 내가 적게 받는다고 불평하는 건 아니에요. 여긴 그리 인색하지 않거든요. 하지만 풀 부인이 받는 거에 비하면 5분의 1도 안 돼요. 그녀는 저축까지 하고 있어요. 석 달에 한 번씩 밀코트에 있는 은행에 가죠. 여길 그만두더라도 먹고살 만큼 충분히 모아 놨을걸요. 하지만 그녀는 여기에 적응한 것 같아요. 아직 마흔도 안 됐고 뭐든지 할 수 있을 정도로 건강하죠. 일손을 놓기는 아직 일러요."

"일을 잘하는 모양이네요." 하고 다른 여자가 말했다.

"아! 그녀는 자기가 해야 할 일을 잘 알고 있어요. 그만한 사람도 없죠."

리어가 의미심장하게 대답했다.

"게다가 아무나 대신할 수 있는 일이 아니에요. 그만한 돈을 받는다고 해도 말이에요."

"그건 그래요! 주인 나리가……."

그 여자가 말을 이어 가고 있었다. 하지만 그때 리어가 고개 돌려 나를 알아보고는 즉시 상대를 쿡 찔렀다.

"저 사람은 모르는 거예요?"

그 여자의 속삭임이 내 귀에 들렸다.

리어가 고개를 흔들었고, 대화는 물론 중단되었다. 내가 거기서 주워들은 내용은 다음 두 가지가 전부였다. 손필드에 비밀이 있고, 나는 그 비밀에서 의도적으로 제외되었다는 것.

목요일이 되었다. 모든 준비는 전날 저녁에 완료되었다. 양탄자를 깔고, 침대 길이에 꽃줄을 장식하고, 새하얀 침대 덮개를 펼치고, 경대를 정리하고, 가구를 반들반들하게 닦고, 꽃병에 꽃을 꽂았다. 방이며 객실이며 모든 곳이 사람의 손으로 할 수 있는 최고의 상태로 산뜻하고 화사하게 정리되었다. 현관홀도 문질러 닦았다. 계단과 난간은 말할 것도 없고 조각 장식이 된 거대한 시계까지 유리처럼 반짝반짝 빛을 냈다. 식당에는 사이드보드에 식기들이 눈부시게 빛났다. 응접실과 내실에는 이국적인 꽃들을 머금은 꽃병들이 사방에서 꽃을 피웠다.

오후가 되었다. 페어팩스 부인은 제일 좋은 검정색 공단 드레스와 장갑과 금시계로 단장했다. 일행을 맞아들이고 숙녀들을 방으로 안내하는 일이 모두 그녀의 몫이었기 때문이다. 아델도 꽃단장을 하고 싶어 했다. 적어도 그날은 그녀가 손님들에게 소개될 가능성이 없다는 게 내 생각이었지만 그래도 그녀의 기분을 맞춰 주려고 소피에게 짧고 풍성한 모슬린 프록을 입혀 주라고 허락했다. 나로 말할 것 같으면 전혀 갈아입을 필요가 없었다. 내가 공부방이라는 성소에서 불려 나갈 일은 없을 테니까. 이제 그곳은 나에게 성소와 마찬가지였다. 고난의 시기에 매우 쾌적하게 피할 수 있는 안식처.

포근하고 화창한 봄날이었다. 3월 말이나 4월 초에, 여름의 전령처럼 햇살이 대지 위를 비추는 그런 날들 중의 하나였다. 이제 하루가 저물고 있었다. 하지만 저녁이 더 포근해서, 나는 창을 열어 둔 공부방에 앉아 바느질을 하고 있었다. 페어팩스 부인이 옷자락 스치는 소리를 내며 들어와 말했다.

"늦어지시네요. 로체스터 씨가 말씀하신 시간보다 한 시간 늦게 만찬을 준비시킨 게 다행이에요. 이제 6시가 지났잖아요. 길에 뭐가 보이는지 알아보라고 존을 정문으로 내려보냈어요. 거기서는 밀코트 쪽으로 멀리 내다볼 수 있거든요."

그녀가 창가로 걸어가며 말했다.

"저기 오네요! 여기예요, 존."

고개를 내밀며 그녀가 물었다.

"무슨 소식 있어요?"

존이 대답했다.

"지금들 오고 계세요. 10분이면 도착할 겁니다."

아델이 창으로 달려갔다. 나도 따라갔다. 커튼에 가려 보이지 않게 내다볼 수 있도록 한쪽으로 비켜서는 것을 잊지 않았다.

존이 말한 10분이 아주 길게 느껴졌지만, 마침내 바퀴 소리가 들려왔다. 말에 올라탄 네 명이 마찻길을 빠르게 달려왔고, 그 뒤로 무개마차 두 대가 이어 달렸다. 나풀거리는 베일과 흔들리는 깃털 장식들이 마차를 가득 메웠다. 두 명의 기사는 젊고 멋진 신사들이었다. 세 번째는 그의 검은 말 메스루에 타고 있는 로체스터 씨였다. 그 앞에서 파일럿이 기운차게 껑충거렸다. 그의 옆으로 한 여자가 말을 달렸고, 그 둘이 일행의 선두였다. 그녀의 보라색 승마복은 거의 땅에 스칠 듯했고, 베일이 바람 따라 길게 나부끼고 있었다. 베일의 투명한 주름과 섞여 들거나 그 사이사이로 반짝이는 갈까마귀 색의 곱슬머리가 언뜻언뜻 내비쳤다.

"잉그램 양이에요!"

페어팩스 부인이 소리치고는, 다급하게 아래층 자신의 자리로 내려갔다.

마찻길을 올라오던 화려한 행렬이 빠르게 굽이를 돌아 내 시야에서 사라졌다. 아델이 아래층으로 내려가게 해 달라고 애원했다. 하지만 나는 그녀를 무릎에 앉히고, 내려오라는 부름이 있지 않는 한은 지금이든 언제든 숙녀들 앞에 나갈 생각을 하면 안 된다고 이해시켰다. 로체스터 씨가 몹시 화내실 거라는 등의 이유를 대면서. 이 말을 듣더니 그녀의 눈에서 자연스럽게 눈물이 흘렀다. 하지만 내가 아주 엄한 표정을 지어 보이자, 결국 아델은 눈물을 닦았다.

현관홀에서 흥겹게 법석거리는 소리가 들려왔다. 신사들의 깊은 목소리, 숙녀들의 맑은 음성이 조화롭게 뒤섞였고, 무엇보다도 소리는 그리 크지 않지만 아름답고 용감한 손님들이 이 집에 오신 것을 환영하는 손필드 저택 주인의 낭랑한 목소리를 구분할 수 있었다. 그 뒤에 가벼운 발걸음들이 계단을 올라왔다. 복도로 걸어오는 소리, 부드럽고 쾌활한 웃음소리, 문이 열리고 닫히는 소리, 그리고 잠시 정적이 흘렀다.

"Elles changent de toilettes(옷을 갈아입는 거예요)."

귀를 쫑긋 세우고 모든 동작을 따라 하던 아델이 말했다. 그러고는 한숨을 내쉬었다.

"Chez maman, quand il y avait du monde, je le suivais partout, au salon et à leurs chambres. Souvent je regardais les femmes de chambre coiffer et habiller les dames. et c'était si amusant. Comme cela en apprend(엄마와 같이 있을 때는, 손님이 오시면 어디든지 따라다녔어요. 응접실에서 침실까지. 하녀가 손님의 머리를 매만지거나 옷 입히는 것을 자주 봤어요. 아주 재미있었어요. 많이 배웠고요)."

"배고프지 않니, 아델?"

"Mais oui, mademoiselle. voilà cinq ou six heures que nous n'avons pas mangé(배고파요. 대여섯 시간이 지나도록 아무것도 못 먹었어요)."

"그러면 숙녀들이 방에 계시는 동안, 내가 내려가서 먹을 걸 좀 가져올게."

나는 조심스럽게 나의 피난처를 빠져나와, 부엌으로 직접 이어진 뒤쪽 계단을 내려갔다. 부엌은 온통 불과 소란이 지배하는 영역이었다. 수프와 생선은 차려 내기 직전이었고, 요리사는 심신이 금방이라도 타 버릴 것 같은 상태로 도가니에 고개를 숙이고 있었다. 하인용 구역에는 마부 두 명과 신사들의 종복 셋이 불가에 서거나 앉아 있었다. 하녀들은 숙녀들과 같이 위층에 있을 것이다. 밀코트에서 데려온 새 하인들이 도처에서 바쁘게 일하고 있었다. 나는 이 혼돈을 요리조리 누비고 지나, 마침내 식료품 저장실에 도착했다. 거기서 차가운 닭고기, 빵 한 덩이, 과일 파이, 접시 한두 개와 나이프와 포크를 손에 넣고 서둘러 빠져나왔다. 다시 2층 복도로 돌아가 뒷문을 막 닫는데 와글와글한 소리가 점점 커지면서 숙녀들이 방에서 나오려는 참이라는 것을 경고해 주었다. 공부방에 닿으려면 그중 몇 개의 문을 지나다 내가 들고 있는 음식으로 숙녀들을 놀라게 해야 할지도 몰랐다. 할 수 없이 나는 창문 없이 컴컴한 그 끄트머리에 가만히 서 있었다. 해가 저물고 황혼이 내리는 시간이라서 꽤 어둑어둑했다.

이윽고 아름다운 숙녀들이 하나둘씩 방에서 나왔다. 모두들 어스름 속에 빛나는 드레스를 입고, 명랑하고 경쾌한 모습으로 나타났다. 한동안 그들은 복도의 저쪽 끝에 모여 소곤소곤 조용하면서도 활기찬 어조로 대화를 나눴다. 그러더니 환한 안개가 언덕을 굴러 내려가듯이 거의 소리를 내지 않고 계단을 내려갔다. 한데 모여 있던 그들의 모습은 이전에 내가 한 번도 느껴 본 적 없는 고귀한 태생의 우아함을 깊이 각인시켜 주었다.

공부방 문을 살짝 열고 엿보는 아델의 모습이 보였다. 그녀가 영어로 소리쳤다.

"어쩜 저렇게 아름다울까! 아, 나도 저분들과 같이 갈 수만 있다면! 로체스터 씨가 만찬 후에 우리를 불러 주실까요?"

"아니, 그렇게는 안 될 거야. 로체스터 씨는 달리 생각할 게 많으시거든. 오늘 밤에는 숙녀들을 생각하지 마라. 어쩌면 내일은 볼 수 있을지 모르지. 여기 네 저녁 식사를 가져왔어."

아델은 정말로 배가 많이 고팠는지, 한동안은 닭고기와 파이에 정신이 팔려 있었다. 내가 이 식량을 구해 온 것은 참으로 잘한 일이었다. 그러지 않았더라면 아델과 나와 우리 음식을 같이 나눠 먹은 소피까지 저녁 식사를 할 수 없었을 것이다. 아래층 사람들은 다들 정신없이 바빠서 우리를 생각해 줄 겨를이 없었다. 디저트는 9시가 지나서야 식당으로 들어갔고, 10시가 되어서도 하인들은 커피 잔을 얹은 쟁반을 들고 이리저리 달리고 있었다. 나는 아델에게 평소보다 늦게 자도 된다고 허락했다. 아래층에서 문이 계속 열리고 닫히고 사람들이 부산하게 움직이는 동안에는, 잠이 오지 않을 거라고 아델이 우겼기 때문이다. 게다가 아델은 잠옷으로 갈아입은 뒤에 로체스터 씨에게 연락이 올 수도 있다고 덧붙였다.

"Et alors quel dommage(그러면 얼마나 아까운 일이겠어요)!"

나는 아델이 귀를 기울이는 한 오래도록 이런저런 이야기를 들려주었다. 그 뒤에는 기분 전환을 위해 복도로 데리고 나갔다. 현관홀에는 이제 램프가 켜져 있었고, 난간에 고개를 내밀고 앞뒤로 지나다니는 하인들을 지켜보며 아델은 황홀해했다. 밤이 한창 무르익었을 무렵, 피아노를 옮겨 놓은 응접실에서 음악 소리가 들려왔다. 아델과 나는 계단 제일 꼭대기에 앉아 피아노 연주를 들었다. 잠시 후에 풍부한 악기의 음색과 목소리가 어우러졌다. 노래하는 여자의 목소리가 매우 감미로웠다. 독창이 끝나고, 이중창이 이어지고, 혼성 합창곡이 울려 퍼졌다. 흥겨운 대화 소리가 그 사이사이를 메웠다. 나는 한참 동안 귀를 기울였다. 문득 나는 내 귀가 그 혼합된 소리들을 분석하며 뒤죽박죽된 소리들 속에서 로체스터 씨의 것을 구별해 내려고 애쓰고 있다는 것을 깨달았다. 그것은 어렵지 않은 일이었고, 그 후에는 떨어져 있는 거리 때문에 분명하지 않은 음성들을 말로 바꿔 보려고 신경을 곤두세웠다. 시계가 11시를 울렸다. 옆에 앉은 아델의 머리가 내 어깨에 닿아 있었다. 눈꺼풀이 점점 내려앉고 있었으므로 그녀를 안아서 침대로 데려갔다. 손님들이 각자 방으로 돌아간 것은 새벽 1시가 다 되어서였다.

이튿날도 전날처럼 날씨가 화창했다. 손님들은 그 근방의 어느 곳으로 유람을 나섰다. 몇 명은 말을 타고, 나머지는 마차에 올라 정오가 되기 전에 일찌감치 떠났다. 나는 그들이 출발하는 것과 돌아오는 것을 모두 지켜보았다. 전처럼 말에 탄 여성은 잉그램 양뿐이었고, 전처럼 로체스터 씨가 그녀의 옆에서 말을 달렸다. 두 사람은 다른 일행으로부터 약간 떨어져 달리고 있었다. 나는 함께 창가에 서 있던 페어팩스 부인에게 이 점을 지적했다.

"부인께서는 두 사람이 결혼을 생각하지 않을 거라고 하셨지만, 보다시피 로체스터 씨는 분명 다른 어느 숙녀보다도 잉그램 양을 좋아하고 있어요."

"그렇군요. 그런 것 같아요. 그녀에게 마음이 끌리시는 게 틀림없어요."

"잉그램 양도 그래요."

내가 덧붙였다.

"마치 비밀 얘기를 나누듯이 로체스터 씨에게 고개를 기울이는 걸 보세요. 얼굴을 한번 봤으면 좋겠어요. 아직 한 번도 못 봤거든요."

"오늘 저녁에 보게 될 거예요."

페어팩스 부인이 대답했다.

"아델이 숙녀들에게 소개되기를 간절히 바라고 있다고 로체스터 씨에게 말씀드렸더니, '아! 만찬 이후에 응접실로 보내시오. 에어 양도 같이 오라고 하시오.' 하고 말씀하셨어요."

"그렇군요. 예의상 하신 말씀이겠죠. 당연히, 저까지 갈 필요는 없어요." 하고 내가 대답했다.

"글쎄요. 그렇잖아도 당신이 사람들이 많이 있는 자리에 익숙지 않을 거라고 말씀드렸거든요. 그렇게 화려한 파티에, 낯선 사람들 앞에 나가는 걸 좋아하지 않을 것 같아서요. 그랬더니 당장에 '쓸데없는 소리! 그녀가 마다하면 내가 특별히 원하는 일이라고 말하시오. 그래도 싫다고 하면 내가 가서 직접 데려올 거라고 하시오.' 이렇게 대답하셨어요."

"그런 수고를 끼쳐 드릴 순 없지요. 더 나은 방법이 없다면 갈게요. 하지만 별로 내키지는 않네요. 같이 있어 주실 거죠, 페어팩스 부인?"

"그건 안 되겠어요. 나리께 부탁드려서 빠져도 된다는 허락을 받았거든요. 제일 괴로운 게 정식으로 입장할 때인데, 그런 어색함을 면할 수 있는 방법을 가르쳐 줄게요. 숙녀들이 만찬장을 떠나기 전에 비어 있는 응접실로 들어가 마음에 드는 조용한 구석에 자리를 잡아요. 더 있고 싶지 않으면 신사들이 들어온 후에 오래 머물지 않아도 돼요. 그냥 로체스터 씨에게 당신이 거기 있다는 것만 보이고 슬쩍 빠져나오세요. 아무도 알아차리지 못할 거예요."

"손님들이 여기 오래 계실까요, 어떻게 생각하세요?"

"아마 이삼 주 정도. 그 이상은 아닐 거예요. 부활절 휴가가 끝나면 최근에 밀코트 의원으로 선출되신 조지 린 경이 런던에 가서 등원하셔야 할 거예요. 아마 로체스터 씨도 동행하시겠죠. 나리가 손필드에 이렇게 장기간 체류한 것만으로도 이미 놀랄 일이에요."

나는 아델과 같이 응접실로 가게 될 시간이 다가오는 것을 불안하게 의식하고 있었다. 아델은 저녁에 숙녀들 앞에 나갈 수 있게 됐다는 소식을 들은 후로 하루 종일 제정신이 아니었다. 소피가 옷을 입히기 시작했을 때에야 진정이 되었다. 그 과정의 중요성이 금세 그녀를 안정시켰던지, 곱슬머리를 보기 좋게 매만져 늘어뜨리고, 분홍색 공단 프록을 입고, 긴 머리띠를 묶고, 긴 레이스 장갑을 끼고 나자 아델은 재판정의 판사만큼이나 엄숙해 보였다. 옷매무새를 흐트러뜨리지 말라고 주의를 줄 필요도 없었다. 옷을 다 입고 나자 아델은 구겨지지 않게 미리 공단 치마를 들어 올리고 작은 의자에 새침하게 앉아, 내가 준비를 마칠 때까지 꼼짝하지 않겠다고 말했다. 나의 준비는 곧 끝났다. 나는 서둘러 가지고 있는 옷 중에서 제일 좋은 옷을 입었다(템플 선생님의 결혼식 때 구입했다가 그 후로 한 번도 입지 않은 은회색 옷이었다). 머리도 금세 손질했다. 유일한 장신구인 진주 브로치도 급히 달았다. 우리는 아래층으로 내려갔다.

다행히 손님들이 모두 만찬을 들고 있는 살롱을 거치지 않고도 응접실로 들어가는 문이 있었다. 응접실은 비어 있었다. 대리석 난로에 불길이 소리 없이 활활 타오르고, 탁자 위에 장식된 화사한 꽃들 사이로 양초들이 하나씩 밝은 빛을 뿜었다. 아치 앞에는 진홍색 커튼이 드리워져 있었다. 그 옆 살롱에 있는 무리들을 분리시키기에는 약소한 장막이었지만, 그들이 워낙 낮은 어조로 얘기하고 있어서 그들의 대화를 조용히 웅얼거리는 소리 이상으로 구별할 수는 없었다.

아직도 매우 엄숙한 분위기에 사로잡혀 있는 듯한 아델은 말 한마디 없이 내가 가리킨 의자에 앉았다. 나는 창가 의자로 가서 근처 탁자에 있는 책을 한 권 집어 들고 읽으려 했다. 아델이 자기 의자를 내 발치로 가져왔다. 오래지 않아 그녀가 내 무릎을 건드렸다.

"왜 그래, 아델?"

"Est-ce que je ne puis pas prendre une seule de ces fleurs magnifiques, mademoiselle? Seulement pour completer ma toilette(이 예쁜 꽃을 하나만 가져도 될까요? 제 옷을 완벽하게 하고 싶거든요)."

"아델, 너는 옷에 너무 많이 신경을 써. 하지만 꽃 한 송이 쓰는 거야 안 될 거 없지."

내가 꽃병에서 장미 한 송이를 떼어 그녀의 머리띠에 꽂아 주었다. 그제야 행복의 잔이 가득 찬 듯 아이가 더할 수 없이 만족스런 한숨을 내쉬었다. 나는 억누를 수 없는 미소를 감추려고 얼굴을 돌렸다. 작은 파리지엔의 이 열렬하고 천성적인 옷에 대한 집착이 우스꽝스러우면서도 한편으로는 안쓰러웠다.

이제 자리에서 일어나는 소리들이 어렴풋이 들려왔다. 아치의 커튼이 뒤로 걷혔다. 그 사이로 샹들리에와 촛대가 기다란 식탁 위의 멋들어진 디저트용 은 식기와 유리 식기에 빛을 쏟아붓는 식당의 모습이 드러났다. 일단의 숙녀들이 그 입구에 섰다. 그들이 들어오고 그 뒤로 커튼이 내려졌다.

여덟 명에 불과했지만 어쩐지 훨씬 더 많아 보였다. 몇 명은 키가 아주 컸고, 하얀 드레스를 입은 사람이 많았다. 모두들 달을 커 보이게 하는 안개의 효과처럼 그들의 몸을 확대시키는 풍성한 자락을 늘어뜨리고 있었다. 내가 일어나 그들에게 예를 갖췄다. 한두 명이 답례로 고개를 숙여 보였다. 다른 사람들은 빤히 나를 쳐다보기만 했다.

그들이 방 안 여기저기로 흩어졌다. 그 가볍고 경쾌한 움직임들은 깃털 하얀 새들의 무리를 연상시켰다. 몇몇은 소파와 오토만에 반쯤 기대듯이 비스듬하게 앉았다. 몇몇은 탁자에 있는 꽃과 책들을 살펴보았다. 나머지는 난롯가에 무리 지어 모였다. 몸에 밴 습관인 듯 모두가 나지막하면서도 맑은 목소리로 소곤거렸다. 내가 그들의 이름을 알게 된 것은 나중의 일이지만, 지금 그들을 언급하는 것이 나을 듯싶다.

우선, 애시턴 부인과 그녀의 두 딸이 있었다. 애시턴 부인은 왕년에 매우 미인이었을 듯하고 여전히 고운 모습을 간직하고 있었다. 그녀의 맏딸 에이미는 다소 왜소하고, 얼굴과 태도가 어린아이처럼 순진하고 몸매는 매력적이었다. 하얀 모슬린 드레스와 푸른 장식 띠가 그녀에게 잘 어울렸다. 둘째 딸 루이자는 키가 더 크고 외모도 우아했다. 프랑스인이 귀엽다고 말하는 종류의 어여쁜 얼굴이었다. 둘 다 백합처럼 싱그러웠다. 린 부인은 마흔가량의 덩치 크고 살찐 여자였다. 아주 꼿꼿하고 오만한 표정에, 다채롭게 광택이 변하는 공단 드레스를 호사스럽게 차려입고 있었다. 보석들을 박은 장식 고리 안에서, 그리고 하늘색 깃털 장식의 그늘 아래서, 그녀의 검은 머리가 반들반들하게 빛났다.

덴트 대령의 부인은 그보다 덜 화려했다. 하지만 나는 그녀가 더 숙녀답다고 생각했다. 호리호리한 몸매에, 얼굴은 창백하고 온화했으며, 머리는 금발이었다. 그녀의 검은 공단 드레스와 귀한 외국산 레이스 스카프와 진주 장신구들이 지체 높은 린 부인의 무지개 색 광채보다 더 마음에 들었다.

하지만 그중에서 제일 눈에 띄는 세 사람은 아마도 키가 제일 커서 그런 탓도 있겠지만 잉그램 경의 미망인인 잉그램 부인과 그녀의 두 딸 블랑시와 메리 잉그램이었다. 그들 모두 여자치고 키가 꽤 큰 편이었다. 잉그램 부인은 마흔에서 쉰 사이로 보였다. 얼굴과 몸매는 여전히 보기 좋았다. 머리도(적어도 촛불 빛으로 볼 때) 여전히 검었다. 치아 역시 완전해 보였다. 대개의 사람들은 그녀를 그 나이 또래에서 돋보이는 여자라고 말할 것이다. 신체적인 면으로 보면 그 말은 틀림없이 맞는 말이다. 그러나 그녀의 태도와 표정에는 참기 힘든 오만함이 묻어 있었다. 그녀는 로마인 같은 이목구비에 기둥 같은 목으로 연결된 이중 턱을 지니고 있었다. 이 생김새는 거만하고 험악했으며, 게다가 자만심으로 주름져 있는 듯이 보였다. 턱도 똑같은 원칙에 의해 거의 믿어지지 않을 정도의 꼿꼿함을 유지했다. 눈도 사납고 쌀쌀맞아

보였다. 리드 부인을 연상시키는 눈이었다. 그녀는 말을 할 때 큰 소리로 말했다. 목청은 굵고 말씨는 매우 거만하고 독선적이었다. 한마디로 말해서 매우 봐 주기 힘들었다. 진홍색 벨벳 드레스와 인도 직물에 금실로 수놓은 숄 터번은 그녀에게 실로 제왕적인 위엄을 부여했다(그녀는 아마 그렇게 믿고 있었을 것이다).

블랑시와 메리는 거의 같은 키로 포플러 나무처럼 크고 곧게 뻗어 있었다. 메리는 키에 비해 너무 말랐지만, 블랑시는 다이애나 여신처럼 빚어 놓은 몸매였다. 당연히 나는 그녀를 특히 관심 있게 지켜보았다. 우선, 페어팩스 부인의 설명과 그녀의 외모가 일치하는지 알고 싶었다. 둘째로는, 내가 그린 상상 속의 초상이 그녀와 조금이라도 닮아 있는지. 그리고 세 번째로, 다 털어놓겠다! 그녀가 로체스터 씨의 취향에 맞을 만한지 알고 싶었다.

외모 면에서 그녀는 내가 그린 그림과 페어팩스 부인의 묘사에 조목조목 들어맞았다. 풍만한 가슴선, 비스듬한 어깨, 우아한 목, 검은 눈과 검은 곱슬머리를 모두 갖추고 있었다. 하지만 그녀의 얼굴은? 그녀의 어머니와 비슷했다. 주름살만 지운 젊은 닮은꼴이었다. 똑같이 낮은 이마, 똑같이 높은 이목구비, 똑같은 교만. 하지만 그것은 무뚝뚝한 교만이 아니었다. 그녀는 끊임없이 웃었다. 그건 빈정대는 웃음이었고, 오만하게 휘어진 입술에 나타나는 습관적인 표정도 마찬가지였다.

천재는 자의식이 강하다고들 한다. 잉그램 양이 천재인지는 알 수 없지만 그녀의 자의식은 강했다. 유난히 강했다. 그녀는 온화한 덴트 부인과 식물학 얘기를 나누기 시작했다. 덴트 부인은 그 분야를 잘 모르는 듯했다. 하지만 꽃을, 특히 야생화를 좋아한다고 말했다. 그러자 잉그램 양이 점잔 빼며 전문 용어를 읊어 댔다. 나는 곧 그녀가 덴트 부인을(흔한 말로) 추적하고 있다는 것을 알아차렸다. 즉, 그녀의 무지함을 놀리고 있는 것이었다. 영리할지는 몰라도 분명 친절한 행동은 아니었다. 그녀는 연주를 했다. 뛰어난 실력이었다. 그녀는 노래를 했다. 고운 목소리였다. 그녀는 자신의 어머니에게 프랑스어로 말했다. 억양은 훌륭하고 표현은 유창했다.

메리는 블랑시보다 유순하고 순박해 보였다. 이목구비도 부드럽고, 한층 뽀얀 피부를 지니고 있었다(잉그램 양은 스페인 사람처럼 가무잡잡했다). 하지만 그녀에게는 생기가 부족했다. 얼굴에는 표정이 부족했고 눈에는 광채가 부족했다. 일단 자리에 앉은 다음부터는 벽감에 있는 조각상처럼 꼼짝하지 않았고 입을 열지도 않았다. 그 자매는 둘 다 얼룩 하나 없는 하얀 옷을 입고 있었다.

이제 내가 잉그램 양을 로체스터 씨가 선택할 만한 상대라고 생각했을까? 그건 알 수 없다. 여성의 아름다움을 바라보는 그의 취향이 어떤지 나는 알지 못했다. 그가 위엄 있고 인상적인 여자를 좋아한다면, 그녀는 거기에 딱 들어맞았다. 게다가 그녀는 기량이 뛰어나고 활발했다. 웬만한 신사들은 그녀에게 감탄의 시선을 보낼 것 같았다. 그가 그녀에게 감탄하고 있다는 증거도 이미 잡아 놓은 듯했다. 두 사람이 함께 있는 모습을 보기만 하면, 마지막 의심의 그림자가 사라질 것이다.

독자여, 그동안에 아델이 내 발치의 의자에 미동 없이 앉아만 있었을 거라고 생각하면 안 된다. 천만의 말씀이다. 숙녀들이 들어오자, 그녀는 자리에서 일어나 그들을 맞으러 나갔고, 점잖게 예를 갖추며 진지하게 말했다.

"Bon jour. mesdames(안녕하세요, 여러분)."

잉그램 양이 조롱하는 듯한 말투로 그녀를 내려다보며 소리쳤다.

"어머나, 조그만 인형 같네!"

린 부인이 말했다.

"로체스터 씨가 맡고 있는 아이일 거야. 전에 말씀한 프랑스 아이."

덴트 부인은 친절하게 그녀의 손을 잡고 입을 맞춰 주었다. 에이미와 루이자 애시턴은 동시에 소리쳤다.

"어머 귀여워라!"

그 후에 그들은 아델을 소파로 불러 앉혔고, 이제 아델은 그들 사이에 편안히 앉아 프랑스어와 변칙 영어를 섞어 가며 재잘거렸다. 젊은 숙녀들만이 아니라, 애시턴 부인과 린 부인의 관심까지 받으며 실컷 귀염을 떨고 있었다.

드디어 커피가 들어오고 신사들도 들어왔다. 나는 그늘에 앉아 있었다. 눈부시게 불이 환한 이 공간에 그늘이 있기나 하다면. 어쨌든 창의 커튼이 나를 반쯤 가리고 있었다. 다시 아치가 하품을 했다. 그들이 들어왔다. 숙녀들이 들어올 때처럼 한꺼번에 밀려드는 신사들의 등장은 대단히 인상적이었다. 모두가 검정색 옷을 입고 있었다. 대부분은 키가 크고 몇 사람은 젊었다. 헨리 린과 프레더릭 린은 매우 생기 있고 멋진 청년들이었다. 덴트 대령은 늠름한 군인 같았다. 그 지역의 치안 판사인 애시턴 씨는 신사다워 보였다. 머리는 하얗게 세고, 눈썹과 구레나룻은 아직 검은 빛이라서 'père noble of théâtre(연극 속의 노귀족)' 같은 인상을 풍겼다. 젊은 잉그램 경은 그의 누이들처럼 키가 아주 컸다. 그들처럼 잘생긴 얼굴이지만 메리처럼 무감각하고 맥없는 모습이었다. 두뇌의 활기나 혈액 속에 있는 생기보다 팔다리가 더 길 것 같았다.

로체스터 씨는 어디 있지?

그는 마지막에 들어왔다. 나는 아치 쪽을 보고 있지 않았지만, 그가 들어오는 것을 알 수 있었다. 나는 내가 뜨고 있는 지갑의 그물코와 바늘에 관심을 집중하려고 애썼다. 내 손에 쥐고 있는 바느질감만을 생각하고, 내 무릎에 놓인 비단실과 은구슬들만 보고 싶었다. 하지만 그의 형체가 또렷이 보였다. 피할 수 없이 나는 내가 그를 마지막으로 보았던 순간을 떠올렸다. 내가 그에게 매우 중요하게 여겨지는 도움을 준 직후에 그가 내 손을 잡고, 내 얼굴을 내려다보며, 흘러넘치려 하는 벅찬 심정을 드러내는 눈으로 나를 살펴보던 때를. 나도 같은 심정이었다. 그때 내가 얼마나 그에게 가까이 다가갔던가! 그 후에 그와 나의 상대적인 지위를 변화시키는 어떤 일이 일어났었나? 그런데 이제, 우리는 얼마나 멀리 틀어져 버렸나! 그가 나에게 다가와 말을 거는 건 상상도 할 수 없을 만큼 우리는 멀어져 버렸다. 그가 나를 쳐다보지 않고, 다른 쪽에 앉아 숙녀들과 대화를 시작했을 때도 나는 전혀 놀라지 않았다.

그의 관심이 다른 이들에게 쏠려서 내가 들키지 않고 바라볼 수 있게 되자, 내 눈은 무의식적으로 그의 얼굴에 이끌려 갔다. 나의 눈꺼풀을 통제할 수가 없었다. 눈꺼풀이 올라갔고 홍채가 그에게 고정되었다. 그를 바라보면서 나는 격렬한 기쁨을 느꼈다. 소중하고도 가슴에 사무치는 기쁨이었다. 강철 같은 고통을 지닌 순전한 황금. 목이 말라 죽어 가는 남자가 자신 앞에 있는 우물에 독이 있다는 것을 알면서도, 허리를 굽혀 하늘의 선물인 양 그 물을 마시면서 느낄 것 같은 그런 쾌감이었다.

'아름다움은 보는 이의 눈에 달려 있다.'는 말은 진리다. 로체스터 씨의 핏기 없는 올리브색 얼굴, 네모나고 큼직한 이마, 굵고 진한 눈썹, 움푹한 눈, 뚜렷한 이목구비, 굳게 다문 험악한 입술, 한결같이 힘과 결단력과 의지를 보여 주는 이 모든 것은 세상의 잣대로 보면 아름다운 것이 아니었다. 하지만 나에게는 더할 나위 없이 아름다워 보였다. 흥미진진하고, 나를 휘어잡는 힘으로 충만했다. 그 힘이 내 감정을 나에게서 빼앗아 그에게 묶어 버렸다. 나는 그를 사랑하고 싶지 않았다. 내가 내 영혼에서 간파된 사랑의 병균을 제거하려고 얼마나 열심히 노력했는지 독자들은 알 것이다. 그런데 이제 그를 다시 보는 순간, 그 병균들은 제멋대로 되살아났다. 싱싱하고 강하게! 그는 나를 쳐다보지 않고도 내가 그를 사랑하게 만들었다.

나는 다른 손님들과 그를 비교해 보았다. 린 형제의 씩씩한 품위, 젊은 잉그램 경의 나른한 우아함, 덴트 대령의 군인다운 늠름함조차 그의 타고난 기운과 진정한 힘에는 비할 수 없었다. 그들의 외모와 표정은 내 마음에 맞지 않았다. 하지만 대부분의 사람들이 그것을 매력적이고 잘생겼고 인상적이라고 말할 것이다. 반면에 대부분의 사람들은 로체스터 씨의 외모가 거칠고 표정이 음울하다고 표현하리라. 나는 다른 남자들의 미소와 웃음을 바라보았다. 거기에는 아무것도 들어 있지 않았다. 촛불의 빛에도 그들의 미소만 한 영혼은 담겼으리라. 종소리에도 그들의 웃음만 한 의미가 깃들어 있으리라. 나는 로체스터 씨의 미소를 바라보았다. 그의 엄한 표정이 누그러졌다. 그의 눈은 날카로우면서도 달콤한 빛을 발했으며, 밝고 온화했다. 그는 그 순간에 루이자와 에이미 애시턴과 얘기하고 있었다. 그들이 그렇게 꿰뚫는 듯한 시선을 태연하게 받아들일 수 있다는 게 놀라웠다. 나는 그들의 눈길이 아래로 떨어지고 안색이 붉어지기를 기다렸다. 하지만 그들의 눈은 전혀 흔들리지 않았다. 기뻤다. 나는 마음속으로 생각했다.

'나와 그들에게, 그는 다른 사람이야. 그는 그들과 같은 종류가 아니야. 나와 같은 종류인 것 같아. 나는 그렇게 확신해. 그와 내가 닮았다는 느낌이 들어. 난 그의 표정과 행동의 의미를 이해해. 신분과 재산이 우리를 멀리 갈라놓고 있지만, 내 머리와 마음, 내 피와 신경에는 정신적으로 그와 나를 동화시키는 뭔가가 있어. 며칠 전에 내가 그에게 급료를 받는 것 이외에 그와 아무런 관계가 없다고 말했던가? 그를 고용주가 아닌 다른 면으로 생각하는 것을 나 자신에게 금지했던가? 자연에 대한 모독이야! 내가 가진 선하고 진실하고 왕성한 모든 느낌들이 충동적으로 그의 주위로 모여들고 있어. 내 감정을 숨겨야 한다는 거 알아. 희망을 질식시켜야 해. 그가 나에게 별 관심이 있을 리 없다는 것을 기억해야 돼. 내가 그와 같은 종류라고 해도, 내가 그와 똑같은 영향력과 끌어들이는 매력을 지녔다는 뜻은 아니니까. 취향과 느낌 면에서 공통점이 좀 있을 뿐이야. 그러니까 우리가 영원히 분리된 존재라는 것을 지속적으로 되새겨야 해. 하지만 내가 숨을 쉬고 생각을 하는 한은 그를 사랑할 수밖에 없어.'

커피 잔이 건네졌다. 신사들이 입장한 후로, 숙녀들은 종달새처럼 생기가 넘쳤다. 대화가 점점 활발하고 경쾌해졌다. 덴트 대령과 애시턴 씨는 정치를 논하고 있었다. 그들의 아내는 듣고만 있었다. 자존심 센 노마님들—린 부인과 잉그램 부인—이 함께 담소를 나누었다. 조지 경, 그러고 보니 이 사람을 설명하는 것을 잊어버렸다. 조지 경은 덩치가 아주 크고 건강해 보이는 그 지역의 지주인데, 커피 잔을 손에 들고 노부인들의 소파 앞에 서서 가끔 한마디씩 끼어들었다. 프레더릭 린 씨는 메리 잉그램의 옆에 앉아 화려한 책의 판화들을 보여 주고 있었다. 그녀는 그것을 보면서 이따금씩 미소를 지었지만 말은 거의 하지 않았다. 키가 크고 차가운 인상의 젊은 잉그램 경은 팔짱을 낀 채 조그맣고 명랑한 에이미 애시턴의 의자 등에 기대어 있었다. 그녀는 그를 흘끔흘끔 올려다보며 굴뚝새처럼 재잘거렸다. 그녀는 로체스터 씨보다 그를 훨씬 좋아하고 있는 것 같았다. 헨리 린은 루이자의 발치에 있는 긴 의자를 차지했다. 아델이 그와 같이 앉아 있었다. 그는 아델과 프랑스어로 얘기해 보려 애쓰고 있었는데, 그의 실수에 루이자가 웃었다. 블랑시 잉그램은 누구와 짝이 되어 있을까? 그녀는 탁자 앞에 홀로 서서 우아하게 앨범을 들여다보고 있었다. 누군가가 다가오기를 기다리는 듯했다. 하지만 그리 오래 기다리지는 않았다. 그녀는 직접 상대를 골랐다.

로체스터 씨가 애시턴 자매의 곁을 떠나, 탁자 앞에 선 그녀와 마찬가지로 고독하게 벽난롯가에 섰다. 그녀가 벽난로 반대편으로 걸어가서 그와 마주했다.

"로체스터 씨, 아이들을 좋아하지 않는 줄 알았는데요?"

"그래요."

"그런데 어쩌다 저런 조그만 인형을 맡게 되셨어요? (아델을 가리키며) 어디서 아이를 집어 오셨어요?"

"내가 집어 온 게 아니라, 그 아이가 내 손에 남겨진 거요."

"아이를 학교에 보내셔야 해요."

"그만한 여유가 없소. 학비가 너무 비싸서."

"어머, 가정 교사까지 두신 게 아니었나요. 아이와 같이 있는 사람을 봤거든요. ……가 버렸나? 아, 아니! 저기 아직 창가의 커튼 뒤에 있군요. 물론 그녀에게 급료를 지급하시겠지요. 적은 금액은 아닐 텐데요. 그보다 더 들겠지요. 두 사람의 생활비가 포함될 테니까요."

나에 대한 언급으로 인해 로체스터 씨가 내 쪽으로 시선으로 돌릴까 봐 두려웠다. 아니 희망했다고 말해야 할까? 나는 나도 모르게 그늘 속으로 더욱 몸을 움츠렸다. 하지만 그는 전혀 눈길을 돌리지 않았다.

"그런 문제는 생각해 보지 않았소."

그가 똑바로 앞을 바라보며 무심하게 말했다.

"그렇겠죠. 남자들은 경제와 상식을 고려하지 않아요. 가정 교사 문제라면 제 어머니 말씀을 들어야 해요. 메리와 저는 어렸을 때 적어도 열두 명의 가정 교사를 겪어 보았어요. 그중 절반은 혐오스럽고 나머지는 바보 같았고, 모두가 끔찍했어요. 그렇죠, 어머니?"

"뭐라고 했니, 내 딸아?"

이렇게 귀부인의 특별한 소유물인 양 불린 젊은 여인은 다시 질문을 설명했다.

"가정 교사 얘기는 꺼내지도 마라. 그 단어만 들어도 신경이 예민해져. 그들의 무능력과 변덕 때문에 나는 순교자만큼이나 고통을 치렀어. 이제 그들을 다시 보지 않아도 된다는 것을 하늘에 감사하고 있다!"

이때 덴트 부인이 그 독실한 체하는 노부인에게 고개를 숙여, 그녀의 귀에 몇 마디 속삭였다. 뒤이어 나온 대답으로 미루어 보아 그 혐오스러운 종족 중의 한 명이 이 자리에 있다고 주의를 준 모양이었다. 그녀가 말했다.

"그래도 어쩔 수 없지! 내 말이 약이 됐으면 좋겠어요!"

그러고는 목소리를 낮춰서, 하지만 여전히 나에게 들릴 만큼 큰 소리로 말했다.

"나도 그 여자를 봤어요. 내가 인상을 좀 볼 줄 아는데, 그 계층에 속한 결점들이 얼굴에 다 들어 있더군요!"

"어떤 결점입니까?"

로체스터 씨가 큰 소리로 물었다.

"개인적으로 따로 말씀드릴게요."

그녀가 불길하다는 의미로 터번을 세 번 흔들며 대답했다.

"하지만 기다리는 동안 내 호기심이 식욕을 잃을 겁니다. 그게 지금 음식을 달라는군요."

"블랑시에게 물어보세요. 그 애가 나보다 더 가까이 있으니."

"어머, 저에게 떠넘기지 마세요, 어머니! 그런 족속에 대해 할 말은 하나밖에 없어요. 골칫거리라는 거죠. 물론 내가 그들에게 크게 괴롭힘을 당한 건 아니에요. 오히려 반대였지요. 시어도어와 내가 윌슨 선생과 그레이 선생과 주베르 선생에게 얼마나 골탕을 먹였게요! 메리는 항상 기운이 없어서 적극적으로 계획에 참여할 수가 없었고요. 그중에서 주베르 부인을 골려 준 게 제일 재미있었어요. 윌슨 선생은 어찌나 잘 울고 기운 없고 힘겨워하던지, 간단히 말해서 이겨 보려고 수고할 가치조차 없는 인물이었죠. 그레이 선생은 천하고 둔감했어요. 무슨 수를 써도 효과가 없었어요. 하지만 가엾은 주베르 부인! 우리가 더 이상 참을 수 없는 지경까지 몰아갔을 때, 그녀가 분해서 펄펄 뛰던 장면은 아직도 눈에 선해요. 차를 엎지르고, 버터 빵을 부스러뜨리고, 책을 천장으로 던지고, 책상과 자와 난롯불과 부젓가락으로 장단을 맞추며 별별 소란을 다 떨었거든요. 시어도어, 그 즐거웠던 시절 생각나니?"

젊은 잉그램 경이 느릿하게 말했다.

"생각나고말고. 그 꼬장꼬장한 늙은이가 우리에게 '이런 고약한 악당들!' 어쩌고 하면서 소리쳤잖아. 그러면 우리는 아무것도 모르는 무식쟁이가 우리처럼 영리한 아이들을 가르치려 드는 게 뻔뻔한 일이라고 훈계를 해 줬지."

"맞아. 시어도어, 너의 개인 교사, 우리가 '찡그린 목사'라고 불렀던 얼굴이 허여멀건 한 바이닝 씨를 일러바치는 것도 내가 도와줬잖니. 그 선생이 멋대로 윌슨 선생과 연애를 벌인 것 말이야. 적어도 시어도어와 나는 그렇게 생각했어요. 은근한 시선과 한숨이 오가는 현장들을 잡았을 때 우리는 그걸 'la belle passion(아름다운 정열)'의 표시로 해석했고, 우리가 밝혀낸 게 모두를 위해 잘된 일이었다고 장담할 수 있었어요. 우리는 그걸 일종의 지렛대로 삼아 부담스러운 짐을 집에서 들어냈지요. 어머니도 그걸 눈치채고는 당장에 부도덕하다는 것을 아셨잖아요. 그렇죠, 어머니?"

"물론이지. 그리고 내가 한 행동은 옳았어, 틀림없이. 법도가 있는 집안에서 선생들이 시시덕거리는 것을 참지 말아야 할 이유는 천 가지도 넘어. 첫째……."

"맙소사, 어머니! 그걸 일일이 나열하지는 말아 주세요! Au reste(게다가), 우리도 이미 다 알아요. 그건 순수한 어린아이들에게 나쁜 본이 될 수가 있죠. 당사자들은 정신이 분산되고 결과적으로 의무에 태만하게 되고요. 서로 결탁하고 의지하고, 그러다 비밀을 고백하게 되고 오만방자해지고 반항하고 화내기까지 하죠. 제 말이 맞나요, 잉그램 파크의 잉그램 남작 부인?"

"나의 백합 같은 아이야, 네 말은 항상 맞다."

"그럼 더 얘기할 필요 없어요. 주제를 바꿔요."

에이미 애시턴이 이 말을 듣지 못했거나 아니면 신경을 쓰지 않은 듯, 유하고 아기 같은 목소리로 대화에 끼어들었다.

"루이자와 나도 가정 교사에게 장난을 많이 쳤어요. 하지만 그이는 너무나 착해서 뭐든지 다 견뎌 냈어요. 무슨 짓을 해도 화내지 않았는걸요. 한 번도요. 그렇지, 루이자?"

"그래, 한 번도 없었어. 우리는 우리 마음대로 다 할 수 있었어요. 그녀의 책상과 바느질 상자를 뒤지고 서랍을 뒤집어엎기도 했죠. 그런데도 사람이 워낙 좋아서 우리가 달라는 건 뭐든지 다 줬답니다."

잉그램 양이 냉소적으로 입술을 비틀며 말했다.

"우리의 가정 교사들을 모두 회고록에서 발췌해야 할 모양이군요. 그런 재난을 막기 위해서라도 다시 한 번 새로운 대화 주제를 도입하자고 제안하고 싶군요. 로체스터 씨, 제 제안에 찬성하시나요?"

"다른 모든 일에서처럼 이 점에 관해서도 당신을 지지하오."

"그럼 새로운 주제를 제시하는 책임은 제가 질게요, 세뇨르 에두아르도(에드워드를 이탈리아식으로 부른 것 _옮긴이). 오늘 밤 목소리 상태가 괜찮으신가요?"

"돈나 비앙카(블랑시를 이탈리아식으로 부른 것 _옮긴이), 당신이 명하면 충분히 괜찮아질 거요."

"그렇다면 세뇨르, 나는 당신에게 폐와 다른 발성 기관을 잘 닦아 놓으라고 명하겠어요. 그것이 나에게 귀하게 쓰이길 원하거든요."

"어느 누가 이렇게 신성한 메리 여왕의 리치오(스코틀랜드의 메리 여왕의 음악가이자 비서이자 연인이었다 _옮긴이)가 되지 않겠소?"

"리치오라니 시시해요!"

그녀는 이렇게 소리치고 곱슬머리를 흔들어 대며 피아노 쪽으로 걸어갔다.

"바이올리니스트 리치오는 틀림없이 재미없는 남자였을 거예요. 나는 검은 보스웰(메리 여왕의 세 번째 남편으로 후에 해적이 되었다 _옮긴이)이 더 마음에 들어요. 악마적인 요소가 없는 남자는 남자 같지가 않거든요. 역사가 무슨 소리를 하건, 나는 보스웰이 야성적이고 격렬하고 영웅적인 악당이었다고 생각해요. 혼인을 승낙할 만한 사람이죠."

"신사 여러분, 들으셨지요! 여러분 중에 누가 제일 보스웰과 비슷합니까?"

로체스터가 소리쳤다.

"아무래도 당신에게 우선권이 있을 것 같소이다."

덴트 대령이 대꾸했다.

"그 말씀, 감사히 받겠습니다."

로체스터 씨의 대답이었다.

이제 피아노 앞에 눈처럼 하얀 드레스를 여왕처럼 풍성하게 펼치고, 도도하고 우아하게 자리 잡은 잉그램 양이 화려한 전주곡을 연주하기 시작했다. 사이사이에 이야기도 했다. 그녀는 오늘 밤 오만함에 한껏 취해 있는 듯했다. 말과 분위기로 청중의 감탄만이 아니라 경탄까지 자아내려고 작정한 듯이 보였다. 대단히 화려하고 대담한 무언가로 사람들에게 깊은 인상을 심어 주려고 결심한 사람 같았다. 그녀가 피아노를 치면서 말했다.

"아, 요즘 젊은 남자들은 너무나 지겨워요! 부친의 정원 문 밖으로 한 걸음도 나가지 못하고 모친의 허락과 보호 없이는 멀리 가지도 못하는 한심하고 허약한 이들뿐이죠! 그들은 자기의 예쁜 얼굴과 하얀 손과 조그만 발에 너무나 관심을 쏟아요. 남자의 미모가 무슨 소용이라고! 사랑스러움은 여인들만의 특별한 특권이죠. 여인의 정당한 영지이자 유산이에요! 못생긴 '여인'이 창조의 아름다운 얼굴에 튄 얼룩이라는 건 인정해요. 하지만 '신사'들은 오로지 힘과 용맹을 갖추는 데만 전념했으면 좋겠어요. 사냥하라, 쏴라, 그리고 싸워라. 이것을 구호로 삼으세요. 그 밖의 것은 아무런 가치가 없어요. 내가 남자라면 이 말을 충고로 삼겠어요. 내가 결혼을 결심할 때는……."

그녀가 잠시 말을 멈췄지만 방해하는 사람은 아무도 없었다. 그녀의 말이 계속되었다.

"내 남편이 나의 경쟁자가 아니라 나를 돋보이게 해 주는 사람이어야 해요. 나는 내 옥좌 근처에 경쟁자를 허용하지 않을 거예요. 그에게 한눈팔지 않는 경의를 요구할 거예요. 그는 오로지 내게만 헌신해야 해요. 로체스터 씨, 제가 반주해 드릴 테니 이제 한 곡 불러 주세요."

"전적으로 순종하겠소."

그가 대답했다.

"여기 해적의 노래가 있어요. 제가 해적에 빠져 있다는 것을 알아 두세요. 그러니 활기차게 불러 주세요."

"잉그램 양의 입에서 나온 명령은 물을 탄 우유도 술로 바꿔 놓을 거요."

"그러니 조심하세요. 제 마음에 들지 않으면 노래 부르는 법을 가르쳐서 창피를 드릴 테니까요."

"그건 무능력에 상을 주는 셈이로군요. 나는 이제부터 실수하려고 노력하겠소."

"Gardez-vous en bien(조심하세요)! 일부러 실수하시면 적당한 벌을 생각해 내겠어요."

"잉그램 양은 사람이 참아 낼 수 없는 응징을 가하는 능력이 있으니, 너그러이 봐주셔야 하오."

"어머! 무슨 뜻이지요?"

그 숙녀가 명령했다.

"용서하시오. 무슨 설명이 필요하겠소. 당신의 찌푸림 한 번이면 치명적인 처벌을 대신하고도 남을 거라는 걸 당신의 훌륭한 판단력이 알려 주겠지요."

"노래를 하세요!"

그녀가 말하고는 다시 피아노 건반을 누르며 생기발랄하게 반주를 시작했다.

'이제 빠져나가도 되겠어.' 하고 나는 생각했다. 하지만 그 순간 허공을 가르는 목소리들이 나를 붙잡아 앉혔다. 페어팩스 부인은 로체스터 씨의 목소리가 좋다고 말했었는데 그건 정말이었다. 감정과 힘이 실리는 부드럽고 힘찬 저음이었다. 귀를 통해 가슴으로 파고들어와 묘하게 감각을 깨워 내는 목소리였다. 노래 마지막의 깊고 풍부한 떨림이 끝날 때까지 나는 기다렸다. 잠시 끊어졌던 이야기의 흐름이 다시 시작될 때까지. 그 후에 나는 숨어 있던 구석을 벗어나, 다행히도 가까이에 있던 옆문으로 빠져나왔다. 좁은 복도가 현관홀로 이어져 있었다. 문득 내 샌들 끈이 풀어진 게 눈에 띄었다. 계단 밑 매트에서 멈춰 끈을 묶으려고 내려앉았다. 식당 문이 열리는 소리가 들렸다. 한 남자가 걸어 나왔다. 나는 서둘러 일어나 그의 얼굴을 마주 보았다. 로체스터 씨였다.

"잘 지냈나?"

그가 물었다.

"잘 지냈습니다."

"왜 내게 와서 말을 걸지 않았지?"

나는 그에게도 똑같은 질문으로 받아칠 수 있다고 생각했다. 하지만 그런 무례를 범하지는 않았다. 나는 대답했다.

"바쁘신 것 같아서, 방해하고 싶지 않았습니다."

"내가 없는 동안 뭘 하고 지냈소?"

"별다른 건 없었습니다. 평소처럼 아델을 가르쳤어요."

"전보다 더 창백해졌군. 내가 처음 봤을 때처럼 무슨 문제가 있나?"

"아무 문제없습니다."

"나를 익사시킬 뻔했던 그날 감기에라도 걸렸나?"

"아닙니다."

"응접실로 돌아가시오. 너무 빨리 일어났잖소."

"피곤해서요."

그가 잠시 나를 바라보며 말했다.

"게다가 약간 우울하군. 이유가 뭐지? 나에게 말해 보시오."

"그런 거 없습니다. 전혀 우울하지 않아요."

"하지만 내가 보기에는 분명히 우울해. 몇 마디만 더하면 당신 눈에서 눈물이 떨어질 것 같군. 사실 지금도 눈물이 고여 빛나고 있어. 한 방울이 속눈썹에서 미끄러져 바닥으로 떨어졌지. 내게 시간 여유가 있다면, 또 수다스럽고 융통성 없는 어느 하인이 지나갈까 봐 심히 걱정스럽지만 않다면, 이 모든 게 무슨 의미인지 알아낼 텐데. 음, 오늘 밤은 봐주겠소. 하지만 손님들이 머무는 동안, 매일 저녁 응접실에 나타나기를 기대하겠소. 그게 나의 소망이오. 흘려듣지 마시오. 이제 가시오, 그리고 소피더러 아델을 데려가라고 하시오. 잘 자요, 나의……."

그는 말을 멈추고 입술을 깨물더니, 갑자기 자리를 떠났다.

제18장

손필드 저택에는 명랑한 날들이 이어졌다. 분주한 나날이기도 했다. 내가 그 지붕 아래서 보낸 적막하고 단조롭고 고독하던 첫 3개월과는 정말 달랐다. 이제 그 집에서는 슬픈 감정들과 우울한 연상들이 모조리 밀려난 듯했다. 어디에나 생기가 넘쳤고, 하루 온종일 움직임이 있었다. 그렇게 고요하던 복도나 그렇게 한적하던 앞방을 지나거나 들어가려면 언제나 말쑥한 하녀들과 멋쟁이 시종들을 마주쳐야 했다.

부엌, 집사의 식료품 저장실, 하인들의 방, 현관홀에도 하나같이 활기가 넘쳤다. 온화한 봄날의 평온한 햇살과 푸른 하늘이 사람들을 밖으로 불러낼 때를 제외하고 살롱은 항상 북적거렸다. 날씨가 불안정하고 며칠 동안 계속해서 비가 내려도 즐거움은 시들지 않는 것 같았다. 야외에서의 놀이가 중지되면 오히려 실내에서 즐길 수 있는 오락들이 더 활발하고 다양해졌다.

이제까지와는 다르게 놀아 보자는 제안이 나온 첫날 저녁, 나는 그들이 무엇을 하려는 건지 알지 못했다. '셔라드 놀이'를 한다고 했는데, 무지한 내게는 이해되지 않는 말이었다. 하인들이 불려 들어오고, 식탁들이 치워지고, 등불의 위치가 바뀌고, 아치 맞은편에 의자들이 반원형으로 놓였다. 로체스터 씨와 다른 신사들이 개조 작업을 지휘하는 동안, 숙녀들은 하녀들을 부르며 계단 위아래로 종종걸음 쳤다. 페어팩스 부인도 불려 와 숄과 옷과 커튼 종류가 집 안의 어디에 얼마나 있는지 질문을 받았다. 하녀들이 3층 옷장들을 뒤져 그 안에서 문직 비단을 살대로 버텨 만든 페티코트와 헐렁한 공단 저고리, 검은 옷들, 레이스 주름 등을 한 아름씩 꺼내 왔다. 곧이어 선별 작업이 이루어지고, 선택된 옷들은 응접실 안쪽의 내실로 옮겨졌다.

그사이에 로체스터 씨는 다시 숙녀들을 주위로 불러들여 자기편이 될 사람을 몇 명 고르고 있었다.

"잉그램 양은 당연히 내 편이고."

그가 말했다. 그 뒤에 애시턴가의 두 딸과 덴트 부인을 호명했다. 그가 나를 쳐다보았다. 우연히 나는 덴트 부인의 풀어진 팔찌 걸쇠를 걸어 주느라 그의 근처에 서 있었다.

"당신도 게임에 참여하겠나?"

그가 물었다. 나는 고개를 저었다. 그가 고집을 부릴까 봐 약간 걱정이 되었지만 다행히 그러지 않았다. 그는 내가 원래의 자리로 얼른 돌아가는 것을 허락해 주었다.

그의 편 일행이 이제 커튼 뒤로 물러났다. 덴트 대령이 이끄는 다른 편은 초승달처럼 배열된 의자에 자리를 잡았다. 신사들 중에서 애시턴 씨가 나를 게임에 같이 참여시키자고 제안하는 듯했다. 하지만 잉그램 부인이 즉시 반대했다. 그녀의 말이 내 귀에 들렸다.

"안 돼요. 저 여자는 멍청해서 이런 게임을 못할 거예요."

잠시 후에, 종이 울리더니 커튼이 올라갔다. 아치 안에는 로체스터 씨의 편으로 선택된 조지 린의 거대한 형체가 하얀 시트에 감싸여 있었다. 그의 앞쪽 탁자에는 커다란 책이 펼쳐져 있었다. 그 옆에 로체스터 씨의 외투를 걸친 에이미 애시턴이 손에 책을 들고 서 있었다. 보이지 않는 누군가가 경쾌하게 종을 울렸다. 아델이(아델은 로체스터 씨의 편에 끼워 달라고 졸랐다) 앞으로 뛰어와, 한 팔에 안은 꽃바구니에서 내용물을 꺼내 주위에 흩뿌렸다. 다음에 흰 옷을 입고 머리에 긴 베일을 쓰고 이마에 장미 화환을 걸친 잉그램 양이 아름다운 모습으로 나타났다. 그녀 옆에서 로체스터 씨가 함께 걸어 나와 탁자로 다가갔다. 그들이 무릎을 꿇었다. 마찬가지로 흰 옷을 입은 덴트 부인과 루이자 애시턴이 그들의 뒤로 가서 섰다. 무언극으로 진행된 예식은 결혼을 의미하고 있었다. 극이 끝나자, 덴트 대령과 그의 일행이 2분간 소곤소곤 상의하고 나서 대령이 소리쳤다.

"신부."

로체스터 씨가 고개를 숙이고, 커튼이 떨어졌다. 상당한 시간이 흐른 뒤에 커튼이 다시 올라갔다. 이번에는 지난번보다 더 정교하게 꾸며진 장면이 연출되었다. 앞서 얘기했듯이, 응접실은 식당에서 계단 두 개를 올라야 했는데, 그 안쪽으로 한두 걸음 들어가 있는 계단 위에 커다란 대리석 수반이 보였다. 그것은 평소에 이색적인 식물에 둘러싸여 금붕어의 보금자리 역할을 하던 온실의 장식품이었고, 그 크기와 무게를 감안해 볼 때 거기서 옮겨 오는 일이 쉽지는 않았을 것이다.

이 수반 옆 양탄자 위에, 숄을 걸치고 머리에 터번을 두른 로체스터 씨가 보였다. 그의 검은 눈과 가무잡잡한 피부와 회교도풍의 얼굴이 의상과 딱 맞아떨어졌다. 그는 동양의 군주처럼 보였다. 아니면 교수형의 집행자나 희생자처럼 보이기도 했다. 이윽고 잉그램 양이 나타났다. 그녀도 동양풍으로 차려입고 있었다. 진홍색 스카프를 허리에 띠처럼 묶고 수가 놓인 손수건을 관자놀이에 가져다 댔다. 팔은 아름다운 형태로 맨살을 드러냈고, 우아하게 머리에 얹은 물병을 붙잡고 있는 듯이 한 팔을 들어 올렸다. 그녀의 얼굴과 모습, 태도와 전반적인 분위기는 모두 고대의 이스라엘 공주를 연상시켰고, 그녀가 맡은 역할이 바로 그것인 듯했다.

그녀는 수반으로 다가가 물동이를 채우려는 듯이 그 위로 고개를 숙였다. 그녀가 다시 물동이를 머리에 이었다. 이제 우물가의 인물이 그녀에게 말을 걸어 무언가 부탁을 하는 듯했다. 그녀가 급히 물동이를 내리고 그에게 물을 마시게 해 주었다. 그러자 그가 품에서 작은 상자를 꺼내 열고 화려한 팔찌와 귀걸이 들을 보여 주었다. 그녀가 놀라며 감탄하는 척했다. 그가 무릎을 꿇고 그녀의 발치에 보화를 내려놓았다. 그녀는 표정과 몸짓으로 믿어지지 않는 기쁨을 표현했다. 남자가 그녀의 팔에 팔찌를, 귀에 귀걸이를 걸어 주었다. 그건 아브라함의 종 엘리에셀과 이삭의 아내가 된 리브가였다. 낙타만 없을 뿐이었다.

알아맞히는 편에서 다시 머리를 맞대고 의논했다. 이 장면이 설명하는 단어에 대해 의견이 일치하지 않는 모양이었다. 덴트 대령이 그들의 대변인으로서 전체 장면을 보여 달라고 요청했다. 그에 따라 커튼이 다시 내려갔다.

세 번째 막이 올랐을 때는 응접실의 한 부분만이 열렸다. 나머지 부분은 검은 빛의 거친 천 같은 것으로 가려져 있었다. 대리석 수반은 사라졌고, 그 자리에 전나무 탁자와 부엌용 의자가 놓여 있었다. 뿔로 만든 초롱에서 나오는 희미한 빛이 이들을 보여 줄 뿐, 양초는 모두 꺼져 있었다. 이 칙칙한 장면 한가운데, 두 손을 무릎에 엮어 쥐고 시선을 땅으로 내린 한 남자가 앉아 있었다. 지저분하게 검댕이 묻은 얼굴, 헝클어진 옷차림(난투를 벌이다 뒤에서 찢겨진 것처럼 외투가 한 팔에 느슨하게 걸려 있었다), 절망적이고 험악한 표정, 덥수룩한 머리로 교묘하게 변장하고 있었지만, 나는 그가 로체스터 씨라는 것을 금방 알았다. 그가 움직이자 사슬 소리가 짤랑거렸다. 그의 손목에 쇠고랑이 묶여 있었다.

"브라이드웰 교도소(첫 장면은 신부[bride], 두 번째 장면은 우물[well], 두 단어를 합하면 런던에 있는 브라이드웰[bridewell] 교도소가 된다 _옮긴이)!"

덴트 대령이 소리쳤고, 그것으로 셔라드 놀이는 끝이 났다.

공연자들이 원래의 복장으로 갈아입느라 한참의 시간이 흐른 뒤에, 그들이 다시 식당으로 들어왔다. 로체스터 씨가 잉그램 양을 안내했다. 그녀가 그의 연기를 칭찬하고 있었다.

"그거 알아요? 당신이 연기한 세 인물 중에서 저는 마지막 역이 제일 마음에 들었어요. 아, 당신이 조금만 더 일찍 태어났더라면 얼마나 용맹한 신사-노상강도가 되었을지!"

"내 얼굴의 검댕이 말끔히 지워졌소?"

그가 그녀 쪽으로 얼굴을 돌리며 물었다.

"아쉽게도, 그래요. 정말 아쉬워요! 악당 분장이 당신에게 최고로 잘 어울렸는데."

"그럼 당신은 길 위의 영웅을 좋아하시오?"

"영국의 길 위의 영웅은 이탈리아의 산적 다음으로 멋져요. 이탈리아 산적도 레반트의 해적보다는 못하지만요."

"흠, 내가 무엇이건 간에, 당신이 내 아내임을 기억하시오. 이 많은 증인 앞에서 우리는 한 시간 전에 결혼식을 올렸소."

그녀가 얼굴을 붉히며 웃음을 터트렸다. 로체스터 씨가 말을 이었다.

"자, 덴트, 이제 당신 차례요."

덴트 대령의 일행이 커튼 뒤로 물러가자, 로체스터 씨와 그 일행은 빈 의자들을 차지했다. 잉그램 양이 그의 오른편에 앉았다. 다른 사람들은 그와 그녀의 양옆 의자를 채웠다. 내 눈은 이제 연기자들을 보고 있지 않았다. 더 이상 커튼이 올라가기를 흥미롭게 기다리지도 않았다. 나의 관심은 관객 쪽으로 쏠려 있었다. 아치에 고정되었던 내 눈은, 이제 반원형의 의자들 쪽에 머물렀다. 덴트 대령 일행이 어떤 무언극을 연출했는지, 어떤 단어를 선택했는지, 그들이 어떻게 연기했는지는 기억이 나지 않는다. 하지만 각 장면이 끝난 후에 상의하던 모습은 아직도 기억에 생생하다. 로체스터 씨가 잉그램 양에게, 잉그램 양이 그에게 고개 돌리던 모습, 그녀의 새카만 곱슬머리가 그의 어깨를 건드리고 그의 뺨에서 흔들릴 정도로 그녀의 머리가 그에게로 기울어지던 모습. 그들의 속삭임도 아직까지 내 귓가에 쟁쟁하다. 그들이 주고받던 시선이 떠오른다. 그 장면을 보면서 나에게 일어났던 감정까지도 이 순간에 생생히 되살아난다.

독자여, 나는 이미 내가 로체스터 씨를 사랑하게 되었다고 말했다. 그는 나를 알아봐 주지도 않았다. 그의 앞에서 내가 몇 시간을 보내든 내 쪽으로 눈길 한번 돌리지도 않았다. 그는 나를 지나칠 때면 치맛자락이 스치는 것조차 꺼려하고 어쩌다 그 검고 도도한 눈이 우연히 나에게로 향하더라도 주목할 가치 없는 비천한 대상에게서 얼른 시선을 떼어 내는 대단한 숙녀에게 온통 관심이 집중되어 있었다. 하지만 그렇다고 해서 이제 와 그를 사랑하지 않을 수는 없었다. 그가 바로 그 여인과 곧 결혼할 것 같다고 해서, 그녀의 자신만만한 확신을 통해 그녀에 대한 그의 관심이 매일매일 읽힌다고 해서, 쫓아다니기보다 찾아오기를 기다리며 무관심하게 구는 것이 구애라면, 바로 그 매혹적인 무관심과 저항할 수 없는 자부심에서 내가 매 시간 그의 구애를 목격한다고 해서, 내가 그를 사랑하지 않을 수는 없었다.

절망을 일으키는 요소는 많았지만 사랑을 식혀 주거나 쫓아내는 것은 아무것도 없었다. 독자여, 당신은 또 많은 요소가 나에게 질투를 유발했을 거라고 생각할 것이다. 나 같은 처지의 여자가 잉그램 양 같은 여자에게 감히 질투할 수 있다면 말이다. 하지만 나는 질투하지 않았다. 간혹 질투를 했더라도 아주 가끔이었다. 그 단어로는 내가 겪은 고통의 성격을 설명할 수 없다. 잉그램 양은 질투의 대상이 될 만한 인물이 아니었다. 그런 감정을 일으키기에는 한참 부족한 여자였다. 모순된 말처럼 들리는가? 하지만 용서하시라. 내 말은 모두 사실이다. 그녀의 외양은 매우 화려하지만 속은 진실하지 않았다. 멋진 몸매와 눈부신 기예를 갖추었지만, 그녀의 정신은 빈곤하고 마음은 천성적으로 메말라 있었다. 자생적으로는 아무것도 피어나지 않을 토양이었다. 그 싱싱함으로 기쁨을 주는 자연의 열매는 맺히지 않을 것이다. 그녀는 선하지 않았다. 독창적이지 않았다. 책에서 읽은 구절을 그럴듯하게 되풀이하곤 했지만, 자신의 의견을 제시한 적도 없고 그런 것을 갖고 있지도 않았다. 말로는 고상하게 감정을 옹호하지만, 실제로는 동정과 연민의 감정을 알지 못했다. 그녀의 안에는 부드러움도 진실도 없었다. 어린 아델에게 품은 심술궂은 반감을 지나치게 표시함으로써, 그녀는 이 점을 너무나 자주 드러냈다. 아델이 그녀에게 다가가면 거만한 말로 밀어냈다. 때로는 방에서 나가라고 명하고, 언제나 차갑고 표독스럽게 대했다.

나 이외의 다른 사람들도 이런 행동을 지켜보았다. 유심히, 날카롭게, 빈틈없이 지켜보았다. 그렇다. 미래의 신랑 로체스터 씨 자신도 미래의 신부를 끊임없이 감시했다. 그는 연인의 결점을 기민하고 신중하게, 또 완벽하고 명료하게 의식하고 있었으며, 그녀를 향해 결코 정열을 품고 있지도 않았다. 나를 내내 괴롭히던 고통은 바로 그것이었다.

내 눈에는 그가 집안을 위해 어쩌면 정략적인 이유로 그녀와 결혼할 것처럼 보였다. 그녀의 지위와 연고가 그에게 합당하기 때문에. 나는 그가 그녀에게 사랑을 주지 않았고, 그녀의 자질이 그 보물을 얻어내기에 적합하지 않다는 것을 알았다. 바로 그것이 나의 신경을 건드리고 괴롭히고 있었다. 또 그 때문에 나의 열병이 식기는커녕 오히려 가열되고 있었다. 그녀는 그를 매료시키지 못했던 것이다.

그녀가 단번에 승리를 따내고, 그가 그녀의 발치에 진심으로 마음을 내놓고 굴복했더라면, 나는 내 얼굴을 가리고 벽으로 돌아서서(비유적으로 말하자면) 그들에게 죽은 사람이 되었을 것이다. 잉그램 양이 힘과 열정과 친절과 분별력을 부여받은 선량하고 고상한 여인이었다면, 나는 질투와 절망이라는 두 마리 호랑이와 단 한 번의 치명적인 전투만을 벌였을 것이다. 그러고는 갈가리 찢어지고 삼켜진 가슴을 안고 그녀를 부러워했을 것이다. 그녀의 탁월함을 인정하고, 내 남은 날들 동안 조용했을 것이다. 그녀의 탁월함이 절대적일수록 나는 더 깊이 감탄했을 것이다. 나의 침묵은 진실로 더 평온했으리라. 하지만 로체스터 씨를 미혹시키려 애쓰는 잉그램 양의 노력은 계속해서 실패하고 있었다. 그녀 자신은 화살이 과녁을 맞혔다고 믿었겠지만, 그녀의 자존심과 자기만족은 상대를 점점 더 밀어내고 있었다. 이를 모른 채 성공에 도취되어 자랑스러워하는 모습을 지켜보는 것은 나를 끝없이 자극하는 동시에 무자비하게 구속하는 양날이었다.

왜냐하면 그녀가 실패했을 때 나는 성공할 방법을 알고 있었기 때문이다. 지속적으로 로체스터 씨의 가슴에서 미끄러져 그의 발치에 떨어지는 화살들이, 더 확실한 손으로 날려 보냈더라면, 그의 도도한 가슴에서 예리하게 떨렸으리라는 것을 나는 알았다. 그의 엄한 눈에 사랑을, 그의 냉소적인 얼굴에 부드러움을 불러냈을 것이다. 아니 더 나아가서, 무기 하나 없이도 조용히 정복할 수 있었을 것이다. 나는 나 자신에게 물었다.

'저렇게 가까이 다가갈 특권을 가지고도 어째서 그녀는 그의 마음을 움직이지 못하는 걸까? 그거야 물론 그녀가 진심으로 그를 좋아하지 않기 때문이지. 진실한 애정으로 그를 좋아하지 않아! 그런 마음이 있다면 저렇게 헤프게 미소를 꾸며 낼 필요가 없지. 저렇게 쉴 새 없이 쳐다보고, 저렇게 공들여 점잔을 빼고, 저렇게 수없이 애교를 떨 필요가 없어. 그의 옆에 조용히 앉아서 입을 다물고 지금보다 덜 쳐다보더라도, 그의 마음에 더 가까이 다가갈 수 있을 거야. 그녀와 한창 쾌활하게 얘기를 나누면서도 그의 표정은 지금 굳어 있어. 나는 다른 얼굴을 보았어. 아주 자연스럽게 우러나왔던 그런 얼굴이었지. 그건 겉만 번지르르한 기교와 계산된 술책에서 나온 것이 아니었어. 그냥 받아들이기만 하면 돼. 수수하게 그의 질문에 답하고, 필요할 때 찡그리지 말고 말을 걸면 돼. 그러면 자애로운 햇살처럼 점점 자라나 따뜻하고 친절하고 상냥해지지. 결혼하면 그녀가 그를 기쁘게 해 줄 수 있을까? 그럴 것 같지는 않아. 그래도 가능할 수는 있겠지. 그의 아내는 태양 아래 가장 행복한 여인이 될 거야.'

나는 로체스터 씨가 이해와 연고 때문에 결혼하려는 것에 대해 비난하고 싶은 마음이 전혀 없었다. 그의 의도를 처음 알아차렸을 때 놀라기는 했다. 그가 아내를 선택하는 기준으로 그렇게 진부한 동기를 따르리라고는 생각하지 않았기 때문이다. 하지만 두 사람의 지위와 교육 등을 고려해 보면, 어린 시절부터 주입받은 개념과 원칙에 따라 행동하고 있을 그들을 비난하고 심판하는 것은 정당하지 않은 일인 듯했다. 그들 계층에 속한 사람들은 모두 이러한 원칙을 가지고 있다. 당시에 나는 그들이 그런 원칙을 고수하는 데에는 내가 헤아릴 수 없는 다른 이유들이 있을 거라고 생각했다.

내가 만약 로체스터 씨와 같은 신사라면, 내가 사랑할 수 있는 사람만을 아내로 품을 것 같았다. 그런 결혼에서 남편이 얻을 수 있는 행복은 너무나 명확했다. 바로 그 이유 때문에, 이 일반론과는 달리 내가 모르는 뭔가가 있을 거라고 생각했다. 그게 아니라면 세상 모든 사람들이 나와 같은 방식으로 행동할 테니까.

하지만 이뿐 아니라 다른 면에서도, 나는 로체스터 씨에게 매우 관대해지고 있었다. 한때 방심하지 않고 경계했던 그의 모든 결점들을 잊어 가고 있었던 것이다. 전에는 그의 성격의 모든 측면을 연구하려고 노력했다. 좋은 점과 나쁜 점을 견주어 보고 그 둘을 저울질하여 합리적인 판단을 내리려 애썼다. 이제는 나쁜 점이 보이지 않았다. 한때 나를 기겁하게 했던 가혹함과, 나를 불쾌하게 했던 냉소가 최고급 요리의 톡 쏘는 양념처럼 느껴질 뿐이었다. 혀를 얼얼하게 해 주는 그런 양념들이 없다면 얼마나 밍밍하겠는가. 게다가 애매모호한 무언가가 있었다. 그 표정이 음흉함이었을까, 슬픔이었을까, 교활함이었을까, 아니면 낙담이었을까? 그것은 유심히 살펴보는 사람만 알아볼 수 있도록 이따금씩 그의 눈에 나타났다가, 부분적으로 노출된 묘한 속을 누가 헤아려 보기도 전에 닫혀 버렸다. 그것은 마치 화산이 폭발할 듯한 언덕 가운데로 헤매 다니다가, 갑자기 땅의 진동이 느껴지고 그게 갈라지는 것을 본 것처럼 나를 두려움으로 움츠러들게 했다.

나는 여전히 그 알 수 없는 표정을 가끔 보았다. 마비된 신경으로 보는 게 아니라, 두근대는 가슴으로 피하고 싶어 하는 대신에 감히 그것을 간파하고 싶다는 마음뿐이었다. 나는 잉그램 양이 행복한 사람이라고 생각했다. 언젠가는 느긋하게 그 심연을 들여다보고 비밀을 탐구하여 본질을 분석할 수 있을 테니까.

내가 이렇게 로체스터 씨와 미래의 신부에 대해서만 생각하는 동안, 그들만을 바라보고, 그들의 대화만을 듣고, 그들의 중요한 행동만을 고려하는 동안—다른 손님들은 각자 자신의 흥미와 즐거움에 빠져 있었다—린 부인과 잉그램 부인은 변함없이 심각한 표정으로 이야기를 나눴다. 서로에게 터번을 까닥거리며, 잡담의 화제에 따라 한 쌍의 커다란 꼭두각시처럼 손을 번쩍 들어 놀라움이나 불가사의함이나 공포를 표시했다. 온화한 덴트 부인은 친절한 애시턴 부인과 얘기했고, 두 사람은 때로 나에게 미소 짓거나 상냥하게 말을 건넸다. 조지 린, 덴트 대령, 애시턴 씨는 정치나 그 지방의 일이나 법적인 문제를 토론했다. 젊은 잉그램 경은 에이미 애시턴에게 집적거렸다. 루이자는 린 형제 중 한 명과 노래를 하고 피아노를 연주했다. 메리 잉그램은 린 형제 중 다른 한 명의 씩씩한 언사에 기운 없이 귀를 기울였다.

때로는 모두 다 같이 조연 연기를 중단하고 주연 배우들을 관찰하며 이야기를 듣기도 했다. 어차피 로체스터 씨와 그와 긴밀하게 연결되어 있는 잉그램 양이 그 무리의 핵심이자 중심인물이었기 때문이다. 한 시간이라도 그가 방을 비우면, 눈에 보일 정도의 지루함이 손님들에게로 기어드는 듯했다. 그가 다시 들어오면 대화의 활력에 신선한 바람을 불어넣었다.

그가 일 때문에 밀코트에 불려 가 늦게까지 돌아올 것 같지 않던 어느 날, 그의 부재는 사람들 사이에서 완전히 활기를 빼앗아 갔다. 오후에 비가 내리는 바람에 헤이 마을 너머 공유지에 최근 세워진 집시촌에 구경 가기로 했던 산책 계획이 연기되었다. 몇몇 신사들은 마구간으로 사라졌다.

젊은 남녀들은 당구실에서 당구를 쳤다. 잉그램 부인과 린 부인은 카드게임에서 조용히 위안을 찾았다. 블랑시 잉그램은 그녀를 대화에 끌어들이려는 덴트 부인과 애시턴 부인의 노력을 멸시하는 태도와 침묵으로 물리치고, 피아노 앞에 앉아 감상적인 곡조를 두드리며 흥얼거렸다. 이어 그녀는 서재에서 소설책을 가져와 오만하고 나른한 태도로 소파에 털썩 주저앉아서 주인 없는 지루한 시간을 소설 읽기로 때워 보려고 애썼다. 방도 집도 조용했다. 이따금씩 당구 치는 이들의 왁자한 소리가 위층에서 들려올 뿐이었다.

어스름이 내릴 무렵, 시계는 이미 만찬을 위해 옷을 갈아입을 시간이 다 되었음을 알려 주었다. 그때 내 옆에서 응접실 창가 의자에 무릎 꿇고 앉아 있던 아델이 소리쳤다.

"Voilà Monsieur Rochester, qui revient(저기 로체스터 씨가 돌아오세요)!"

나는 창 쪽을 돌아보았고, 잉그램 양이 소파에서 부리나케 달려왔다. 다른 사람들도 각자 하던 일에서 고개를 들었다. 자갈길을 구르는 바퀴 소리와 첨벙거리는 말발굽 소리가 들려왔기 때문이다. 사륜 역마차가 다가오고 있었다. 잉그램 양이 말했다.

"저런 모양새로 집에 오시다니 어떻게 된 걸까? 나갈 때는 메스루를 타고 갔잖아? 파일럿도 따라갔고. 동물들을 다 어떻게 한 거지?"

그녀가 말을 하면서 그 커다란 체격과 풍성한 의상을 창에 바짝 갖다 댔기 때문에, 나는 등뼈가 거의 부러질 정도로 몸을 뒤로 젖혀야 했다. 밖을 내다보느라 정신이 없어서 나를 알아차리지 못했던 그녀가, 나를 보고는 입을 삐죽거리며 다른 창으로 옮겨 갔다. 역마차가 멈췄다. 마부가 초인종을 울렸고, 여행복 차림의 신사가 마차에서 내렸다. 하지만 그는 로체스터 씨가 아니었다. 키가 크고 세련되게 차려입은 낯선 남자였다.

"짜증나! 이 성가신 원숭이 같으니! (갑자기 아델을 보며) 누가 이런 거짓말이나 하라고 너를 창가에 앉혀 놨니?"

잉그램 양이 소리쳤다. 그러고는 내 잘못이라는 듯이 나를 노려보았다.

현관홀에서 이야기하는 소리가 들리더니, 곧 낯선 인물이 들어섰다. 그는 잉그램 부인을 제일 연장자라고 생각한 듯 그녀에게 고개를 숙였다.

"제가 시간을 잘못 맞춰 온 모양입니다. 하필 저의 친구 로체스터 씨가 외출 중이라는군요. 하지만 제가 아주 긴 여행을 거쳐 온 데다가, 이 집의 주인과 오래도록 친밀한 사이였던지라 그가 돌아올 때까지 여기서 기다려도 되리라고 생각합니다."

그의 태도는 정중했다. 말하는 억양이 좀 특이한 것 같았다. 확실한 외국 억양도 아니지만 완벽한 영국식 억양도 아니었다. 나이는 서른에서 마흔 사이로 로체스터 씨와 비슷해 보였다. 안색은 유난히 누르스름했다. 그 점만 빼면 말끔하게 생겼다고 할 수 있었고, 특히 처음 봤을 때는 미남의 인상을 풍겼다. 하지만 더 자세히 관찰하면 어딘지 불쾌한, 아니 그보다는 유쾌하지 않은 느낌이 드는 얼굴이었다. 이목구비는 균형 잡혀 있었지만 맥이 빠져 보였다. 눈은 크고 보기 좋은 모양이었지만 그 안에 담긴 생기라고는 멍한 무기력뿐이었다. 적어도 내 눈에는 그렇게 보였다.

몸치장 시간을 알리는 종소리가 사람들을 흩어 놓았다. 만찬이 끝난 후에 나는 다시 그를 보았다. 그는 꽤 편안해 보였다. 하지만 그의 생김새는 전보다 훨씬 더 내 마음에 들지 않았다. 불안정하고 활기도 없는 인물 같았다. 그의 눈은 이리저리 떠돌아다녔고, 그 방황에는 아무런 의미가 없었다. 그래서인지 그의 표정은 내가 한 번도 본 적이 없는 이상한 것이었다. 잘생겼고 붙임성이 없는 편도 아닌데 나는 왠지 모르게 그가 싫었다. 완벽한 계란형에 매끈한 피부를 지닌 얼굴에는 힘이 없었다. 매부리코와 앵두 같은 작은 입술에는 단호함이 없었다. 낮고 평평한 이마에는 생각이 없었다. 그 멍한 갈색 눈에는 장악력이 없었다.

나는 늘 앉던 구석 자리에 앉아, 벽난로 선반의 장식 촛대 불빛에 환하게 비치는 그의 모습을 지켜보았다. 그가 추운 듯이 불 가까이에 안락의자를 끌어당기고, 그러고도 더 가까이 몸을 움츠렸다. 그와 로체스터 씨를 비교해 보았다. (미안한 말이지만) 미끈한 거위와 포악한 매의 차이도 이보다는 크지 않을 듯했다. 온순한 양과 그 양을 지키는 질긴 가죽과 매서운 눈을 지닌 개도 이만큼의 차이는 나지 않을 것 같았다.

그는 자신이 로체스터 씨의 오랜 친구라고 말했다. 틀림없이 기묘한 우정일 것이다. '극과 극은 통한다.'는 격언을 정확히 보여 주는 사례이리라.

그의 옆에 신사 두세 명이 앉아 있었고, 나는 가끔씩 방 건너에서 그들이 주고받는 대화의 단편들을 알아들었다. 처음에는 내가 들은 말들이 잘 이해되지 않았다. 내 가까이에 앉은 루이자 애시턴과 메리 잉그램이 드문드문 들려오는 단편적인 문장들을 뒤엉키게 했기 때문이다. 이 여성들은 낯선 남자에 관해 이야기하고 있었다. 둘 다 그를 '아름다운 남자'라고 불렀다. 루이자는 그가 '사랑스러운 창조물'이라며 그를 흠모했고, 메리는 자신의 이상형이 그 남자처럼 작고 어여쁜 입과 멋진 코를 지닌 사람이라고 했다. 루이자가 외쳤다.

"게다가 저 이마는 얼마나 사람 좋아 보이는지요! 아주 매끈하잖아요. 내가 질색하는 울퉁불퉁한 찌푸림은 찾아볼 수가 없어요. 저 눈과 미소는 또 얼마나 평온해 보이는지요!"

그때, 나로서는 대단히 다행스럽게, 헨리 린 씨가 연기된 헤이 마을 공유지로의 소풍 건을 매듭짓자며 그들을 방 저편으로 불러 데려갔다.

나는 이제 난롯가의 무리들에게 관심을 집중할 수 있었고, 이윽고 낯선 남자가 메이슨 씨라고 불리는 것을 알아들었다. 방금 영국에 도착했고, 어딘가 아주 더운 나라에서 왔다고 했다. 그의 얼굴색이 누르스름한 것이나, 불가에 그렇게 가까이 앉아 있는 것이나, 집 안에서 외투를 입고 있는 이유가 그 때문인 듯했다.

잠시 후에 자메이카, 킹스턴, 스페인 타운이라는 단어들이 그의 거

주지가 서인도 제도라는 것을 알려 주었다. 그가 로체스터 씨를 거기서 처음 만나 알게 되었다는 소리를 듣고 나는 적잖이 놀랐다. 그는 로체스터 씨가 그 지역의 타는 듯한 열기와 허리케인과 우기를 싫어했다고 말했다. 로체스터 씨가 여행가라는 것은 페어팩스 부인에게 들어 알고 있었다. 하지만 나는 그의 방랑이 유럽 대륙에 한정되어 있는 줄 알았다. 지금까지 그가 그보다 먼 해안 지방으로까지 다녀왔다는 암시는 들어 본 바 없었다.

내가 이런 것들을 곰곰이 생각하고 있을 때, 다소 예상치 못한 하나의 사건이 내 생각의 고리를 끊었다. 누군가가 문을 열자 메이슨 씨가 부르르 떨며, 난로에 석탄으로 더 넣어 달라고 청했다. 숯 덩어리는 아직 빨갛게 이글거렸지만 불길은 꺼져 있었다. 하인이 석탄을 가지고 들어왔다. 나가는 길에, 애시턴 씨의 의자 옆에 멈춰서 조그맣게 뭐라고 속삭였다. 내가 들을 수 있었던 단어는 '노파', '아주 귀찮게' 정도였다.

"썩 꺼지지 않으면 차꼬를 채워 망신을 주겠다고 전하게."

그 치안 판사가 대답했다.

"아니…… 잠깐만요!"

덴트 대령이 끼어들었다. 그리고 그가 목소리를 높여 말을 이었다.

"그 여자를 보내지 말아요, 애시턴. 우리가 활용할 수도 있을 거요. 숙녀분들과 상의하는 게 낫겠소. 숙녀 여러분, 헤이 마을 공유지에 집시촌을 구경하러 가신다고 했잖습니까. 여기 샘이 그러는데, 지금 집시 노파 하나가 하인 방에 와서 점을 쳐 드릴 테니 높으신 분들 앞에 데려다 달라고 한다는군요. 그녀를 만나 보시렵니까?"

"대령님, 설마 그런 천박한 사기꾼을 봐주려고 하는 건 아니시겠지요? 부디 그녀를 쫓아 주세요, 당장!"

잉그램 부인이 소리쳤다.

"하지만 아무리 가라고 해도 말을 듣지 않습니다요. 누구 말도 안 들어요. 지금 페어팩스 부인이 제발 떠나 달라고 사정하고 있는데요. 그 노파는 난롯가 의자를 차지하고 앉아서, 여기 들어오라는 허락이 떨어질 때까지 절대 꼼짝도 않겠다고 우깁니다요."

하인이 말했다.

"그 노파가 원하는 게 뭐지?"

애시턴 부인이 물었다.

"높으신 분들의 점을 쳐 드리겠다고 합니다. 꼭 그래야 하고 반드시 할 거라고 말하는데요."

"어떻게 생겼어요?"

애시턴가의 따님들이 동시에 물었다.

"지독히 못생긴 늙은이예요, 아가씨. 오지그릇처럼 까매요."

"오호, 진짜 요술쟁이인가 보군! 들어오라고 합시다."

프레더릭 린이 소리쳤다.

"당연히 그래야죠."

그의 형제가 거들었다.

"이렇게 재미난 기회를 던져 버리는 건 몹시 애석한 일입니다."

"얘들아, 무슨 생각을 하는 거야?"

린 부인이 소리쳤다.

"나는 그런 터무니없는 짓에 찬성할 수 없어요."

잉그램 부인이 맞장구쳤다.

"그렇겠죠, 어머니. 하지만 어머니는 찬성할 수 있고 찬성하실 거예요."

블랑시가 피아노 의자에서 빙글 돌아앉으며 오만한 목소리로 선언했다. 지금까지 그녀는 거기에 앉아 말없이 여러 악보들을 살피고 있었다.

"저는 제 운명이 어떤지 듣고 싶어요. 그러니까 샘, 그 노파를 들여보내."

"블랑시! 생각해 봐라……."

"알아요. 어머니가 무슨 말씀을 하실지 다 알아요. 그래도 저에게는 제 의지가 있어요. 어서, 샘!"

"그래요…… 그래요…… 그래요!"

호기심 넘치는 젊은이들이 모두 소리쳤다.

"노파더러 들어오라고 해요. 무척 재미있을 거예요!"

하인은 여전히 머뭇거리며 말했다.

"몰골이 아주 지저분한데요."

"가라니까!"

잉그램 양이 호통을 치자 하인이 나갔다.

곧바로 모두들 흥분 상태가 되었다. 농담과 희롱이 한창 이어지고 있을 때 샘이 돌아왔다.

"이젠 또 오지 않겠다는데요. 자기는 저속한 무리(이건 노파가 한 말입니다) 앞에 나타날 수 없답니다. 혼자 있을 수 있는 방을 안내하고, 그다음에 운을 점치고 싶은 사람을 하나씩 들여보내랍니다요."

"그것 봐라, 나의 여왕 같은 블랑시야. 갈수록 더하잖니. 내 말 들어라, 천사 같은 아이야, 그리고……."

잉그램 부인이 입을 열었다. 그때 '천사 같은 아이'가 말을 가로막았다.

"노파를 서재로 안내해. 저속한 무리 앞에서 얘기를 듣는 건 나도 마땅치 않아. 무슨 말을 하는지 혼자 들어야겠어. 서재에 불이 피워져 있나?"

"네, 아가씨. 그런데 그 노파, 아무래도 빈대 붙는 거지가 틀림없는 것 같아요."

"멍청한 놈! 쓸데없는 소리 그만하고 명령대로 해."

다시 샘이 사라졌고, 신비감과 기대감과 생동감이 다시 한 번 완전하게 되돌아왔다.

"준비됐습니다. 누가 먼저 오실 건지 알아보라는데요."

하인이 다시 들어와 말했다.

"숙녀분들을 보내기 전에 내가 가서 들여다봐야겠어."

덴트 대령이 말했다.

"샘, 신사분이 들어간다고 전해."

샘이 갔다가 돌아왔다.

"나리, 신사들은 받지 않겠답니다요. 굳이 오실 필요 없다는데요."

그가 킥킥 터지는 웃음을 간신히 참으며 덧붙였다.

"부인들도 안 된답니다. 젊은 아가씨들만 봐 드리겠답니다."

"이런 세상에, 주제에 가리는 것도 많구먼!"

헨리 린이 소리쳤다.

잉그램 양이 엄숙하게 일어났다.

"내가 먼저 갈게요."

그녀가 말했다. 부하들의 선봉에서 갈라진 성벽 틈으로 올라가는 결사대 대장에게나 걸맞을 만한 어조였다.

"오, 소중한 내 딸아! 아, 사랑하는 딸아! 멈춰라. ……다시 생각해봐라!"

그녀의 어머니가 외쳤다. 하지만 그녀는 입을 꽉 다물고 당당하게 그 앞을 지나쳐, 덴트 대령이 열어 준 문을 빠져나갔고, 잠시 후 서재로 들어가는 소리가 들렸다.

오랜 정적이 이어졌다. 잉그램 부인은 그것을 두 손을 비틀어 짜야 할 'le cas(사건)'로 여겼다. 실제로 그렇게 행동했다. 메리 양은 자기는 절대 못 들어갈 것 같다고 말했다. 에이미와 루이자 애시턴은 약간 겁

먹은 얼굴로 숨죽여 키득거렸다.

아주 느리게 몇 분이 지나갔다. 15분 후에 서재 문이 다시 열렸다. 잉그램 양이 아치를 지나 되돌아왔다.

그녀가 웃으려나? 농담으로 받아들이려나? 모든 사람이 열렬한 호기심을 담아 그녀를 바라보았고, 그녀는 차갑게 거부하는 눈으로 그 시선들을 맞았다. 당황한 것 같지도 않고 즐거워 보이지도 않았다. 그녀는 뻣뻣하게 자리로 걸어가 말없이 앉았다.

"어때, 블랑시?"

젊은 잉그램 경이 물었다.

"그 여자가 뭐라고 했어, 언니?"

메리가 물었다.

"어떻게 생각해요? 어떤 것 같아요? 진짜 점쟁이 같아요?"

애시턴가의 딸들이 다그쳤다. 그러자 잉그램 양이 대답했다.

"자, 자, 여러분, 조르지 말아요. 정말이지 조그만 일에도 신기해하고 금세 믿어 버리는 여러분의 기관은 쉽사리 흥분하는군요. 저의 어머니를 포함해서 여러분 모두가 이 일을 이렇게 중요하게 여기는 걸 보니 이 집에 악마와 굳게 결탁한 진짜 마녀가 있다고 믿으시는 모양이에요. 저는 집시 방랑자를 보았을 뿐이에요. 흔히 하는 식으로 손금을 보고, 그런 이들이 흔히 하는 말들을 들려주더군요. 내 호기심은 충족되었어요. 이제 애시턴 씨가 위협하신 대로 내일 아침에 그 할멈에게 차꼬를 채우는 게 낫겠다고 생각해요."

잉그램 양이 책을 들고 의자에 기대앉아, 더 이상의 대화를 단호하게 거절했다. 나는 근 30분 동안 그녀를 지켜보았다. 그 시간 동안 그녀는 한 페이지도 넘기지 않았고, 얼굴은 갈수록 어둡고 불만스러워지고 불쾌한 실망감을 드러냈다. 좋은 이야기를 듣지 못한 게 분명했다. 그녀의 침묵과 우울함이 길어지는 것으로 보아, 겉으로는 무관심한 체했음에도 불구하고 자신이 들었던 어떤 계시에 꽤나 중요성을 두고 있는 듯이 보였다.

그사이에, 메리 잉그램, 에이미와 루이자 애시턴은 혼자 가지 않겠다고 말했다. 그러면서도 다들 가고 싶어 했다. 특사 격인 샘의 중재로 협상이 이루어졌다. 샘의 종아리에 쥐가 날 지경까지 수도 없이 왔다 갔다 한 뒤에, 마침내 그 완고한 무녀의 입에서 가까스로 세 명이 한꺼번에 들어와도 좋다는 허락이 떨어졌다.

그들이 들어갔을 때는 잉그램 양이 들어갔을 때처럼 조용하지 않았다. 서재에서 낄낄거리는 웃음소리와 새된 외침 소리들이 들려왔다. 20분쯤 후에 문이 벌컥 열리더니, 그들이 얼마간 두려움에 정신 나간 사람들처럼 현관홀을 가로질러 달려왔다.

"사악한 마녀가 틀림없어요!"

그들이 저마다 소리쳤다.

"우리한테 별의별 얘기를 다했어요! 우리에 대해 전부 알고 있더군요!"

그러고는 신사들이 부리나케 대령한 의자에 각자 숨 가쁘게 앉았다.

좀 더 설명해 보라고 재촉하자, 그들은 자신이 아주 어렸을 때 했던 말과 행동을 노파가 다 알아맞히더라고 말했다. 그들의 집 내실에 있는 책과 장신구 들을 묘사하고, 친척들에게 선물로 받은 이런저런 기념품까지 알고 있더라고 했다. 그들의 생각을 예측하고, 세상에서 제일 좋아하는 사람의 이름을 각자의 귀에 속삭이고, 그들이 가장 원하는 것을 밝혀냈다고 했다.

그러자 신사들이 끼어들어 마지막으로 말한 두 가지에 관해 좀 더 알려 달라고 간절하게 부탁했다. 하지만 그들은 신사들의 끈덕진 요청에 대해 얼굴을 붉히거나 소리를 지르거나 부르르 몸을 떨거나 나지막이 웃기만 했다. 그동안에 마나님들은 정신 나게 하는 약을 건

네주며 부채질을 해 댔다. 어른들의 경고를 들었어야 했다는 걱정스런 말을 몇 번이나 되풀이하면서 나이 든 신사들은 웃었고, 젊은 남자들은 흥분해 있는 이 아름다운 아가씨들의 시중을 들어주려고 야단이었다.

내 눈과 귀가 내 앞에서 벌어지는 소란에 완전히 쏠려 있을 때, 옆에서 흠흠 기침 소리가 들렸다. 고개를 돌리니 샘이 서 있었다.

"저기요, 그 집시가 아직 오지 않은 아가씨가 있다면서, 모두 다 볼 때까지 떠나지 않겠다고 우기는데요. 당신을 얘기하는 것 같아요. 다른 사람이 없거든요. 그녀에게 뭐라고 말할까요?"

"오, 반드시 가야죠."

내가 대답했다. 나도 호기심이 고조되어 있던 터라 이를 만족시킬 수 있는 뜻하지 않은 기회가 온 것이 매우 반가웠다. 모두들 방금 돌아와 흥분해 있는 세 여인 주위에 한 덩어리로 모여 있었기 때문에, 나는 눈에 띄지 않게 그 방을 빠져나와 뒤로 조용히 문을 닫았다. 샘이 말했다.

"원하시면 내가 현관홀에서 기다릴게요. 그 여자가 무섭게 하면 소리치세요, 내가 달려 들어갈 테니."

"아니에요, 샘, 부엌으로 돌아가요. 나는 하나도 안 무서워요."

정말이었다. 오히려 대단히 흥미롭고 흥분된 기분이었다.

제19장

서재는 아주 평온해 보였고, 그녀를 무녀라고 할 수 있을지 모르겠지만, 아무튼 그 무녀는 난롯가의 안락의자에 꽤 편안하게 앉아 있었다. 빨간 외투에 검은 보닛을 쓴 모습이었다. 아니 보닛이라기보다는 챙이 넓은 집시 모자를 쓰고, 줄무늬 손수건을 턱 아래에 묶고 있었다. 꺼진 양초가 탁자에 놓여 있었다. 그녀는 불길 쪽으로 고개를 숙이고, 그 불꽃의 빛으로 기도서처럼 생긴 작고 검은 책을 읽고 있었다. 대부분의 늙은 여자들이 그렇듯이 중얼중얼거리며 내가 들어갔어도 곧바로 그만두지 않는 것으로 보아 한 단락을 마저 읽으려는 모양이었다.

나는 러그에 서서 손을 녹였다. 응접실 불가에서 멀리 앉아 있었던 탓에 손이 다소 얼어 있었다. 여느 때와 마찬가지로 기분은 차분했다. 사실 그 집시의 외모에는 마음을 불안하게 하는 요소가 하나도 없었다. 그녀가 책을 덮고 천천히 고개를 들었다. 챙이 부분적으로 얼굴을 가리고 있었지만, 그녀가 고개를 들었을 때 어딘가 이상하다는 생각이 들었다. 얼굴이 온통 갈색과 검정색이었다. 턱 아래 묶은 흰 끈 밑으로 헝클어진 머리카락들이 삐져나와 뺨을 반쯤 덮고 턱까지 내리덮었으니 그녀의 눈이 똑바로 대담하게 나를 바라보았다.

"그래, 운수를 듣고 싶은가?"

그녀가 그 생김새처럼 거칠고 그 시선처럼 단호한 목소리로 내게 물었다.

"저는 별로 관심 없어요. 좋으실 대로 하세요. 하지만 미리 말씀드리는데 믿지는 않을 거예요."

"과연 건방진 사람이 할 만한 말이야. 그럴 줄 알았어. 당신이 문지방을 넘어설 때 그 발걸음을 듣고 알아차렸어."

"그러셨어요? 귀가 예민하시군요."

"그래, 눈도 예민하고 머리도 예민하지."

"이런 일을 하려면 그래야겠죠."

"그래, 특히 당신 같은 손님을 다룰 때는. 왜 떨지 않지?"

"춥지 않거든요."

"왜 창백해지지 않지?"

"병들지 않았거든요."

"왜 나에게 운을 물어보지 않지?"

"어리석지 않거든요."

노파가 보닛과 끈 안에서 끌끌 웃었다. 그러고는 짤막한 검정색 파이프를 꺼내 불을 붙이고 피우기 시작했다. 한동안 이 진정제를 즐긴 후에, 노파는 구부린 허리를 펴고 파이프를 내린 뒤 불길을 물끄러미 쳐다보며 아주 신중하게 입을 열었다.

"당신은 추워. 병들었어. 그리고 어리석어."

"증명해 보세요."

내가 대꾸했다.

"그러지, 간단하게. 당신은 혼자이기 때문에 추워. 그 안에 있는 불을 일으켜 줄 사람이 아무도 없어. 당신은 병들었어. 인간에게 주어진 가장 최고의 고상하고 달콤한 감정을 멀리 떼어 놓았거든. 스스로 고통스러울지라도 그 감정에게 다가오라고 손짓하지 않으니 당신은 어리석어. 당신은 그게 기다리는 곳으로 한 걸음도 움직이지 않을 거야."

그녀는 다시 짧은 검정색 파이프를 입에 물고 힘차게 피우기 시작했다.

"커다란 저택에 고용인으로 혼자 사는 사람들에게는 거의 그렇게 말할 수 있어요."

"누구에게나 그런 말을 할 수는 있어. 하지만 그게 대부분의 누구에게나 맞을까?"

"나와 같은 처지라면 맞겠죠."

"그래. 그렇지, 당신 같은 처지. 하지만 당신과 정확히 똑같은 처지에 놓인 사람을 나에게 찾아 줘 봐."

"얼마든지 찾아 드릴 수 있을 거예요."

"한 명도 찾지 못할걸. 당신은 모르겠지만, 당신은 특이하게 행복과 아주 가까운 곳에 있어. 그래, 손 닿을 거리에 있지. 재료는 다 준비됐어. 그것들을 결합하는 움직임 하나가 부족할 뿐이야. 운명의 여신은 그 재료들을 좀 떨어뜨려 놨어. 그게 일단 서로 가까워지면 더없는 기쁨이 찾아올 거야."

"나는 신비를 이해하지 못해요. 한 번도 수수께끼를 맞혀 본 적이 없거든요."

"더 확실하게 듣고 싶으면 손바닥을 보여 봐."

"거기에 은화를 얹어야겠죠?"

"당연하지."

나는 그녀에게 1실링짜리 은화를 주었다. 그녀는 주머니에서 꺼낸 낡은 스타킹의 발 부분에 그것을 넣고 둥글게 묶어 제자리에 집어넣은 다음, 나에게 손을 펼치라고 말했다. 나는 시키는 대로 했다. 그녀는 내 손을 만지지 않고 손바닥에 얼굴을 들이댄 채 자세히 들여다보며 말했다.

"너무 미세해. 이런 손으로는 아무것도 볼 수 없어. 금이 거의 없잖아. 게다가 손바닥이 무슨 소용이야? 운명은 이런 데 씌어 있지 않아."

"그 말이 맞겠죠."

내가 말했다.

"그래."

그녀가 말을 이었다.

"운명은 얼굴에 씌어 있어. 이마에, 눈가에, 눈 안에, 입가의 주름에. 무릎을 꿇고 고개를 들어 봐."

내가 그녀의 지시를 따르며 말했다.

"아! 이제야 현실로 돌아오시네요. 조만간 당신을 약간 믿게 될 것 같아요."

나는 그녀에게서 반걸음쯤 떨어진 곳에 무릎을 꿇었다. 그녀가 불을 휘저어 흐트러지는 석탄에서 빛의 파문이 일어나게 했다. 하지만 그 빛은 쪼그려 앉은 그녀의 얼굴을 더 그늘지게 했을 뿐이다. 불빛이 내 얼굴을 비추었다. 그녀가 잠시 나를 관찰하고 나서 말했다.

"오늘 밤 나에게 올 때 당신은 어떤 느낌이었을까. 저 고상한 사람들이 환등기의 형상처럼 당신 앞을 획획 지나다니는 방에 앉아 있는 동안 당신의 마음에는 어떤 생각들이 바삐 움직였을까. 그들이 인간의 모습을 한 그림자일 뿐 실질적인 알맹이가 없는 것처럼, 당신과 그들 사이에는 아무런 교감이 흐르지 않았을 거야."

"지루할 때가 많고, 때로는 졸리기도 해요. 그렇지만 슬프지는 않아요."

"그럼 미래에 관한 속삭임으로 당신의 기운을 북돋고 기쁘게 하는 비밀스런 희망이 있나?"

"아뇨. 나의 가장 큰 바람은 언젠가 작은 집을 빌려 학교를 세울 수 있는 만큼의 돈을 모으는 거예요."

"영혼이 살아가기 위한 영양분으로는 빈약해. 그러면 당신은 그 창가 자리에 앉아(보다시피 나는 당신의 습관을 알아)……."

"하인들에게 알아냈겠죠."

"아! 당신은 자신이 예리하다고 생각하는군. 그래…… 어쩌면 그럴지도 모르지. 솔직히 그들 중에 내가 아는 사람이 하나 있어. 풀 부인……."

그 말을 듣고 나는 생각했다.

'당신…… 당신이? 그렇다면 결국 이 일에는 악마의 장난이 숨어 있는 거야!'

그 묘한 존재가 계속 말했다.

"놀라지 마. 풀 부인은 믿음직한 사람이야. 과묵하고 조용해. 누구든지 그녀를 신뢰할 수 있지. 하지만 그건 그렇고, 당신은 그 창가 자리에 앉아 미래의 학교 외에는 아무것도 생각하지 않나? 당신 앞의 소파와 의자들을 점령한 사람들 가운데 아무에게도 관심이 없나? 자세히 살펴보는 얼굴이 없나? 호기심에서라도 행동 하나하나를 주시하는 사람이 없나?"

"나는 모든 사람의 얼굴과 모습을 관찰하는 게 좋아요."

"하지만 그중에서 한 사람…… 아니면 두 사람을 골라내지는 않나?"

"자주 그래요. 두 사람의 몸짓이나 표정이 같은 이야기를 하는 것 같을 때, 그들을 지켜보는 게 재미있어요."

"어떤 이야기를 제일 좋아하지?"

"별로 선택의 여지는 없어요! 대개는 대화 주제가 똑같거든요. 구애에 대해서죠. 결국은 결혼이라는 똑같은 대단원으로 막을 내리는."

"그런 단조로운 주제를 좋아하나?"

"전혀요, 난 그런 데 관심이 없어요. 내게는 아무 의미도 없거든요."

"의미가 없어? 매력적인 미모에 지위와 재산까지 지닌 생기 넘치고 건강한 젊은 여인과 마주 앉아 생글생글 미소 짓고 있는 남자가 바로 당신이……."

"내가 뭐요?"

"당신이 알고 있는…… 그리고 어쩌면, 좋게 생각하는 남자라면 말이야."

"나는 여기 있는 신사들을 몰라요. 그들과 한마디도 나눠 본 적이 없어요. 물론 어떤 분들은 점잖고 품위 있는 중년 신사고, 어떤 분들은 젊고 멋지고 활달한 호남이라고 생각해요. 하지만 물론 그분들이 아무리 좋아하는 사람의 미소를 받아들이더라도, 내 감정에는 전혀 변화가 일어나지 않아요."

"여기 있는 신사들을 모른다고? 그들과 한마디도 나눠 보지 않았다고? 이 집의 주인에 대해서도 그렇게 말할 텐가?"

"그분은 집에 없어요."

"심오한 말이야! 영리한 궤변이야! 그는 오늘 아침에 밀코트에 갔고, 오늘 밤이나 내일 돌아올 거야. 그렇다고 해서 당신이 아는 사람의 목록에서 그를 제외할 수 있나? 말하자면 그의 존재를 빼 버릴 수 있나?"

"그런 건 아니에요. 하지만 당신이 말하는 주제와 로체스터 씨가 무슨 관련이 있는지 모르겠군요."

"나는 남자들 앞에서 미소 짓는 숙녀들의 얘기를 하고 있었어. 최근에 아주 많은 미소가 두 개의 잔이 흘러넘칠 정도로 로체스터 씨의 두 눈에 뿌려졌어. 그걸 보지 못했나?"

"로체스터 씨는 손님들과 어울려 즐길 권리가 있어요."

"그의 권리에 대해 묻는 게 아니야. 여기서 언급된 결혼 이야기들 중에, 로체스터 씨가 가장 활발하고 지속적으로 대상에 올랐다는 것을 알아차리지 못했나?"

"열심히 듣는 귀가 있으면 말하는 자의 혀에 활기가 생기는 법이에요."

집시에게라기보다 나 자신에게 한 말이었다. 이때쯤 그의 이상한 말과 목소리와 태도는 나를 꿈결처럼 감싸고 있었다. 예기치 못한 한 마디가 내 입에서 튀어나오고 또 다른 말이 이어지면서, 나를 신비의 거미줄에 얽어 놓았다. 어느 보이지 않는 영이 몇 주일간 내 심장 옆에 앉아 모든 맥박을 기록하며 그 움직임을 지켜본 게 아닐까 싶을 정도였다.

노파가 내 말을 반복했다.

"열심히 듣는 귀! 그래, 로체스터 씨는 그들의 대화에서 큰 기쁨을 얻는 매혹적인 입술에 귀를 기울이며 몇 시간째 앉아 있었지. 로체스터 씨는 그것을 매우 기꺼이 받아들이며 그에게 주어진 즐거움에 매우 감사하는 듯했어. 당신은 이걸 알아차렸나?"

"감사요? 그의 얼굴에서 감사의 표정을 발견한 적은 단 한 번도 없어요."

"발견! 그럼 당신은 분석을 하고 있었군. 감사가 아니라면 무엇을 찾아냈지?"

나는 아무 말도 하지 않았다.

"당신은 사랑을 보았을 거야. 그렇지 않나? 앞날을 떠올려 볼 때, 결혼한 그와 행복해하는 신부를 보았나?"

"흥! 그렇지는 않아요. 마녀의 기술도 가끔은 틀리는군요."

"그럼 대체 뭘 봤지?"

"상관없어요. 나는 고백하러 온 게 아니라 물으려고 온 거예요. 로체스터 씨가 결혼할 거라는 소문이 있던가요?"

"그래, 아름다운 잉그램 양과."

"곧 한다던가요?"

"보기에는 그렇게 될 것 같더군. 틀림없이(당신은 길들여지지 않은 그 건방진 태도로 그걸 의심하는 모양이지만) 그들은 세상에서 제일 행복한 한 쌍이 될 거야. 그렇게 예쁘고 고상하고 재치 있고 기량도 뛰어난 숙녀를 사랑할 수밖에 없겠지. 그녀도 아마 그를 사랑할 거야. 아니, 그의 외모가 아니라면 적어도 그의 지갑이라도. 그녀는 로체스터가의 재산을 결혼에 대단히 바람직한 것으로 여기고 있어. (신이여 용서하소서!) 내가 한 시간쯤 전에 그 점에 관해 뭔가를 말해 줬더니, 그녀의 표정이 상당히 어두워지더군. 그녀의 입꼬리가 1센티미터는 처졌어. 내가 얼굴색이 거무스름한 구혼자를 조심하라고 충고했거든. 더 길거나 더 확실한 소작료 장부를 쥔 다른 남자가 나타나면 그는 차이게 될 거야."

"하지만 나는 로체스터 씨의 운수를 들으러 온 게 아니에요. 내 운을 들으러 왔어요. 왜 그 얘기를 해 주지 않는 거죠?"

"당신의 운은 아직 분명치 않아. 얼굴을 보면, 한 가지 특징이 다른 특징에 위배돼. 운명의 여신은 당신에게 어느 정도의 행복을 배당해 줬어. 그건 확실해. 오늘 저녁에 여기 오기 전부터 알고 있었어. 운명의 여신은 그걸 당신의 한쪽에 조심스레 내려놓았어. 그러는 걸 내가 봤지. 손을 뻗어 잡느냐 마느냐는 당신에게 달렸어. 하지만 당신이 과연 그렇게 할지는 연구해 볼 문제야. 러그에 다시 무릎을 꿇어."

"오래 끌지 말아 주세요. 불길이 너무 뜨거워요."

내가 무릎을 꿇었다. 그녀는 내 쪽으로 몸을 수그리지 않고, 의자에 기대앉아서 바라보기만 했다. 그녀가 중얼거리기 시작했다.

"불길이 눈에 일렁거려. 눈이 이슬처럼 빛나. 부드럽고 감정이 가득

해 보여. 나의 허튼소리에 미소를 지어. 그 눈은 민감해. 맑은 눈동자에 여러 가지 인상이 흘러가는군. 미소를 그치면 그 눈은 슬퍼져. 무의식적인 권태가 눈꺼풀을 내리누르지, 그건 외로움에서 나오는 우울함이야. 내 시선을 피하는군. 더 이상 관찰당하지 않겠다는 거겠지. 그건 조롱하는 눈빛으로 내가 이미 발견한 진실들을 부인하는 듯해. 민감하다는 것도 고뇌하는 것도 인정하지 않으려 하는 듯하군. 그 자존심과 신중함은 내 견해를 확인시켜 줄 뿐이야. 그 눈에는 행운이 들어 있어.

그 입은 때로 웃음 지으며 기뻐해. 머리가 생각하는 모든 것을 표현해 주지. 마음으로 경험하는 것들에 관해서는 아마 침묵하겠지만. 활동적이고 유연해서 고독 속에 영원히 침묵하려 들지 않을 거야. 많이 말하고 자주 미소 지어야 하는 입이야. 대화 상대에게 인간적인 애정을 지닌 입이야. 그 생김새 역시 행운을 향해 있어.

행운에 반대되는 것은 이마뿐이야. 그 이마는 이렇게 말하는 척하지. '내 자존심과 상황이 요구한다면 나는 혼자 살 수 있어. 영혼을 팔면서까지 행복을 살 필요는 없어. 나에게는 타고난 내면의 보물이 있어. 외부의 모든 기쁨이 저지당하거나 내가 내줄 수 없는 값으로만 제공되더라도, 그것이 나를 살아 있게 해 줄 거야.' 이마는 이렇게도 선언하고 있어. '이성이 단단히 고삐를 쥐고 앉아 있으니, 나는 폭발하는 감정의 거친 균열에는 가까이 가지 않을 거야. 정열이 마치 진짜 이교도들이 그러는 것처럼 맹렬하게 일어날 수 있고, 욕망은 온갖 헛된 것들을 상상할 수 있어. 하지만 어떤 논쟁에서도 판단력이 마지막에 말할 것이고 어떤 결정에서든 판단력이 결정권을 쥐고 있을 거야. 강풍과 지진과 불길이 지나갈 수도 있어. 그래도 나는 양심의 지시를 해석하는 이 작은 목소리의 안내를 따라갈 거야.'

잘 말했다, 이마여. 네 선언을 존중하마. 나는 내 계획을, 내가 옳다고 여기는 계획을 세웠고 그 안에서 양심의 주장과 이성의 속삭임에 귀를 기울였어. 주어진 행복의 잔에 한 방울의 수치와 미미한 양심의 가책이라도 끼어든다면, 젊음이 얼마나 금세 시들고 꽃이 얼마나 빨리 죽어 버리는지 나는 알아. 게다가 나는 희생과 슬픔과 붕괴를 원하지 않아. 그런 건 내 취향이 아니야. 나는 파괴하는 게 아니라 키워 주고 싶어. 피눈물을 짜내는 게 아니라 감사를 얻어 내고 싶어. 나의 수확은 미소와 애정과 달콤함으로 이뤄져야 해, 그거면 돼. 내가 격한 광란에 빠진 듯이 헛소리를 지껄이는 것 같군. 지금 이 순간을 무한히 연장하고 싶어. 하지만 감히 그럴 수는 없겠지. 지금까지 나는 나 자신을 철저히 제어했어. 내가 맹세한 대로 행동했어. 하지만 이 이상 가면 내 힘으로 어쩌지 못하는 시험에 들 수 있어. 일어나시오, 에어 양. 나가시오. '연극은 끝났소.'"

내가 어디 있었지? 내가 깨어 있었던가, 자고 있었던가? 내가 꿈을 꾸고 있었나? 아직도 꿈꾸고 있나? 노파의 목소리가 변했다. 그녀의 억양과 몸짓과 모든 것이 거울로 보는 내 얼굴처럼, 내 혀로 하는 말처럼 익숙했다. 자리에서 일어난 뒤에도 나는 나가지 않고 쳐다보았다. 불길을 휘젓고 다시 바라보았다. 하지만 그녀는 보닛과 끈을 얼굴에 바싹 잡아당기고, 다시 나에게 나가라고 손짓했다. 불빛이 뻗어 나온 그녀의 손을 비추었다. 정신을 차리고 긴장한 채 바라보니 그 손이 누구의 것인지 알 수 있었다. 내 손이 쇠약하지 않은 것처럼 그것도 더 이상 노인의 힘없는 손이 아니었다. 매끄러운 손가락이 균형 잡힌 둥그스름하고 유연한 손이었다. 굵은 반지가 그 새끼손가락에서 번쩍였고, 고개 숙여 들여다보았을 때, 내가 전에 백 번쯤 보았던 보석이라는 것을 알아보았다. 다시 나는 그 얼굴을 바라보았다. 그 얼굴은 더 이상 나를 피하지 않았다. 반대로 보닛을 벗고 끈을 풀어 고개를 내밀었다.

"제인, 나를 알아보겠소?"

낮익은 그 목소리가 물었다.

"빨간 외투를 벗으시면, 그러면……."

"하지만 끈이 풀리질 않는군. 좀 도와주시오."

"끊어 버리세요."

"자, 됐어. '가거라, 너 빌린 것들아!'"

로체스터 씨가 변장을 풀었다.

"나리, 왜 이런 이상한 짓을 하신 거예요!"

"하지만 그럴듯하게 해냈잖아, 응? 그렇게 생각지 않소?"

"숙녀분들에게는 잘 해내신 게 틀림없어요."

"당신에게는 아니고?"

"저에게는 집시처럼 행동하지 않으셨어요."

"내가 어떤 연기를 했지? 나 자신의 역이었나?"

"아뇨. 설명할 수 없는 것이었어요. 간단히 말하면, 저에게 말을 꾀어내려고 하신 것 같아요. 아니면 저를 끌어들이려 했거나. 저에게 헛소리를 끌어내시려고 말도 안 되는 헛소리를 늘어놓으셨어요. 이건 공평하지 않아요."

"날 용서해 주겠소, 제인?"

"모든 걸 생각해 보기 전에는 뭐라고 말씀드릴 수 없어요. 잘 생각해 보고, 제가 크게 어리석은 짓을 하지 않았다는 판단이 서면 용서하려고 노력할게요. 하지만 옳은 행동은 아니셨어요."

"아! 당신은 전혀 틀림이 없었소. 아주 신중하고 현명했어."

나는 생각에 생각을 거듭했다. 대체로 그가 말한 대로였다. 그게 위로가 되었다. 하지만 사실 나는 이 만남을 시작하는 거의 초반부터 경계를 하고 있었다. 뭔가 속임수가 있는 것 같았기 때문이다. 집시와 점쟁이 들이 이 노파처럼 말하지 않는다는 것을 알고 있었다. 게다가 그녀의 꾸며 낸 듯한 목소리와 자기 모습을 숨기려는 불안감을 알아차렸다. 하지만 내 생각은 계속 그레이스 풀, 살아 있는 수수께끼, 불가사의 중의 불가사의로 생각하는 여자에게 향해 있었다. 로체스터 씨일 줄은 꿈에도 생각하지 못했다.

"흠, 무슨 생각을 하지? 그 심상치 않은 미소는 어떤 의미요?"

그가 말했다.

"놀라움과 자기만족이에요. 그럼 이만 물러가도 되겠지요?"

"아니, 잠시 더 있어요. 저기 응접실에서 사람들이 뭘 하고 있는지 말해 주시오."

"집시에 관해 이야기하고 있을 거예요, 아마."

"앉아요! 그들이 나에 대해 뭐라고 했는지도 말해 보시오."

"저는 여기 오래 있지 않는 게 낫겠어요. 11시가 다 됐을 거예요. 아참! 로체스터 씨, 오늘 아침에 나리가 떠나신 후로 손님이 찾아오셨다는 걸 알고 계신가요?"

"손님이! ……그런 줄은 몰랐소. 누구지? 올 사람이 없는데. 그가 떠났소?"

"아뇨. 오래전부터 나리와 알고 지낸 사이라면서 돌아오실 때까지 여기서 기다리겠다고 했어요."

"그런 소리를 했나! 이름이 뭐라던가?"

"이름은 메이슨이에요. 서인도 제도에서 오신 것 같아요. 자메이카의 스페인 타운에서."

로체스터 씨는 내 가까이에 서 있었다. 나를 의자로 데려가려는 듯이 내 손을 잡고 있다가 내 말을 듣고는 경련하듯 내 손목을 움켜잡았다. 그 입술의 미소가 얼어붙었다. 그의 호흡이 발작을 일으키는 듯했다.

"메이슨! 서인도 제도!"

말하는 자동인형처럼 그가 단조롭게 중얼거렸다.

"메이슨! 서인도 제도!"

점점 얼굴이 잿빛으로 창백해지며 그가 세 번이나 이 말을 되풀이했다. 자신이 뭘 하고 있는지도 모르는 것 같았다.

"어디 불편하세요?"

내가 물었다.

"제인, 이건 충격이오. 충격이오, 제인!"

그가 비틀거렸다.

"어머! 저에게 기대세요."

"제인, 전에 나에게 어깨를 빌려 주겠다고 한 적이 있지. 지금 좀 빌려 주시오."

"네, 네. 제 팔도 빌려 드릴게요."

그는 자리에 앉은 뒤 나를 옆에 앉혔다. 두 손으로 내 손을 잡고 문질렀다. 그러면서 너무나 괴롭고 침통한 시선으로 나를 응시하며 말했다.

"나의 어린 친구여, 조용한 섬에서 당신과 단둘이 있을 수 있다면 얼마나 좋을까. 그러면 괴로움도 위험도 소름 끼치는 기억들도 다 사라질 텐데."

"제가 도와 드릴 일이 있을까요? 나리를 섬기기 위해서라면 제 생명이라도 바치겠어요."

"제인, 도움을 받고 싶으면 반드시 당신에게 부탁하겠소. 그건 약속하겠소."

"고맙습니다. 제가 어떻게 하면 될지 말씀해 주세요. 최소한 노력이라도 해 보겠어요."

"식당에서 와인을 한잔 가져다주시오, 제인. 사람들이 거기서 저녁을 들고 있을 거요. 메이슨이 그들과 같이 있는지, 무얼 하고 있는지 알려 주시오."

나는 식당으로 갔다. 로체스터 씨의 말대로 모두가 저녁 식사 중이었지만 식탁에 앉아 있지는 않았다. 사이드보드에 식사가 차려져 있었다. 각자 원하는 음식을 덜어서 접시와 잔을 손에 쥐고, 여기저기 무리 지어 서 있었다. 다들 기분이 좋아 보였다. 웃음과 대화에 활기가 넘쳤다. 메이슨 씨는 불가에 서서 덴트 대령 부부와 얘기하고 있었는데, 누구 못지않게 명랑해 보였다. 나는 와인을 한 잔 따라(그 행동을 할 때 잉그램 양이 눈살을 찌푸리는 것을 보았다. 그녀는 내가 멋대로 굴고 있다고 생각했을 것이다) 서재로 돌아왔다.

얼굴에서 극심한 창백함이 사라지자, 로체스터의 얼굴은 다시 한 번 굳세고 엄격해 보였다. 그가 내 손에서 잔을 받아 들었다.

"내게 봉사하는 영혼, 당신의 건강을 위해!"

그가 말했다. 그는 내용물을 삼키고 나에게 잔을 돌려주었다.

"그들이 무얼 하고 있던가, 제인?"

"웃고 얘기하고 있었어요."

"괴상한 얘기라도 들은 것처럼 분위기가 심각하거나 이상하지는 않던가?"

"전혀요. 농담하며 즐거워하시던데요."

"메이슨은?"

"그분도 웃고 있었어요."

"그 모든 사람들이 일제히 나에게 와서 침을 뱉는다면 당신은 어떻게 할 거지, 제인?"

"그들을 방에서 내보내야지요. 제가 할 수 있다면요."

그가 피식 미소 지었다.

"하지만 내가 그들에게 갔을 때, 그들이 나를 차갑게 쳐다보기만 하고 냉소적으로 서로 속삭이다가 하나둘씩 내 곁에서 떠나간다면 그때는 어쩔 거지? 당신도 그들과 같이 가겠나?"

“그러지 않을 것 같아요. 저는 나리와 같이 있는 게 더 즐거울 거예요.”

“나를 위로할 건가?”

“네, 제가 할 수 있는 한 나리를 위로해 드리겠어요.”

“그들이 나에게 붙어 있지 말라고 막으면 어쩔 거지?”

“저는 아마 그들이 막는지 어쩌는지도 모를 거예요. 안다고 해도 전혀 신경 쓰지 않을 거예요.”

“그럼, 나를 위해 비난을 감수할 수 있나?”

“저의 충성을 받을 자격이 있는 친구라면 누구를 위해서라도 그렇게 할 수 있어요. 나리도 그러실 거라고 생각해요.”

“이제 식당으로 돌아가시오. 메이슨에게 조용히 가서 로체스터 씨가 만나고 싶어 한다고 귀띔하시오. 그를 여기로 안내해 준 뒤에 물러가면 되겠소.”

“알겠습니다.”

나는 그의 명령대로 했다. 내가 손님들 사이를 뚫고 곧장 지나가자 모두들 나를 쳐다보았다. 메이슨 씨를 찾아 전갈을 전하고, 식당에서 그를 데리고 나왔다. 그를 서재로 안내한 다음 나는 위층으로 올라갔다.

내가 침대에 누운 지 얼마 뒤, 밤늦은 시간에 손님들이 침실로 돌아가는 소리가 들렸다. 나는 로체스터 씨의 목소리를 구분할 수 있었고, 그의 말소리를 들었다.

“이쪽이네, 메이슨. 여기가 자네 방이네.”

그는 쾌활하게 말했다. 그 명랑한 어조가 내 마음을 편하게 했다. 나는 곧 잠이 들었다.

제20장

평소와 다르게 커튼 내리는 것을 잊어버렸다. 창문의 블라인드를 치는 것도 잊었다. 결과적으로 훤한 보름달이(구름 없는 맑은 밤이었기 때문에) 내 창의 맞은편 하늘로 올라와 장애물 없는 유리창 사이로 고스란히 나를 들여다보고 있었다. 그 밝은 달빛이 나의 잠을 깨웠다. 한밤중에 깨어나 보니 둥그런 달이 내 눈에 들어왔다. 크리스털처럼 맑고 투명한 은백색의 달이었다. 아름다우면서도 장엄한 느낌이었다. 나는 반쯤 일어나, 커튼을 내리려고 팔을 뻗었다.

맙소사! 이게 무슨 비명이지?

그 밤, 그 고요, 그 휴식은 손필드 저택의 끝에서 끝까지 내닫는 야만적이고 날카로운 소리에 의해 둘로 쪼개졌다.

내 맥박이 멎었다. 심장 박동도 그대로 멈췄다. 내 팔은 뻗은 그대로 마비되었다. 비명 소리는 다시 이어지지 않았다. 사실 그토록 두려운 비명을 내지른 게 무엇이건 금세 또다시 되풀이할 수는 없었을 것이다. 안데스 산맥에서 날개가 제일 큰 콘도르도, 그 높은 둥지를 덮는 구름 사이로 그런 비명 소리를 연달아 두 번이나 쏟아 내기 위해서는 휴식을 취해야 할 것이다.

3층에서 터져 나온 소리였다. 내 머리 위로 지나갔으니까. 그리고 내 머리 위에서, 그렇다, 내 방 천장 바로 위에 있는 그 방에서 이제 치고받는 격투 소리가 들렸다. 소리로 미루어 보아 매우 치열한 싸움인 듯했고, 숨 막히는 목소리가 소리쳤다.

"살려 줘! 살려 줘! 살려 줘!" 하고 빠르게 세 번 외치더니 "거기 아무도 없소?" 하고 목소리가 소리쳤다. 그 뒤에 비틀거리고 쿵쿵거리는 소리가 격렬하게 이어지는 동안, 널빤지와 벽토 사이로 또 다른 소리가 들려왔다.

"로체스터! 로체스터! 제발, 와 줘!"

방문이 열렸다. 누군가가 복도로 달렸다. 아니 질주했다. 그 위층 마루에서 또 다른 발소리가 쿵쿵거리고 뭔가가 쿵 쓰러졌다. 그리고 조용해졌다.

나는 공포로 온몸을 부들부들 떨며 옷을 걸쳤다. 내 방에서 나갔다. 자던 사람들이 모두 깨어났다. 이 방 저 방에서 놀란 외침 소리와 겁에 질린 속삭임이 일어났다. 문이 하나둘씩 열렸다. 한 사람이 내다보고 다른 사람이 내다보았다. 복도가 가득 찼다. 신사들도 숙녀들도 모두 침대에서 나왔다. "어머나! 이게 무슨 소리야?" "누가 다쳤나?" "무슨 일이오?" "촛불을 가져와!" "불이 났나?" "강도가 들었나?" "어디로 피하지?" 사방팔방에서 다그치는 소리가 뒤엉켰다. 달빛이 없었더라면 그들은 깜깜한 어둠 속에 있었을 것이다. 사람들이 앞으로 뒤로 뛰어다녔다. 함께 모여들었다. 누군가는 흐느꼈고 누군가는 비틀거렸다. 혼란이 멈출 것 같지 않았다.

"로체스터는 대체 어디 있는 거요?"

덴트 대령이 소리쳤다.

“방에도 없던데.”

“여기! 여기 있어요!”

외치는 대답 소리가 들렸다.

“진정하세요, 다들. 내가 갑니다.”

복도 끝의 문이 열리더니 로체스터 씨가 촛불을 들고 나타났다. 막 위층에서 내려오는 참이었다. 한 여자가 곧장 그에게 달려가 그의 팔을 움켜잡았다. 잉그램 양이었다. 그녀가 물었다.

“무슨 끔찍한 사건이 벌어졌나요? 말해 보세요! 무슨 나쁜 일이라도 당장 말씀해 주세요!”

“날 그만 잡아끌고, 그만 매달리시오.”

그가 대답했다. 애시턴가의 딸들이 그에게 매달리며 잡아당기고 있었기 때문이다. 거대한 흰색 실내복을 걸친 두 마나님들도, 돛을 활짝 펼친 배처럼 그에게 빠르게 다가가고 있었다. 그가 소리쳤다.

“괜찮아요! 괜찮아요! ‘헛소동’ 극의 연습일 뿐이오. 숙녀분들, 저리 비켜요. 안 그러면 내가 폭발할 수도 있소.”

그는 위험스러워 보였다. 그의 검은 눈이 불꽃을 내뿜었다. 애써 자신을 진정시키며 그가 덧붙였다.

“하인이 악몽을 꾸었소. 그것뿐입니다. 신경과민이라 쉽게 흥분하는 사람이오. 꿈꾼 것을 유령이나 그 비슷한 것을 본 것으로 착각했던 모양이오, 틀림없이. 무서워서 발작을 일으킨 겁니다. 이제 그럼, 모두 방으로 돌아가십시오. 집 안이 안정되어야 그녀를 돌봐 줄 수가 있소. 신사 여러분, 부디 숙녀분들에게 모범을 보여 주시오. 잉그램 양, 당신은 이 근거 없는 공포를 능히 제압할 수 있겠지요. 에이미와 루이자, 한 쌍의 비둘기처럼 두 분 둥지로 돌아가시오. (미망인들에게) 부인들, 이 싸늘한 복도에 더 오래 계시다가는 필시 감기에 걸리고 말 겁니다.”

그렇게 달래기도 하고 명령하기도 하면서, 그는 그들 모두를 다시 침실로 들여보내는 데 성공했다. 나도 명령을 기다리지 않고 얼른 방으로 들어왔다. 방을 나섰을 때처럼 눈에 띄지 않게.

하지만 침대로 가지는 않았다. 반대로 조심조심 옷을 입기 시작했다. 그 비명 이후에 내가 들은 격투 소리와 말소리는 아마 나만 들었을 것이다. 내 윗방에서 나는 소리였으니까. 이렇게 집 안을 공포로 발칵 뒤집어 놓은 원인이 하인의 꿈이 아닌 것은 분명했다. 로체스터 씨가 들려준 설명은 단지 손님들을 안심시키려고 꾸며 낸 허구였다. 나는 비상사태를 대비해 옷을 입었다. 옷을 다 입고 나서, 오래도록 창가에 앉아 고요한 정원과 은빛 들판을 내다보며 뭔지 모르는 무언가를 기다렸다. 괴상한 비명 소리와 격투 소리와 외침 이후에 무언가 사건이 뒤따를 것 같았다.

그렇지 않았다. 정적이 되돌아왔다. 모든 속삭임과 움직임이 차츰 가라앉았고, 한 시간쯤 뒤에 손필드 저택은 다시 사막처럼 고요해졌다. 잠과 밤이 그들의 지배권을 되찾은 듯했다. 그사이에 달이 기울었다. 추운 어둠 속에 앉아 있는 게 싫어서, 옷을 입은 채로 침대에 누워야겠다고 생각했다. 창가를 떠나 양탄자 위로 소리 없이 움직였다. 신발을 벗으려고 몸을 굽히는데, 누군가 조심스럽게 똑똑 문을 두드렸다.

"제가 필요하신가요?"

내가 물었다.

"일어나 있소?"

내가 들으리라 예상했던 목소리, 바로 로체스터 씨의 목소리가 물었다.

"네."

"옷을 입었소?"

"네."

"그럼 나와요, 조용히."

나는 순종했다. 로체스터 씨가 복도에서 촛불을 들고 있었다. 그가 말했다.

"당신이 와 줘야겠소. 이쪽으로. 천천히, 소리 내지 말고."

슬리퍼 바닥이 얇아서 매트가 깔린 바닥을 고양이처럼 조용조용하게 걸을 수 있었다. 그가 복도를 지나 계단을 올라, 어둡고 낮고 불길한 3층 복도에 멈춰 섰다. 나는 따라가서 그의 옆에 섰다.

"당신 방에 스펀지가 있소?"

그가 속삭여 물었다.

"네."

"암모니아도 있나, 탄산 암모니아수?"

"네."

"가서 둘 다 가져와요."

나는 방으로 돌아가 세면대에서 스펀지를 찾고, 서랍에서 암모니아를 찾아 다시 계단을 올라갔다. 그가 기다리고 있었다. 그의 손에는 열쇠가 들려 있었다. 그곳의 작고 검은 문 하나로 다가가 자물쇠에 열쇠를 꽂았다. 그가 멈칫하더니 다시 나에게 말했다.

"피를 보고 속이 뒤틀리거나 하진 않겠지?"

"그럴 것 같지는 않아요. 아직 본 적은 없습니다만."

대답하면서도 몸이 떨렸다. 하지만 몸이 싸늘해지거나 기절할 것 같은 기분은 아니었다.

"손을 이리 줘 봐요. 기절이라도 하면 안 되니까."

나는 그의 손에 내 손가락을 맡겼다.

"따뜻하고 안정돼 있군."

그의 말이었다. 그가 열쇠를 돌려 문을 열었다.

전에 보았던 것으로 기억나는 방이 눈앞에 나타났다. 페어팩스 부인이 구경시켜 주었던 날, 거기에는 태피스트리가 걸려 있었다. 하지만 그 태피스트리는 이제 한쪽으로 묶여 있었고, 거기에 숨겨져 있던 문이 드러났다. 그 문이 열렸다. 안에서 불빛이 흘러나왔다. 개가 싸우는 소리 비슷하게 으르렁거리며 와락 잡아채는 소리가 들렸다. 로체스터 씨가 초를 내려놓으며 나에게 말했다.

"잠깐 기다리시오."

그러고는 방 안으로 들어갔다. 커다란 웃음소리가 그의 등장을 맞았다. 처음에는 요란스럽다가, 그레이스 풀의 악마 같은 하! 하! 소리로 끝이 났다. 그녀가 거기에 있었다. 그는 말없이 어떤 정리를 하는 듯했다. 낮은 목소리가 그에게 말하는 소리도 들렸다. 그가 밖으로 나와 문을 닫았다.

"이리 오시오, 제인!"

그가 말했다. 나는 그 방의 상당 부분을 늘어진 커튼으로 가리고 있는 커다란 침대의 반대편으로 걸어갔다. 침대 머리맡에 안락의자가 하나 있었고 코트를 벗은 남자가 거기 앉아 있었다. 그는 꼼짝도 하지 않은 채 머리를 뒤로 기대고 눈을 감고 있었다. 로체스터 씨가 그 위로 양초를 들어 올렸다. 나는 그 창백하고 죽은 듯한 얼굴을 알아보았다. 낯선 손님인 메이슨이었다. 셔츠의 한쪽 옆구리와 한쪽 팔이 피로 젖어 있었다.

"촛불을 들고 있으시오."

로체스터 씨가 말했고, 나는 그걸 받아 들었다. 그가 세면대에서 물이 든 대야를 가져왔다.

"이걸 잡아 주시오."

그가 말했다. 나는 그렇게 했다. 그가 스펀지를 거기에 담갔다가, 시체 같은 얼굴에 물을 적셨다. 그가 나에게 냄새 맡는 병을 달라고 한 뒤에, 그의 콧구멍에 들이댔다. 금세 메이슨 씨가 눈을 떴다. 그가 신음했다. 로체스터 씨가 붕대로 감긴 팔과 어깨를 드러내며 상처 입은 남자의 셔츠를 벌렸다. 거기서 계속해서 흐르는 피를 스펀지로 닦아 냈다. 메이슨 씨가 중얼거렸다.

"이제 곧 죽는 건가?"

로체스터 씨가 대답했다.

"흥! 아니……, 살짝 긁혔을 뿐이야. 너무 과장하지 마. 기운 내게! 난 이제 의사를 부르러 가야겠어, 직접. 아침까지는 다른 데로 옮길 수 있겠지. 제인."

"네?"

"이 신사와 당신을 이 방에 남겨 둬야겠소. 한 시간이나 어쩌면 두 시간 정도 걸릴 거요. 피가 나면 내가 하던 대로 스펀지로 닦으시오. 이자가 기절한 것 같으면, 저 탁자에 있는 물 잔을 입에 대 주고 암모니아를 코에 대시오. 무슨 일이 있어도 이자에게 말을 걸면 안 돼. 그리고 리처드, 이 여자한테 말을 걸면 자네 생명이 위험할 줄 알아. 그 입을 열었다간 무슨 결과가 생겨도 난 책임지지 않겠어."

다시 그 가엾은 남자가 신음했다. 그는 감히 움직이지도 못할 것 같았다. 죽음 또는 다른 무언가에 대한 두려움이 그를 거의 마비시키는 듯했다. 로체스터 씨는 이제 피범벅이 된 스펀지를 내 손에 넘겼고, 나는 그가 하던 대로 계속 피를 닦아 냈다. 그가 잠시 나를 지켜본 뒤에 말했다.

"명심하시오! 말 걸지 마시오."

그가 방을 떠났다. 열쇠가 자물쇠 안에서 돌아가고, 멀어지던 그의 발소리가 완전히 사라지자 나는 아주 이상한 기분에 사로잡혔다.

이렇게 나는 3층의 비밀스런 어느 방에 갇혔다. 밤이 나를 둘러쌌다. 내 눈과 손 바로 밑에 창백한 피투성이 남자가 있었다. 단 하나의 문 사이로 살인자가 거의 내 옆에 있었다. 그렇다. 소름이 끼치는 일이었다. 다른 건 다 견딜 수 있었지만 그레이스 풀이 저 문에서 튀어나와 나에게 덤벼들 것 같아 몸서리가 쳐졌다.

하지만 나는 이 자리를 지켜야 했다. 이 송장 같은 얼굴을 지켜봐야 했다. 말하는 것이 금지된 미동 없는 시퍼런 입술을. 그의 눈이 감기고 다시 열리고 사방으로 방황하다가 나에게 고정되었다. 그 눈은 언제나 멍한 두려움에 젖어 흐릿해 보였다. 나는 또다시 핏물이 흥건한 대야에 손을 담가야 했고 흐르는 피를 닦아야 했다. 심지가 꺼지지 않은 양초 불빛이 약해지는 것을 보아야 했다. 그림자들이 고풍스럽게 수놓인 태피스트리에서 어두워지고, 거대하고 오래된 침대 장막 아래서 점점 검어지고, 맞은편의 커다란 장식장 문에서 기묘하게 흔들리는 것을 보아야 했다. 열두 개의 패널로 나뉜 장식장 앞면에는 패널 하나당 하나의 틀로 둘러싼 사도 열두 명의 머리가 으스스하게 각인되어 있었다. 그 위쪽 꼭대기에 흑단의 십자가와 죽어 가는 그리스도의 형상이 올려져 있었다.

변화무쌍한 어둠과 명멸하는 빛이 여기서 배회하고 저기서 번쩍임에 따라, 그것은 턱수염을 기른 의사 누가의 눈살 찌푸리는 모습이 되었다가, 또 다음 순간에는 성 요한의 구불구불한 긴 머리가 되었다. 그것은 이내 흉악한 유다의 얼굴이 되어 패널의 틀에서 벗어나더니, 점점 생기를 모으며 최대의 반역자인 사탄 자신의 형상을 드러내려 하고 있었다.

이 모든 것들 속에서, 나는 지켜보는 것만이 아니라 소리까지 들어야 했다. 저쪽 옆 밀실에서 악마 아니면 야생의 맹수가 움직이는 소리를. 하지만 그것은 로체스터 씨가 들어갔다 나온 이후로 주문에 걸린 듯 오랜 간격을 두고 밤새 세 번쯤밖에 소리를 내지 못했다. 삐걱거리는 발소리, 아주 잠깐 개가 으르렁대는 듯한 소리, 인간의 깊은 신음 소리, 게다가 나 자신의 생각들이 나를 괴롭혔다. 이 외딴 저택에서 사람의 모습으로 살아가는 저것은, 주인이 막을 수도 쫓아낼 수도 없는 저것은 어떤 죄악일까? 가장 밤 깊은 시간에 불이 나기도 하고 피가 나기도 하는 것은 무슨 불가사의일까? 평범한 여자의 얼굴과 형태를 하고 인간의 소리를 냈다가, 다음에는 조롱하는 악마의 소리를 냈다가, 이내 썩은 고기를 찾아 헤매는 새소리를 내는 것은 대체 어떤 생명체일까?

그리고 내가 돌보고 있는 이 남자, 이 평범하고 조용한 이방인은 어쩌다가 공포의 거미줄에 엮이게 된 것일까? 분노의 여신이 왜 그를 공격했을까? 그가 이 적절치 못한 시간에, 한참 침대에서 자고 있어야 할 시간에 이 저택의 이 공간을 찾아온 이유는 무엇일까? 나는 로체스터 씨가 아래 어느 방을 그에게 지정해 주는 소리를 들었었다. 그런 그가 무엇 때문에 이 위에 올라왔을까? 그리고 그는 자신에게 행해진 배신 또는 폭력을 왜 이렇게 무기력하게 받아들이는 걸까? 어째서 로체스터 씨가 강요한 은폐에 이다지도 조용히 복종하는 것일까? 어째서 로체스터 씨는 이 일을 감추는 걸까? 그의 손님이 폭행당했고, 전에는 그 자신의 생명까지 죽이려고까지 했었다. 그런데 그는 이 두 가지를 모두 비밀에 붙이고 망각 속에 던져 버렸다! 끝으로, 나는 메이슨 씨가 로체스터 씨에게 고분고분하게 순종하는 것을 보았다. 로체스터 씨의 맹렬한 의지는 메이슨 씨를 완전히 무기력하게 만들었다. 그들 사이에 오간 몇 마디 말이 이것을 확실하게 보여 주었다. 예전부터 한쪽의 소극적인 기질이 다른 쪽의 적극적인 힘에 습관적으로 영향을 받았던 것이 분명했다. 그렇다면 메이슨 씨의 도착 소식을 들었을 때 로체스터 씨는 왜 그렇게 놀랐던 걸까? 이렇게 순종적이고 어린아이처럼 그의 말을 잘 듣는 사람의 이름 하나가, 불과 몇 시간 전에는 어째서 참나무에 떨어진 벼락처럼 그에게 충격을 주었던 걸까?

아! 나는 로체스터 씨가 "제인, 이건 충격이오. 충격이오, 제인."이라고 중얼거릴 때의 그 표정과 창백한 얼굴을 잊을 수 없다. 내 어깨에 놓인 그 팔이 얼마나 떨렸는지 잊을 수 없다. 페어팩스 로체스터의 그 건장한 뼈대를 떨게 하고 그 의연한 영혼을 굴복시킬 수 있는 일이라면 그것은 결코 가벼운 문제가 아니었다.

'언제 돌아오실까? 언제 돌아오실까?'

밤이 머물고 또 머무는 동안, 나는 속으로 소리쳤다. 피 흘리는 내 곁의 환자는 쇠약해진 채 축 늘어져 신음했다. 날이 밝지도 않고 도움이 오지도 않았다. 나는 다시, 또다시 메이슨의 핏기 없는 입술에 물을 갖다 댔다. 다시, 또다시 그의 코에 암모니아를 갖다 댔다. 이런 노력들은 아무 소용이 없는 듯했다. 신체적인 고통이나 정신적인 고통이나 출혈, 아니면 이 세 가지가 합해져서 빠르게 그의 힘을 앗아 가고 있었다. 그의 지독한 신음 소리를 들으며, 정신을 잃은 듯 흐트러지고 너무나 약해 보이는 그 모습을 보면서, 나는 그가 죽어 가고 있는 게 아닌지 두려웠다. 그런데도 나는 그에게 말조차 걸 수 없었다!

양초가 마침내 다 닳아서 꺼졌다. 불이 꺼졌을 때, 창문의 커튼 가장자리로 회색빛 광선이 비쳤다. 새벽이 다가오고 있었다. 이윽고 저 아래 멀리 안뜰에 있는 개집에서 나와 짖어 대는 파일럿의 소리가 들렸다. 희망이 되살아났다. 그 소리는 근거 없는 것이 아니었다. 5분 후에 삐걱거리는 열쇠와 거기에 굴복하는 자물쇠가 나의 불침번이 끝나고 있음을 알려 주었다. 두 시간 이상 걸렸을 리 없건만, 몇 주일이 그보다는 더 짧을 듯했다.

로체스터 씨가 데리러 갔던 의사와 같이 들어왔다. 그가 의사에게 말했다.

"자, 카터, 빈틈없이 처리해 주게. 상처를 치료하고, 붕대를 감고, 환자를 아래층으로 옮기는 것까지 다하는 데 30분 주겠소."

"옮겨도 되는 상태인가요?"

"그 점은 염려 말게. 심각한 건 아니야. 이 친구는 신경과민이니 기운 차리게 해 줘야 돼. 자, 시작하게나."

로체스터 씨가 두꺼운 커튼을 걷고, 삼베 블라인드를 걷어 올려 바깥의 빛을 최대한 받아들였다. 새벽이 한참 진행된 것을 보니 놀랍기도 하고 힘도 솟았다. 장밋빛 줄무늬들이 동쪽 하늘을 밝게 물들이기 시작했다. 그는 이미 의사의 치료를 받고 있는 메이슨에게 다가갔다.

"자, 친구, 어떤가?"

그가 물었다.

"내가 이제 죽을 모양이네."

가냘픈 대답이었다.

"절대 그렇지 않아! 용기를 내게! 2주일만 지나면 아무렇지도 않을 걸세. 피를 좀 흘렸을 뿐이야. 그게 다야. 카터, 환자에게 생명에 지장이 없다고 안심시켜 주게."

"제 양심을 걸고 말씀드리지만 생명에는 지장이 없습니다."

카터가 이제 붕대를 다 풀어내고 말했다.

"좀 더 빨리 오지 못한 게 안타까울 뿐입니다. 그랬으면 이렇게 피를 많이 흘리지 않으셨을 텐데. 그런데 어쩌다 이렇게 된 겁니까? 어깨 살점이 베인 것만이 아니라 찢어져 있군요. 이 상처는 칼로 벤 게 아닙니다. 여기에 잇자국이 있잖아요?"

"그녀가 날 물었어."

그가 계속해서 중얼거렸다.

"로체스터가 칼을 빼앗자 그녀가 마치 암호랑이처럼 나를 물고 흔들었어."

"당하고 있지 말았어야지. 그 즉시 맞붙어 싸웠어야 했어."

로체스터 씨가 말했다.

"하지만 그런 상황에서 무얼 할 수 있겠나?"

메이슨이 대꾸했다. 그가 몸서리치며 덧붙였다.

"아, 무시무시했어! 상상도 못한 일이었어. 처음에는 너무나 조용해 보였단 말일세."

"내가 경고했잖나. 그녀에게 가까이 갈 때 조심하라고 했잖아. 게다가 내일까지 기다렸다가 나와 같이 갈 수도 있었잖아. 오늘 밤에 혼자 만나려 한 건 어리석은 짓이었어."

"그러면 도움이 될 거라고 생각했네."

"생각했다고! 자네가 생각을 했다고! 그랬겠지. 자네 말을 듣고 있으면 짜증이 치밀어 올라. 하지만 어쨌든 자네는 내 충고를 듣지 않은 일로 고통받고 있고, 충분히 고통받게 될 것 같아. 그러니 더 말하지 않겠네. 카터…… 서두르게! 서둘러! 해가 곧 떠오를 텐데, 이 친구를 옮겨야 돼."

"곧 끝납니다, 나리. 어깨 붕대를 다 감았습니다. 팔에 난 다른 상처를 살펴봐야 돼요. 여기도 물어뜯은 모양인데요."

메이슨이 말했다.

"그녀가 피를 빨았어. 내 심장의 피를 모조리 빨아먹겠다고 했어!"

나는 로체스터 씨가 몸서리치는 모습을 보았다. 역겨움과 공포와 증오가 역력한 표정으로 그의 얼굴이 심하게 일그러졌다. 하지만 그는 이렇게 말했을 뿐이다.

"이봐, 조용히 해, 리처드. 그런 쓸데없는 소리에 신경 쓰지 마. 다시는 말하지도 마."

"잊어버릴 수 있다면 얼마나 좋을까."

그게 대답이었다.

"이 나라 밖으로 나가면 잊혀질 거야. 스페인 타운으로 돌아가면, 죽어서 땅에 묻힌 사람으로 그녀를 생각할 수 있을걸세. 아니 오히려, 그녀를 생각할 필요가 전혀 없어."

"이 밤을 잊는 건 불가능해!"

"그렇지 않아. 힘을 내게, 친구. 두 시간 전만 해도 죽는 줄 알았는데, 지금은 멀쩡히 살아서 얘기하고 있잖나. 자! 카터가 다 끝냈군, 거의 끝났어. 내가 순식간에 자네를 말짱하게 만들어 주겠네. 제인(돌아온 후 그는 처음으로 나를 돌아보았다), 이 열쇠 받으시오. 내 침실로 가서 곧장 옷방으로 걸어가, 옷장 맨 위 서랍을 열어 깨끗한 셔츠와 목수건을 꺼내시오. 그걸 이리 가져오시오. 빨리 움직여요."

나는 내려갔다. 그가 말한 옷장을 열고 호명된 품목들을 찾아 그것들을 가지고 돌아왔다.

"자, 내가 이 사람에게 옷을 갈아입히는 동안 당신은 침대 저편에 가 있으시오. 방을 떠나지는 말고. 또 필요할 수도 있으니까."

그가 말했고, 나는 지시대로 물러났다.

"아래층에 갔을 때 누구 움직이는 사람이 있던가, 제인?"

이윽고 로체스터 씨가 물었다.

"아뇨. 모두들 아주 조용했어요."

"자네를 신중하게 출발시킬 생각일세, 리처드. 자네를 위해서나 저쪽에 있는 저 가엾은 생명을 위해서나 그 편이 나아. 사람들에게 알려지지 않게 하려고 오랫동안 노력해 왔는데, 이제 와 알려지는 건 바라지 않네. 이봐, 카터, 조끼 입히는 것 좀 도와주게. 자네 털외투는 어디에 뒀나? 이 빌어먹을 추운 날씨에 외투가 없이는 잠시도 여행할 수 없어. 자네 방에 있어? 제인, 메이슨 씨 방으로 내려가서, 내 옆방이오, 거기 있는 외투를 가져오시오."

다시 나는 달려갔고, 가두리와 안감에 모피를 댄 커다란 외투를 들고 다시 돌아왔다.

"심부름이 하나 더 있소."

지치지도 않는 나의 주인이 말했다.

"내 방에 다시 다녀와야겠소. 당신이 벨벳 신발을 신은 게 다행이구려, 제인! 이런 중대한 때에 아둔한 심부름꾼은 아무 소용이 없다니까. 내 경대의 중간 서랍을 열고 거기 있는 작은 약병과 작은 유리잔을 찾아 가져오시오, 빨리!"

나는 그리로 날아갔다가 필요한 것들을 가지고 돌아왔다.

"됐어! 자, 의사 선생, 내 멋대로 내가 책임지고 이 환자에게 약을 투여하겠소. 로마에서 이탈리아 돌팔이 의사에게 구한 강심제요. 자네가 걷어차 버릴 만한 작자지, 카터. 분별없이 사용하면 안 되겠지만 경우에 따라서는 괜찮아. 예를 들면 지금 같은 경우. 제인, 물 좀."

그가 작은 유리잔을 내밀었고, 나는 세면대의 물병에 있던 물을 거기에 반쯤 따랐다.

"됐어. 이제 약을 따르시오."

나는 그렇게 했다. 그가 진홍색 액체를 열두 방울 떨어뜨리게 한 뒤, 그것을 메이슨에게 내밀었다.

"마시게, 리처드. 이게 자네에게 부족한 원기를 북돋아 줄걸세, 한 시간 정도."

"몸에 해롭지 않을까? ……염증을 일으키지는 않을까?"

"마셔! 마시라니까! 어서!"

반항해 봤자 소용없었으므로 메이슨 씨는 순순히 마셨다. 그는 이제 옷을 갖춰 입었다. 여전히 창백해 보였지만, 피범벅으로 지저분한 상태는 아니었다. 로체스터 씨는 약을 먹이고 나서 3분 동안 그를 앉혀 두었다. 다음에 그의 팔을 잡으며 말했다.

"이제 일어설 수 있을 거야. 일어나 보게."

환자가 일어섰다.

"카터, 저쪽 어깨를 부축하게. 기운을 내, 리처드. 걸어 봐. ……바로 그거야!"

"기분이 좀 나아졌어."

메이슨 씨가 말했다.

"물론 그렇겠지. 이제 제인, 우리보다 먼저 뒤쪽 계단으로 내려가시오. 복도 옆문의 빗장을 풀고 마당에서 기다리고 있는 역마차 마부에게 아니, 그 바깥에 있을지도 몰라. 내가 돌바닥에 덜그럭대는 바퀴 소리를 내지 말라고 했으니까. 준비하고 있으라고 말하시오. 우리가 간다고. 만약에 주위에 누가 있으면 제인, 계단 발치로 와서 헛기침을 하시오."

5시 반을 지난 시각이라서 해가 막 떠오르려는 참이었다. 하지만 부엌은 여전히 어둡고 잠잠했다. 복도 옆문은 잠겨 있었다. 나는 최대한 소리 나지 않게 문을 열었다. 마당 전체가 고요했다. 하지만 정문이 활짝 열려 있었고, 마구를 갖춘 말들을 달고 마부석에 마부가 올라앉은 역마차가 밖에 세워져 있었다. 나는 그에게 다가가 신사들이 나온다고 말했다. 그가 고개를 끄덕였다.

그 뒤에 나는 조심스레 주위를 살피며 귀를 기울였다. 어디에나 이른 아침의 정적이 잠들어 있었다. 하인 숙소의 창문에는 아직 커튼들이 드리워져 있었다. 마당 한쪽을 에워싼 담 위로 하얀 화환처럼 가지를 늘어뜨리고 흰 꽃들이 만발한 과수원 나무에서 작은 새들이 이제 막 지저귀고 있었다. 마차용 말들이 이따금씩 좁은 마구간 안에서 발을 굴렀다. 그 밖의 모든 것은 조용했다.

신사들이 나타났다. 로체스터 씨와 의사의 부축을 받은 메이슨은 견딜 만한 듯 수월하게 걷고 있었다. 그들이 그를 마차로 들여보냈다. 카터가 따라 들어갔다. 로체스터 씨가 의사에게 말했다.

"그를 보살펴 주게. 웬만큼 완쾌될 때까지 자네 집에 데리고 있어 주게. 하루 이틀 뒤에 내가 상태를 살펴보러 건너가겠네. 리처드, 자넨 어떤가?"

"상쾌한 공기를 마시니 기운이 나네, 페어팩스."

"그쪽 창을 열어 두게, 카터. 바람이 잠잠하니까. ……잘 가게, 리처드."

"페어팩스……."

"뭔가?"

"그녀를 돌봐 주게나. 될 수 있는 대로 부드럽게 대해 주게나. 그녀를……."

그가 말을 멈추고 눈물을 터트렸다.

"난 최선을 다하고 있네. 지금까지 그래 왔고, 앞으로도 그럴걸세."

이것이 대답이었다. 그가 마차 문을 닫았고, 마차가 굴러갔다.

"그래도 이 모든 일에 끝이 있다면 좋겠네!"

무거운 문을 닫고 빗장을 지르면서 로체스터 씨가 덧붙였다. 이후에 그는 상념에 잠긴 듯 과수원을 두른 담에 나 있는 문 쪽으로 느릿느릿 걸어갔다. 나는 이제 볼일이 끝났으리라 생각하며 집으로 돌아갈 참이었다. 하지만 다시, 그가 "제인!" 하고 부르는 소리가 났다. 그는 문을 열고 거기에 서서 나를 기다리고 있었다. 그가 말했다.

"잠시 상쾌함이 있는 곳으로 갑시다. 그 집은 지하 감옥이야. 그렇게 느껴지지 않소?"

"제가 보기에는 웅장한 저택 같은데요."

그가 대답했다.

"당신 눈에는 무경험이라는 마법이 씌워져 있어. 당신은 마법에 홀린 눈으로 바라보고 있소. 그 금도금이 진흙이고, 비단 휘장들이 거미줄인 것을 식별하지 못해. 그 대리석이 더러운 석판이고, 광택 나는 목재들이 쓸데없는 나무 부스러기에 비늘 덮인 나무껍질이라는 걸 보지 못하지. 자, 여기(그는 우리가 들어선 잎이 우거진 공간을 가리켰다) 있는 모든 것은 진실하고 신선하고 순수해."

그는 회양목이 경계 짓고 있는 산책로를 돌아다녔다. 한쪽에는 사과나무, 배나무, 벚나무가 있고, 다른 쪽에는 갖가지 낯익은 꽃과 나무줄기, 아메리카패랭이꽃, 앵초, 팬지, 서던우드와 들장미, 향긋한 온갖 허브 들이 뒤섞여 있었다. 4월의 소나기와 햇살이 이어진 뒤에 찾아온 화창한 봄날 아침이 보여 줄 수 있는 최고의 신선함을 자랑하고 있었다. 태양은 얼룩덜룩한 동쪽 하늘에 떠오르고, 그 빛이 꽃 장식을 달고 이슬을 머금은 과수원 나무들을 밝게 비추며, 고요한 산책로를 반짝이게 했다.

"제인, 꽃을 따 줄까?"

그는 덤불에서 제일 앞에 있는 반쯤 핀 장미를 따서 나에게 건넸다.

"감사합니다."

"이런 해 뜨는 아침을 좋아하나, 제인? 태양이 뜨거워지면 사라져 버릴 저 높고 가벼운 구름들이 떠 있는 하늘……, 이 차분하고 향기로운 대기를 좋아하나?"

"네, 아주 좋아해요."

"이상한 밤을 보냈지, 제인?"

"네."

"안색이 창백해졌군. 메이슨과 단둘이 남겨졌을 때 많이 두려웠나?"

"안쪽 방에서 누군가 나올까 봐 두려웠어요."

"그 문은 내가 잠갔소. 열쇠는 내 주머니에 있어. 귀여워하는 양을 늑대의 소굴과 그리 가까운 곳에 무방비 상태로 남겨 두는 건 경솔한 목동이나 할 일이지. 당신은 안전했소."

"그레이스 풀이 계속 여기서 살게 되나요?"

"아, 그래! 그녀에 대한 생각으로 머리를 어지럽히지 마시오. 당신 생각에서 내보내시오."

"하지만 그녀가 있는 한은 나리의 생명이 안전할 것 같지 않아요."

"걱정 마시오. 내 몸은 내가 보살피겠소."

"지난밤에 나리가 걱정했던 위험은 이제 지나간 건가요?"

"메이슨이 영국에서 벗어날 때까지는 장담할 수 없소. 그때도 확실하진 않아. 산다는 것은 나에게, 언젠가 금이 가서 불을 뿜어낼 분화구 표면에 서 있는 것과 같소."

"하지만 메이슨 씨는 쉽사리 움직일 수 있는 분이 아닌 것 같던데요. 나리의 힘이 그에게 강한 영향을 미치는 것 같아요. 나리를 무시하거나 고의로 해를 끼치지는 않을 거예요."

"그렇긴 하지! 메이슨은 나에게 반항하지 않을 거요. 일부러 나를 해치지도 않을 거요. 하지만 무심코, 순식간에, 부주의한 말 한마디로, 나의 생명까지는 아니더라도 나의 행복을 영원히 앗아 갈 수 있소."

"그에게 조심하라고 말씀하세요. 나리가 걱정하시는 바를 전하고, 그 위험을 막을 수 있는 방법을 알려 주세요."

그가 쓸쓸하게 웃으며 불쑥 내 손을 잡더니 얼른 그 손을 풀었다.

"바보 같은 아가씨야, 그렇게 할 수만 있다면 위험할 게 뭐가 있겠나? 당장에 없어지겠지. 내가 메이슨을 안 이후로 지금까지 '이렇게 해.' 하고 말하면, 그대로 다 이루어졌어. 하지만 이 경우에는 그에게 명령할 수 없소. '나에게 해가 되지 않도록 조심해, 리처드.' 이렇게 말할 수도 없소. 왜냐하면 그가 나에게 해를 끼칠 수 있다는 걸 필히 몰라야 하니까. 당황스러운 표정이군. 나는 당신을 더 당황스럽게 할 거요. 당신은 나의 작은 친구요, 그렇지?"

"옳은 일이라면 그 어떤 일이건 나리를 도와 드리며 따르고 싶어요."

"정확한 말이야. 그건 나도 알아. 당신이 말했듯이 옳은 일이라면 그 어떤 일이건 나를 도와주고 기쁘게 해 줄 때, 내 옆에서 나를 위해 일해 줄 때, 당신의 걸음걸이와 태도와 그 눈과 얼굴에 진정으로 만족하는 기색이 보이거든. 잘못이라고 생각하는 일을 하라고 하면 당신은 발걸음 가볍게 달리지도 않을 테고, 여물고 민첩하게 처리하지도 않을 테고, 생기 있는 시선과 활기찬 안색도 볼 수 없을 거야. 그럴 때 당신은 조용하고 창백하게 나를 돌아보며, '안 됩니다. 그렇게 할 수 없습니다. 그건 옳은 일이 아니라서 저는 못하겠습니다.' 이렇게 말하겠지. 그러고는 고정된 항성처럼 움직이지 않을 거야. 그래, 당신도 나에게 힘을 미칠 수 있고, 나에게 상처를 입힐 수 있어. 당신이 아무리 충실하고 친절해도 단번에 나를 찔러 버릴 수 있으니까, 당신에게 나의 연약한 부분을 보여 주지는 않겠어."

"나리가 저에게 그렇듯이 메이슨 씨를 두려워하지 않는다면, 위험할 건 전혀 없을 거예요."

"제발 그렇게 하느님이 허락해 주시기를! 제인, 여기에 정자가 있군. 앉읍시다."

정자는 벽에 나 있는 아치에 담쟁이덩굴이 감겨 있는 곳이었다. 거기에 통나무 의자가 놓여 있었다. 로체스터 씨가 자리에 앉으며, 내가 앉을 공간을 남겨 두었다. 하지만 나는 그의 앞에 서 있었다. 그가 말했다.

"앉아요. 두 사람이 넉넉히 앉을 수 있소. 설마 내 옆에 앉는 게 망설여지는 건 아니겠지? 이게 잘못된 일인가, 제인?"

나는 거기에 앉는 것으로 대답을 대신했다. 거절하는 것은 현명하지 않은 행동인 듯했다.

"자, 내 작은 친구여. 태양이 이슬을 마시는 동안, 이 오랜 정원의 모든 꽃들이 깨어나 피어나고 새들이 손필드에서 어린 새끼들의 아침 식사를 가져오는 동안, 부지런한 꿀벌들이 하루의 첫 작업을 행하는 동안 당신에게 한 가지 예를 들어 보겠소. 당신 자신의 일인 것처럼 생각해 줘야 해. 하지만 우선 나를 보고 편안하다고 말해 주시오. 내가 당신을 붙잡아 두는 것이나 당신이 여기 머무는 것을 잘못으로 여기지 않는다고 말해 주시오."

"그렇게 생각지 않아요. 전 편안해요."

"그래, 그럼 제인, 상상력의 도움을 빌려 봐요. 당신이 제대로 교육받고 훈련된 소녀가 아니라, 어린 시절부터 내내 제멋대로였던 거친 소년이라고 상상해 보시오. 당신이 먼 외국 땅에 가 있다고 상상해 봐. 그곳에서 그 성격이나 동기와는 상관없이 어떤 중대한 잘못을 저질렀고, 그 결과가 평생 당신을 따라다니며 당신의 생활 전체를 오염시킨다고 생각해 보시오. 명심해요, 나는 범죄를 말하는 게 아니오. 피를 뿌리거나 가해자에게 법적인 책임이 따르는 다른 죄악의 행위를 말하는 게 아니오. 내가 말하는 것은 실수요. 당신이 행한 일의 결과는 시간이 흐를수록 도저히 견딜 수 없는 것이 되지. 고통을 덜어 보려고 방법을 강구하게 돼. 평범한 방법은 아니지만 법에 저촉되거나 죄가 되지는 않는 것들이오. 그래도 당신은 비참해. 인생의 문턱에서 희망이 당신을 떠났으니까. 당신의 태양은 정오에 일식이 되어 어두워지고, 해 저물 때까지 그 어둠이 남아 있을 것 같아. 씁쓸하고 저급한 연상들이 당신의 기억을 먹이는 유일한 음식이오. 당신은 이리저리 떠돌아다니며 방랑에서 휴식을 구하지. 지성을 무디게 하고 감정을 메마르게 하는 그런 쾌락에서, 무정하고 감각적인 쾌락을 말하는 거요. 행복을 찾아보려 해. 마음은 지치고 영혼은 시들어 버린 채, 스스로 택한 유형의 세월을 보낸 후에 집으로 돌아오게 돼. 그리고 거기서 새로운 사람을 알게 되는 거요. 방법이나 장소는 상관없어. 당신은 이 새로운 사람에게서 당신이 20년간 찾으려 했지만 한 번도 만나 보지 못했던 선하고 밝은 자질들을 많이 발견하게 되오. 오염이나 얼룩 없이 오로지 신선하고 건강한 자질들이지. 이런 교제가 당신을 소생시키고 새로워지게 해. 더 좋은 나날, 더 높은 희망, 더 순수한 감정들이 돌아오는 것을 느껴. 인생을 다시 시작하고, 불멸의 존재로서 보다

가치 있는 방법으로 남은 날들을 보내고 싶어지지. 이 목적을 이루기 위해서라면, 당신의 양심이 시인하거나 판단력이 인정하지 않는 단순한 인습의 장벽을 뛰어넘는 걸 정당화할 수 있을까?"

그는 말을 멈추고 대답을 기다렸다. 내가 뭐라고 해야 할까? 아, 사려 깊고 만족스런 답을 제시해 주는 선한 정령이라도 있었으면! 헛된 열망이다! 서풍이 불어와 내 주위의 덩굴에 속삭였다. 하지만 그 숨결을 말로 빌려 줄 온화한 공기 요정은 없었다. 새들이 나무 위에서 노래했다. 하지만 그들의 노래가 아무리 달콤하더라도 알아들을 수는 없었다.

로체스터 씨가 다시 질문했다.

"죄 많은 인간으로 방황했으나 이제 안식을 추구하며 회개하는 남자가 이 온화하고 상냥하고 따뜻한 새 친구를 영원히 곁에 잡아 두기 위해 세상의 견해에 도전하는 것이, 그리하여 자기 마음의 평화와 새로운 인생을 찾아보려는 것이 정당화되겠소?"

나는 대답했다.

"방랑자의 안식이나 죄인의 회개를 다른 사람에게 의지해서는 안 됩니다. 남자나 여자나 죽게 마련이에요. 철학자라도 지혜가 부족할 수 있고, 그리스도인들도 선함이 부족할 때가 있어요. 나리가 아는 어떤 분이 고통당하고 실수를 저질렀다면, 같은 인간이 아닌 좀 더 높은 곳에 변화의 힘과 치료해 줄 위로를 구하게 하세요."

"하지만 도구…… 도구가 있는 법이오! 그 일을 행하는 하느님이 도구를 정하시잖소. 비유하지 않고 말하겠소. 나 자신이 바로 세속적이고 방탕하고 불안정한 남자였소. 그리고 나는 나를 치료해 줄 도구를 찾았다고 믿소……."

그가 말을 멈췄다. 새들은 계속해서 지저귀고 나뭇잎들은 가볍게 살랑거렸다. 나는 그들이 이제 곧 드러날 이야기를 듣기 위해 노래와 속삭임 소리를 낮추지 않는 게 이상할 지경이었다.

하지만 그랬다 하더라도 그들은 꽤 오래 기다려야 했을 것이다. 아주 오랫동안 침묵이 이어졌다. 마침내 나는 좀처럼 말을 잇지 않는 그를 향해 시선을 들었다. 그가 간절하게 나를 바라보고 있었다.

"이보게, 친구."

그가 상당히 달라진 어조로 말했다. 얼굴도 달라져 있었다. 부드러움과 진지함은 온데간데없이 사라지고, 가혹하게 비꼬는 표정이었다.

"당신은 나의 애정이 잉그램 양에게 기울어진 것을 알아차렸을 거요. 내가 그녀와 결혼하면 그녀가 나를 확실하게 소생시켜 주리라 생각지 않나?"

그가 벌떡 일어나 산책로 끝까지 걸어갔고, 돌아올 때는 콧노래를 흥얼거리고 있었다. 그가 내 앞에 멈추고 말했다.

"제인, 제인. 잠을 못 자서 그런지 안색이 아주 창백하군. 당신의 휴식을 방해했다고 나를 욕하는 건 아닌가?"

"나리를 욕하다니요? 아니에요."

"그렇다면 증거로 악수합시다. 손이 너무나 차군! 어젯밤에 그 미지의 방문 앞에서 만졌을 때는 이보다 따뜻했는데. 제인, 언제 다시 나와 밤샘을 해 주겠나?"

"제가 필요할 때면 언제든지요."

"예를 들면, 내가 결혼하기 전날 밤은 어떨까! 틀림없이 나는 잠을 이룰 수 없을 거야. 나와 같이 밤새워 말동무가 되어 주겠다고 약속하겠나? 난 당신에게 나의 사랑스러운 이에 대해 말할 수 있어. 이제 당신도 그녀를 보았고 그녀를 아니까."

"약속할게요."

"그녀와 같은 여자는 드물어. 그렇지 않나, 제인?"

"네, 그래요."

"아주 크지, 진짜 커. 덩치 좋고 가무잡잡하고 풍만해. 카르타고 여인 같은 머리하며. 이런, 덴트와 린이 마구간에 있군! 저쪽 문을 지나 관목 숲으로 해서 안으로 들어가시오."

나는 한쪽 길로 가고 그는 다른 쪽 길로 갔다. 마당에서 쾌활하게 말하는 그의 목소리가 들렸다.

"자네들이 선수를 놓쳤군. 오늘 아침 메이슨이 해 뜨기 전에 떠났소. 내가 4시에 일어나 배웅했지."

제21장

예감이란 이상한 것이다! 교감도 그렇다. 정조도 그렇다. 이 세 가지가 합해지면 인간이 아직까지 풀어내지 못한 하나의 신비가 된다. 나는 이제껏 예감을 비웃은 적이 없다. 나 스스로가 그런 기이한 예감을 지니고 있기 때문이다. 교감이라는 것도 존재한다고 믿는다(예를 들면, 멀리 떨어져 오래도록 왕래가 전혀 없던 친지들 사이에, 그렇게 떨어져 있었는데도 불구하고, 근원을 거슬러 올라가다 보면 서로 일치한다는 것을 알게 되는 경우가 그렇다). 교감 작용은 인간의 이해력을 당황스럽게 한다. 그리고 모르긴 몰라도, 정조라는 것 역시 인간과 자연의 교감일 수 있다.

내가 겨우 여섯 살 어린 소녀였던 어느 날 밤, 나는 베시 레븐이 마사 애버트에게 어린아이 꿈을 꾸었다고 말하는 소리를 들은 적이 있다. 아이들에 관한 꿈은 자신이나 친지에게 문제가 발생할 거리는 걸 알려 주는 확실한 징조라고 했다. 내 기억에서 흐릿하게 사라질 수도 있었던 그 말은, 곧바로 이어진 상황으로 인해 잊을 수 없이 나의 뇌리에 박혔다. 다음 날 베시는 여동생이 죽었다는 연락을 받고 집으로 불려 갔다.

최근에 나는 이 사건을 자주 떠올렸다. 지난 한 주 동안 갓난아기의 꿈을 꾸지 않고 밤을 보낸 적이 하루도 없었기 때문이다. 때로는 품에 안아 달래고, 때로는 무릎에 앉혀 어르고, 때로는 잔디에서 데이지 꽃을 가지고 놀거나 흐르는 물에 손을 첨벙거리며 노는 모습을 지켜보았다. 어떤 날 밤에는 울부짖는 아기였고, 다음 날 밤에는 웃는 아이였다. 언제는 나에게 찰싹 달라붙어 있었고, 언제는 나에게서 달아났다. 하지만 어떤 분위기를 풍기고 어떤 표정을 하고 있건 간에, 그 환영은 일곱 밤을 내리 내 잠의 영토로 찾아왔다.

이런 상념이 반복되자—하나의 이미지가 묘하게 되풀이되는 것이 마음에 들지 않았다—잠잘 시간이 가까워지고 꿈의 시간이 다가오는 것이 불안해졌다. 그 징조는 달 밝은 밤에 울부짖는 소리로 나를 깨워 냈던 아기의 환영과 함께 현실로 나타났다. 다음 날 오후에 나는 페어팩스 부인의 방에 나를 만나러 온 사람이 있다는 연락을 받고 아래층으로 내려갔다. 그리로 가 보니, 신사의 시종 같은 차림을 한 남자가 나를 기다리고 있었다. 그는 검은 상복을 입고 있었고, 손에 든 모자에도 검정 비단 띠가 둘러져 있었다. 내가 들어가자 남자가 일어나며 말했다.

"혹시 기억하실지 모르겠지만 저는 레븐이라는 사람입니다. 팔구 년 전, 아가씨가 게이츠헤드에 있을 때 리드 부인의 마부였고, 아직도 거기에 살고 있어요."

"아, 로버트! 안녕하세요? 기억하고말고요. 가끔 조지아나의 밤색 조랑말에 나를 태워 주곤 했잖아요. 베시는 어떻게 지내요? 베시와 결혼하셨죠?"

"네, 아내는 아주 건강해요. 고맙습니다. 두 달쯤 전에 아이를 하나 더 낳았어요. 이제 아이가 셋이 됐죠. 엄마와 아이 모두 잘 지내고 있습니다."

"그 댁 분들은 모두 무고하신가요, 로버트?"

"좋은 소식을 들려 드릴 수 없어서 유감이에요, 아가씨. 그분들은 지금 상황이 말이 아니에요. 아주 힘들어요."

"누가 돌아가신 게 아니었으면 좋겠는데."

내가 그의 검은 상복을 흘깃 쳐다보며 말했다. 그도 자기 모자의 검은 띠를 내려다보고 대답했다.

"존 씨가 런던의 하숙집에서 돌아가신 지 어제로 일주일 됐어요."

"존 씨가요?"

"네."

"그의 어머니는 그 일을 어떻게 견디고 계신가요?"

"그게 말입니다, 에어 양. 이건 예사 불행이 아니에요. 그분 생활이 아주 방탕하셨어요. 마지막 3년은 이상한 데 빠져 있으셨죠. 죽음도 충격적이었고요."

"그가 기대에 못 미치는 삶을 살고 있다는 얘기는 베시에게 들었어요."

"그 정도가 아니에요! 그보다 더 심할 수 없을 정도였죠. 아주 몹쓸 남자와 여자 들 사이에서 건강도 영지도 다 망쳐 버렸어요. 빚을 지고 감옥에 들어가기도 했었죠. 마님이 두 번 빼 주셨는데, 풀려나자마자 다시 예전 버릇과 패거리들에게로 돌아가셨어요. 머리도 좋은 분은 아니었어요. 같이 어울렸던 악당들이 일찍이 들어 본 적 없을 정도로 독하게 그분을 벗겨 먹었죠. 3주일 전쯤 게이츠헤드에 내려와 마님에게 전 재산을 양도해 달라고 하셨대요. 마님은 안 된다고 하셨죠. 아들의 방탕 때문에 재산이 줄어든 지 한참 됐거든요. 그래서 그분은 그냥 런던으로 올라갔는데, 그 후에 돌아가셨다는 소식이 날아온 거예요. 어떻게 돌아가셨는지는 하느님만이 아시겠죠! 사람들 말로는 자살이래요."

나는 입을 열지 않았다. 끔찍한 소식이었다. 로버트 레븐이 다시 말했다.

"마님은 얼마 전부터 몸이 편찮으세요. 살은 많이 찌셨는데 건강하진 않으셨던 거죠. 줄어든 재산과 가난에 대한 두려움 때문에 기력이 쇠해지셨는데 존 씨가 그런 식으로 돌아가셨다는 소식이 갑작스럽게 날아든 거예요. 그 때문에 발작을 일으켰죠. 사흘을 말씀을 못하셨어요. 지난 화요일에 조금 나아지신 듯했는데 뭔가를 말씀하고 싶은 것처럼, 제 아내에게 계속 신호를 보내면서 중얼거리셨어요. 겨우 어제 아침에야 베시는 마님이 말하는 게 아가씨 이름이라는 걸 알아들었어요. '제인을 데려와. 제인 에어를 데려와, 얘기하고 싶어.' 이렇게 말하는 소리였죠. 베시는 마님이 제정신인지, 그 말에 무슨 의미가 있는지 알 수 없었어요. 하지만 엘리자 양과 조지아나 양에게 그걸 말씀드리고 제인 아가씨를 부르러 보내라고 충고했어요. 두 분 아가씨께서는 미적미적 미루시다가 마님이 점점 오락가락하시고, '제인, 제인.' 이렇게 너무 여러 번 말씀을 하시니까 끝내는 승낙을 하시게 된 거예요. 저는 어제 게이츠헤드를 떠나왔어요. 준비가 가능하시다면, 내일 아침 일찌감치 모시고 갔으면 하는데요."

"알았어요, 로버트. 준비할게요. 내가 가야 할 것 같군요."

"제 생각도 그래요, 아가씨. 베시는 아가씨가 절대 거절하지 않을 거라고 했어요. 하지만 먼저 허락을 받아야겠지요?"

"그래요. 지금 허락받을 거예요."

그를 하인들 방으로 데려가 존 내외에게 잘 보살펴 달라고 부탁한 뒤에, 나는 로체스터 씨를 찾아 나섰다.

그는 아래층 어느 방에도 보이지 않았다. 마당에도, 마구간에도, 정원에도 없었다. 페어팩스 부인에게 그분을 봤느냐고 물으니 잉그램 양과 함께 당구를 치고 있을 거라고 대답했다. 나는 서둘러 당구실로 향했다. 달각달각 공 소리와 와글와글한 목소리 들이 거기서 울려 나왔다. 로체스터 씨, 잉그램 양, 애시턴가의 두 따님, 그들의 숭배자들이 모두 게임에 열중해 있었다. 그렇게 즐거워하는 사람들을 방해하려면 어느 정도 용기가 필요하다. 하지만 미룰 수 있는 용건이 아니었기에, 나는 잉그램 양의 옆에 서 있는 로체스터 씨에게 다가갔다. 내가 가까이 가자 그녀가 고개를 돌려 도도하게 쳐다보았다. 그녀의 눈은 '이 버러지 같은 여자가 무슨 볼일이야?' 하고 다그치는 듯했고, 내가 조그마한 목소리로 "로체스터 씨." 하고 불렀을 때는 나를 쫓아낼 듯한 자세를 취했다. 그 순간에 그녀의 모습이 어떠했는지 나는 기억하고 있다. 대단히 우아하고 인상적이었다. 하늘색 크레이프로 만든 아침 예복을 입고 있었고 머리에는 얇은 하늘색 스카프를 감고 있었다. 그녀는 게임에 열을 올리고 있었고, 짜증이 치민 자존심은 그녀의 오만한 인상을 누그러뜨리지 않았다.

"이 사람이 당신에게 볼일이 있나 봐요?"

그녀가 로체스터 씨에게 말했다. 로체스터 씨는 '이 사람'이 누군지 알아보려는 듯 고개를 돌렸다. 그가 묘하게 인상을 찌푸리더니—이도 저도 아닌 그의 이상한 표정 중의 하나—큐를 던지고 내 뒤로 그 방을 빠져나왔다.

"뭐지, 제인?"

그가 공부방 문을 닫고, 그 문에 기대서면서 물었다.

"죄송하지만 일주일이나 2주일쯤 휴가를 얻고 싶습니다."

"뭘 하려고? 어디 가려고?"

"저를 부르시는 병든 부인을 만나러 가려고요."

"병든 부인이라니? 그녀가 어디에 사는데?"

“○○ 주의 게이츠헤드에 사십니다.”

“○○ 주? 거긴 160킬로미터나 떨어진 곳이야! 그녀가 누군데 그 먼 데까지 사람을 오라 가라 하는 거요?”

“리드라는 분이에요, 리드 부인.”

“게이츠헤드의 리드? 게이츠헤드의 리드가 있었지, 아마 치안 판사지?”

“그분의 미망인이에요.”

“그런데 당신이 그녀와 무슨 상관이지? 어떻게 아는 사이인거요?”

“리드 씨가 저의 외삼촌이에요, 제 어머니의 오라버니요.”

“제기랄! 그런 말은 한 번도 한 적이 없잖아. 항상 친척이 없다고 했잖소.”

“저를 친척으로 인정할 사람은 없습니다. 리드 씨는 돌아가셨고, 그의 아내는 저와 인연을 끊었습니다.”

“왜?”

“제가 가난하고 짐스럽고, 저를 싫어했기 때문이에요.”

“리드가에 자식들이 있나? 당신 사촌들이 있을 테지? 마침 어제 조지 린이 게이츠헤드의 리드 이야기를 했어. 런던 최고의 망나니 중 하나라고 하던데. 잉그램도 같은 곳 출신의 조지아나 리드 얘기를 했고. 얼마 전까지 런던에서 미모로 꽤나 이름을 날렸다더군.”

“존 리드 역시 죽었습니다. 자신을 망치고 집안도 절반쯤 망친 후, 자살했다고 하더군요. 그 소식이 너무나 충격적이어서 그의 어머니가 쓰러지셨대요.”

“당신이 그녀에게 무슨 도움이 되겠나? 말도 안 돼, 제인! 당신이 도착하기 전에 죽을지도 모르는 늙은이를 보려고 160킬로미터나 달려가다니, 나 같으면 생각도 못할 일이오. 더구나 그 여자는 당신을 버렸다면서.”

"그래요, 하지만 그건 오래전 일이에요. 상황이 지금과는 매우 달랐을 때죠. 이제 와 그녀의 소망을 모른 체하는 건 마음이 편치 않아요."

"얼마나 있을 생각이지?"

"되도록 빨리 돌아와야죠."

"일주일만 있겠다고 약속하시오."

"약속하지 않는 편이 낫겠어요. 약속을 어기게 될 수도 있으니까요."

"아무튼 꼭 돌아와야 돼. 어떤 핑계로든 거기서 영원히 눌러살겠다고 하진 않을 거지?"

"그럼요! 일이 끝나면 틀림없이 돌아올 거예요."

"누구랑 같이 가지? 160킬로미터를 당신 혼자 가진 않을 테고."

"네, 그쪽에서 마부를 보내왔어요."

"믿을 만한 사람이오?"

"네, 그 집에서 10년째 살고 있는 사람이에요."

로체스터 씨가 생각에 잠겼다.

"언제 떠날 거요?"

"내일 아침 일찍요."

"돈이 좀 있어야겠군. 돈 없이 여행할 수는 없을 테니. 아마 별로 없겠지, 내가 아직 급료를 주지 않았잖아. 대체 얼마나 갖고 있소, 제인?"

그가 미소 지으며 물었다. 나는 얄팍하기 짝이 없는 지갑을 꺼냈다.

"5실링 있어요."

그가 내 지갑을 받아, 손바닥에 내용물을 쏟아 내더니 그 빈약함이 마음에 드는 듯 껄껄 웃었다. 그러고는 자신의 돈지갑을 꺼냈다. "자!" 하고 그가 나에게 지폐를 내밀었다. 그가 나에게 지급할 급료는 15파운드뿐인데, 그건 50파운드였다. 나는 거스름돈이 없다고 말했다.

"거스름돈은 됐어. 그 정도는 알 거 아냐. 당신의 급료니까 받아 두시오."

나는 내가 받을 금액보다 많이 받을 수는 없다고 거절했다. 처음에 그는 인상을 찌푸렸다. 다음에는 뭔가 다른 생각이 떠올랐는지 이렇게 말했다.

"맞아, 맞아! 지금 다 주지 않는 편이 낫겠군. 50파운드가 있으면 당신이 석 달 동안 안 돌아올 수도 있어. 여기 10파운드가 있소. 이거면 충분하지 않나?"

"네, 하지만 저에게 5파운드를 빚지신 셈이에요."

"그러면 그걸 받기 위해서라도 돌아와. 내가 당신 돈 40파운드를 보관하고 있을 테니까."

"로체스터 씨, 기회가 생긴 김에 일 문제로 말씀드리고 싶은 게 있어요."

"일 문제? 대단히 듣고 싶군."

"나리께서 친절하게도 곧 결혼하실 거라고 저에게 알려 주셨지요?"

"그래. 그런데?"

"그렇게 되면 아델은 학교에 보내야 해요. 나리께서도 필요성을 느끼실 거라고 생각합니다."

"내 신부 앞에서 아이를 치우라는 거로군. 그렇게 하지 않으면 꽤나 짓밟힐 테니까. 일리 있는 제안이야. 맞는 말이야. 당신 말대로 아델은 학교에 들어가야 할 거야. 그리고 당신도 곧바로 어디로든 가 버리겠지. 악마에게 가려나?"

"그건 아니기를 바랍니다. 하지만 저도 어딘가 다른 일자리를 찾아야 해요."

"당연하지!"

그가 이상야릇하고도 우스꽝스럽게 얼굴을 일그러뜨리며, 콧소리로 소리쳤다. 그가 몇 분간 나를 바라보았다.

"늙은 리드 부인이나 그 딸들에게 일자리를 알아봐 달라고 부탁하려는 거겠지?"

"아뇨. 그런 부탁을 해도 될 정도로 가까운 사이가 아니에요. 저는 광고를 낼 거예요."

그가 떽떽거렸다.

"차라리 이집트 피라미드에 걸어 올라가시지! 광고하려면 어디 한 번 해 봐! 10파운드 대신 1파운드만 줄 걸 그랬어. 9파운드 돌려주시오, 제인. 쓸 데가 있소."

내가 지갑 든 손을 뒤로 감추며 대꾸했다.

"저도 마찬가지예요. 무슨 일이 있어도 이 돈은 못 드려요."

그가 말했다.

"노랑이 같으니! 내 돈 부탁을 거절하다니! 그럼 5파운드만 주시오, 제인."

"5실링도 안 돼요. 5펜스도 안 돼요."

"그럼 그냥 보여만 주시오."

"안 돼요. 나리를 믿지 못하겠어요."

"제인!"

"네?"

"하나만 약속해."

"제가 할 수 있는 일이라면, 뭐든지 약속할게요."

"광고하지 마시오. 일자리 문제는 나한테 맡겨요. 때가 되면 내가 구해 주겠소."

"나리가 이 집에 신부를 맞아들이기 전에 아델과 저를 안전하게 내보내 주시겠다고 약속하신다면 기꺼이 그렇게 하겠습니다."

"좋아! 좋아! 틀림없이 약속하겠소. 그럼, 내일 갈 건가?"

"네. 일찍요."

"만찬 후에 응접실로 내려올 거요?"

"아뇨, 떠날 준비를 해야 해요."

"그럼 잠시 작별 인사를 해야겠군?"

"그렇겠죠."

"사람들이 어떤 식으로 작별을 하지, 제인? 내게 가르쳐 주시오. 나는 그런 걸 잘 몰라."

"안녕이라고 말하겠지요. 아니면 나름대로 좋아하는 방법을 택하거나."

"그럼 그렇게 말해 보시오."

"로체스터 씨, 당분간 안녕히."

"나는 뭐라고 해야 하지?"

"괜찮으시면, 똑같이 하시면 돼요."

"에어 양, 당분간 안녕히, 이게 다인가?"

"네."

"너무 야박하고 냉담하고 정이 없는 것 같아. 다른 말이 있었으면 좋겠군. 거기에 좀 더 추가를 하든가. 예를 들면, 악수를 한다든가. 하지만 아니야, 그것도 별로야. 안녕이라는 말 말고 다른 걸 해 보겠나, 제인?"

"그걸로 충분해요. 진심 어린 한마디는 여러 마디 말에 못지않은 호의를 전달할 수 있어요."

"아주 그럴듯해. 하지만 차갑고 공허하잖아, '안녕히'라니!"

'언제까지 저 문에 등을 기대고 서 계실 참일까?' 하고 나는 속으로 생각했다. '이제 짐 꾸리는 일을 시작해야 할 텐데.' 만찬 시간을 알리는 종이 울리자 갑자기 그가 말 한마디 없이 방에서 튀어나갔다. 나는 그 후로 더 그를 보지 못했고, 아침에 그가 일어나기 전에 출발했다.

5월 1일 오후 5시경에 나는 게이츠헤드의 문지기 오두막에 도착했다. 저택으로 올라가기 전에 먼저 들른 것이다. 오두막은 아주 깨끗하고 깔끔했다. 장식 창에 작고 하얀 커튼들이 걸려 있었고 바닥에는 얼룩 하나 없었다. 쇠살대와 난로용 기구들은 반짝반짝 윤이 났고 불길은 선명하게 타올랐다. 베시는 난롯가에 앉아 갓난아기에게 젖을 먹이고, 바비와 그의 여동생은 구석에서 조용히 놀고 있었다.

"어머나 세상에! 꼭 오실 줄 알았다니까!"

내가 들어가자 레븐 부인이 소리쳤다.

"응, 왔어, 베시."

내가 그녀에게 입을 맞추고 나서 말했다.

"그리 늦은 것 같지는 않은데. 리드 부인은 어떠셔? 아직 살아 계시겠지?"

"네, 살아 계세요. 전보다 정신도 돌아오고 차분해지셨어요. 의사 말로는 아직 일이 주쯤은 견디실 거래요. 하지만 회복하긴 힘드실 거라더군요."

"리드 부인이 최근에도 내 얘기하셨어?"

"바로 오늘 아침에 말씀하셨는걸요, 아가씨가 왔으면 좋겠다고. 하지만 지금은 주무세요. 아니 10분 전에 내가 그 집에 있었을 때는 주무시고 계셨어요. 보통은 오후 내내 혼수상태 비슷하게 누워 계시다가 6시나 7시쯤 깨어나세요. 여기서 한 시간 정도 쉬고 나랑 같이 올라가요."

이때 로버트가 들어오자, 베시는 잠든 아이를 요람에 눕히고 그를 맞았다. 그 뒤에 그녀는 내가 창백하고 피곤해 보인다면서, 보닛을 벗고 차를 마시라고 고집했다. 나는 그녀에게 환대받는 게 기뻤다. 내 옷을 벗겨 주곤 하던 어린 시절처럼 나는 내 여행복을 벗겨 주는 그녀의 손길을 순순히 받아들였다.

그녀는 분주하게 돌아다녔다. 제일 좋은 도자기로 쟁반을 준비하고, 빵을 잘라 버터를 바르고, 케이크를 굽고, 그 사이사이에 예전에 나에게 그랬듯이 가끔 바비나 제인을 톡톡 때리거나 밀어내기도 했다. 그 모습을 보고 있으려니 옛날 기억이 새록새록 되살아났다. 가벼운 걸음걸이와 예쁜 외모뿐 아니라 발끈하는 성질도 여전했다.

차가 준비되었을 때, 나는 탁자 있는 데로 자리를 옮기려 했다. 하지만 그녀는 예전처럼 단호한 어조로, 가만히 앉아 있으라고 말했다. 난롯가에서 차를 대접받아야 한다는 것이었다. 그러더니 지난날 육아실 의자에 나를 앉혀 놓고 개인적으로 슬쩍해 온 맛난 것들을 먹여 주던 때와 똑같이 찻잔과 토스트 접시를 얹은 작고 동그란 탁자를 내 앞에 가져다 놓았다. 나 역시 과거에 그랬듯이 미소를 지으며 그녀가 시키는 대로 했다.

그녀는 내가 손필드 저택에서 행복한지, 안주인은 어떤 사람인지 알고 싶어 했다. 내가 바깥주인밖에 없다고 했더니, 그가 훌륭한 신사인지, 내 마음에 드는 사람인지 물었다. 좀 못생긴 편에 속하지만 꽤 신사다운 사람이고, 나에게 친절히 대해 주므로 만족하고 있다고 대답해 주었다. 그 뒤에 나는 최근 그 저택에 체류하고 있는 쾌활한 손님들에 대해 들려주었다. 내가 상세하게 얘기하는 동안 베시는 흥미롭게 귀를 기울였다. 그것은 그녀가 아주 좋아하는 종류의 이야기였다.

그런 대화를 나누는 사이에 한 시간이 금세 지나갔다. 베시는 나의 보닛과 다른 여장을 다시 입혀 주고, 나와 같이 저택을 향하여 문지기 오두막을 나섰다. 9년 전쯤, 지금 올라가고 있는 그 길을 걸어 내려올 때도 그녀와 함께였다. 으스스하게 안개가 끼고 어두컴컴하던 1월 아침에, 나는 절박하고 억울한 심정으로—거의 신에게 버림받아 추방되는 그런 느낌으로—이 적대적인 지붕 밑을 떠나 로우드라는 싸늘한 피난처로 달려갔다. 아주 멀고 낯선 목적지였다. 그때와 마찬가지로 적대적인 지붕이 내 눈앞에 올라서 있었다. 나의 앞날은 아직 불확실했다. 내 가슴은 아직도 쓰라렸다. 나는 여전히 지구 위의 방랑자 같은 느낌이었다. 하지만 나 자신과 나의 능력을 좀 더 확실히 믿게 되었고, 억압을 받더라도 전처럼 주눅 들지 않을 자신이 있었다. 내가 행한 잘못으로 인해 벌어진 상처 역시, 이제 상당히 치료를 받았다. 원망의 불길은 꺼졌다.

"우선 거실로 들어가 봐요."

베시가 앞장서서 현관홀을 지나며 말했다.

"두 분 아가씨들이 거기 계실 거예요."

다음 순간 나는 거실에 들어서 있었다. 모든 가구들이 내가 처음 브로클허스트 씨에게 소개되던 날 아침의 모습 그대로인 듯했다. 그가 밟고 서 있던 러그가 여전히 벽난로 앞을 덮고 있었다. 책장을 흘깃 쳐다보니, 세 번째 선반에는 뷰윅의《영국 조류사》두 권과 바로 그 윗줄에《걸리버 여행기》와《아라비안 나이트》가 그대로 자리를 차지하고 있었다. 생명이 없는 그것들은 변한 것이 없었다. 하지만 살아 있는 사람들은 알아볼 수 없을 만큼 변해 있었다.

젊은 숙녀 두 명이 내 앞에 나타났다. 한 명은 키가 아주 커서 잉그램 양과 맞먹을 정도였다. 비쩍 마른 몸에, 얼굴은 흙빛이고 태도는 엄숙했다. 그녀의 모습에서는 어딘지 금욕주의적인 분위기가 풍겼다. 치마가 일자형으로 된 검정색 모직 옷, 빳빳한 리넨 칼라, 관자놀이에서 빗어 넘긴 머리, 흑단 구슬을 꿴 줄과 수녀의 것처럼 보이는 십자가상이 달린 장신구, 이런 외양에서 드러나는 극도의 간소함이 금욕적인 분위기를 더욱 강하게 했다. 그 길쭉하고 핼쑥한 얼굴에서 이전의 모습은 전혀 찾아볼 수 없었지만, 나는 그녀가 엘리자일 거라고 확신했다.

다른 여자는 분명히 조지아나였다. 하지만 내가 기억하고 있는 날씬하고 요정 같던 열한 살 소녀 조지아나가 아니었다. 그녀는 아주 통통하게 활짝 피어난 처녀였고, 밀랍 인형처럼 아름다웠다. 어여쁘고 균형 잡힌 이목구비에 나른한 푸른 눈과 곱슬곱슬한 금발을 지니고 있었다. 그녀의 옷 빛깔도 검정색이었다. 하지만 모양새는 언니의 옷과 천지 차이로 달랐다. 훨씬 풍성하게 늘어지는 그 옷은 그녀에게 잘 어울렸다. 다른 한쪽이 청교도적으로 보인다면 이쪽은 매우 세련돼 보였다.

자매들은 각각 어머니의 특징을 하나씩 지니고 있었다. 딱 하나씩만. 가늘고 핏기 없는 큰딸은 어머니의 검은빛 갈색 눈을 물려받았다. 꽃처럼 피어나는 화사한 작은딸은 턱의 위아래 윤곽이 어머니와 비슷했다. 어쩌면 좀 더 부드러울지 모르지만, 그래도 여전히 딱 꼬집어 말할 수 없는 무정한 인상을 풍겼고, 그것만 아니라면 훨씬 더 육감적이고 매력적으로 보였을 것이었다.

내가 걸어 들어가자 그들이 나를 맞으려고 일어섰고, 둘 다 나를 "에어 양."이라고 불렀다. 엘리자는 웃음기 없이 무뚝뚝한 목소리로 간단하게 인사했다. 그 뒤에 다시 자리에 앉아 나를 잊은 듯 난롯불만 뻔히 쳐다보았다. 조지아나는 "어떻게 지냈어?" 하고 묻고는 다소 점잔 빼는 어조로 나의 여행이나 날씨 등에 관해 몇 마디 상투적인 말들을 덧붙였다. 그러면서 여러 번의 곁눈질로 나의 머리부터 발까지를 평가했다. 나의 충충한 메리노 모직 외투의 주름을 훑어보기도 하고, 코티지 보닛의 소박한 장식에 눈길을 주기도 하면서. 젊은 숙녀들은 실제로 말을 하지 않고도 상대를 괴짜로 여긴다는 것을 알리는 놀라운 방법을 알고 있다. 말이나 행동으로는 전혀 무례를 범하지 않으면서도, 거만한 표정과 차가운 태도와 냉담한 어조를 통해 자기들의 느낌을 충분히 표현하는 것이다.

하지만 은근하건 노골적이건, 경멸은 이제 더 이상 예전과 같은 영향력을 미치지 못했다. 사촌들 사이에 앉아 완벽하게 무시하는 한 사람과 다른 사람의 비웃음 섞인 관심을 받으면서도 전혀 불편을 느끼지 않았다는 것은 내가 생각해도 놀라운 일이었다. 엘리자는 나에게 굴욕감을 주지 못했고, 조지아나도 나를 당황하게 만들지 못했다. 사실 나는 달리 생각할 것들이 있었다. 지난 몇 달 동안 내 안에서는 그들이 일으킬 수 있는 어떤 감정보다도 훨씬 강력한 감정들, 즉 그들이 내게 가하거나 부여할 수 있는 것보다 훨씬 격렬하고 날카로웠던 고통과 기쁨이 요동쳤었다. 때문에 나는 그들이 잘해 주든 못해 주든 전혀 신경이 쓰이지 않았다.

"리드 부인은 어떠셔?"

나는 차분하게 조지아나를 바라보며 물었다. 내가 직접적으로 말을 건넨 게 마치 예상치 못한 방종이라도 된다는 듯, 그녀는 새침한 표정을 지었다.

"리드 부인? 아, 엄마 말이구나. 몹시 안 좋으셔. 오늘 밤에는 아마 만나 뵐 수 없을걸."

내가 말했다.

"위층에 올라가서 리드 부인에게 내가 왔다고 전해 준다면 매우 고맙겠어."

조지아나가 기막혀하며 그 푸른 눈을 휘둥그렇게 떴다.

내가 덧붙였다.

"그분이 날 보고 싶어 하신다는 거 알아. 그분의 소망을 알기에 필요 이상으로 시간을 늦추고 싶지 않아."

"엄마는 저녁에 방해하는 거 싫어하셔."

엘리자가 말했다. 나는 자리에서 일어나 조용히 보닛과 장갑을 벗고, 베시에게 가서—아마도 부엌에 있을 것이다—오늘 밤에 리드 부인이 나를 만날 수 있는 상태인지 알아보도록 하겠다고 말했다. 나는 부엌으로 가서 베시를 찾아 그녀를 위층으로 올려 보냈고, 다른 몇 가지 일도 처리했다. 이제까지 나는 오만 앞에서 움츠러드는 습관을 갖고 있었다. 1년 전에 오늘과 같은 무시를 당했다면, 바로 다음 날 아침에 게이츠헤드를 떠나기로 결심했을 것이었다. 이제는 그게 어리석은 생각이라는 것을 잘 알고 있다. 나는 외숙모를 만나려고 160킬로미터를 달려왔고, 그녀의 건강이 호전되거나 아니면 돌아가실 때까지 그 곁에 머물러 있어야 했다. 그 딸들의 교만과 어리석음은 한쪽으로 밀어 두기로 했다. 그런 일에 좌우되지 말아야 했다. 나는 가정부에게 앞으로 일이 주 정도 손님으로 머물게 될 테니 내가 쓸 방을 보여 달라고 했고, 내 짐을 방으로 옮기게 하고, 직접 그리로 따라갔다. 층계참에서 베시를 만났다. 그녀가 말했다.

"마님이 깨어 계세요. 아가씨가 왔다고 말씀드렸어요. 마님이 알아보시는지 가서 확인해 봐요."

익히 알고 있는 그 방으로 가기 위해 따로 안내를 받을 필요는 없었다. 예전에 벌을 받거나 꾸중을 들으러 너무나 자주 불려 갔던 곳이니까. 베시보다 먼저 종종걸음 쳐서 조용히 그 문을 열었다. 점점 어두워지는 시간이라 갓을 씌운 등불이 탁자에 놓여 있었다. 예전과 다름없이 커다란 기둥이 네 개 달린 침대에 호박색 휘장이 드리워져 있었다. 경대, 안락의자, 발받침도 그대로였다. 그 발받침에 나는 백 번쯤 무릎을 꿇고, 내가 저지르지도 않은 잘못에 대해 용서를 빌라는 명령을 받았었다. 그렇게 두려워했던 가느다란 회초리가 보일 것만 같아서 나는 가까운 구석을 둘러보았다. 회초리는 귀퉁이에 숨어 있다가, 악마 새끼처럼 뛰어나와 부들거리는 나의 손바닥이나 움츠러든 목에 매질을 하곤 했었다. 나는 침대로 다가갔다. 커튼을 걷고 수북이 쌓인 베개 더미 위로 고개를 숙였다.

나는 리드 부인의 얼굴을 똑똑히 기억했고, 그 낯익은 이미지를 열심히 찾아보았다. 세월이 복수의 염원을 진압하고 분노와 혐오의 충동을 진정시키는 것은 다행스런 일이다. 그 옛날 이 여인을 떠날 때는 쓰디쓴 증오를 품고 있었으나, 이제는 다른 감정 없이 그녀의 지극한 고통에 대해 일종의 연민만을 품고 이렇게 돌아왔다. 상처를 다 잊고 용서하기 위해. 서로 화해하고 사이좋게 두 손을 맞잡고 싶다는 강한 열망을 안고.

거기에 낯익은 얼굴이 있었다. 전처럼 엄격하고 가차 없는, 그 무엇으로도 녹일 수 없는 독특한 눈이 있었다. 거만하고 위압적으로 살짝 치켜 올라간 눈썹도 있었다. 그 눈썹이 나를 위협하고 증오하며 내려간 적이 얼마나 많았던가! 그 거친 선을 더듬어 보노라니 어린 시절의 공포와 슬픔의 기억이 새삼 되살아났다. 그렇지만 나는 아래로 몸을 내려 그녀에게 입을 맞췄다. 그녀가 나를 바라보았다.

"제인 에어니?"

그녀가 말했다.

"네, 리드 외숙모. 좀 어떠세요?"

나는 한때 다시는 그녀를 외숙모라 부르지 않겠다고 맹세했었다. 하지만 지금 그 맹세를 잊고 어긴다고 해서 죄가 되지는 않을 것이다. 내 손이 시트 밖에 놓인 그녀의 손을 잡았다. 그녀가 따뜻하게 내 손을 눌러 주었다면, 그 순간 나는 진정한 기쁨을 경험했을 것이다. 하지만 예민한 성격은 그리 쉽게 누그러지지 않으며, 타고난 반감도 그리 쉽게 가라앉지 않는 모양이다. 리드 부인은 손을 빼내고, 내 얼굴을 외면하며, 밤공기가 따뜻하다고 말했다. 다시 나를 바라보는 그 시선이 너무나 얼음장 같아서, 나는 곧 나에 대한 그녀의 생각과 감정이 전혀 변하지 않았고, 변할 수도 없다는 것을 알았다. 그녀의 돌 같은 눈, 부드러움을 통과시키지 않고 눈물에 흔들리지 않는 눈을 바라보면서, 그녀가 마지막까지 나를 나쁘게 생각하기로 마음먹었다는 것을 알아차렸다. 나를 좋은 사람으로 여기는 것은 그녀에게 관용의 기쁨을 주지 않을 테니까, 굴욕만을 안겨 줄 테니까.

처음에는 고통스러웠고, 다음에는 분노를 느꼈고, 그 뒤에는 그녀를 굴복시키고 싶었다. 그녀의 천성과 의지를 눌러 이기고 지배자가 되고 싶었다. 어렸을 때처럼 눈물이 솟구쳤다. 나는 그 눈물에게 원래 있던 자리로 돌아가라고 명령했다. 침대 머리맡으로 의자를 가져왔다. 거기에 앉아 베개로 고개를 기울이며 말했다.

"저를 부르셨잖아요. 제가 여기 왔어요. 건강이 괜찮아지실 때까지 머물 생각이에요."

"당연히 그래야지! 내 딸들을 봤니?"

"네."

"그래, 내가 마음에 있는 몇 가지를 너와 얘기할 수 있을 때까지 네가 머물러 있기를 바라더라고 그들에게 말해라. 오늘 밤은 너무 늦었고, 할 말을 생각해 내기가 힘들어. 하지만 말하고 싶은 게 있어. 어디 보자……."

방황하는 시선과 달라진 어조는 강건했던 그녀의 몸이 얼마나 심하게 무너졌는지를 말해 주었다. 그녀가 불안하게 뒤척이며 자기 몸으로 이불을 끌어당겼다. 그 한구석에 놓여 있던 내 팔꿈치가 이불을 고정시켰던 모양이다. 그녀가 당장에 짜증을 냈다.

"일어나! 이불자락을 누르니 신경질이 나잖아. 넌 제인 에어니?"

"네, 제인 에어예요."

"그 아이 때문에 나는 아무도 믿지 못할 만큼 고생을 했어. 그 아이는 내 손에 남겨진 부담스런 짐이었어. 매일 매 시간, 그 이해할 수 없는 성질에 갑자기 발끈 성질을 부리고, 끊임없이 괴상하게 사람의 거동을 지켜보는 그 애가 얼마나 큰 골칫거리였는지! 한번은 미친 뭣처럼, 아니 악귀처럼 나한테 대들었어. 세상 어떤 아이도 그 애처럼 말하고 그런 표정을 짓지는 않아. 집에서 쫓아낼 수 있었던 건 천만다행이었어. 로우드 사람들이 그 애한테 뭘 어쩌겠어? 거기에 열병이 퍼져서 학생들이 수두룩하게 죽었을 때도 그 애는 안 죽었어. 하지만 난 그 애가 죽었다고 말했어. 죽었으면 좋았을 텐데!"

"이상한 소망이시네요, 리드 부인. 왜 그렇게 그녀를 미워하세요?"

"난 항상 그 애 엄마가 싫었어. 내 남편의 유일한 동생이었고, 그에게 아주 귀여움을 받았으니까. 그녀가 신분 낮은 놈과 결혼하자 그의 가족들은 인연을 끊으려 했는데 그만이 반대했어. 동생이 죽었다는 소식을 듣고는 바보처럼 울어 댔어. 내가 남한테 맡기고 양육비를 주자고 애원했는데도 그 아기를 데려오라고 사람을 보냈어. 난 처음 봤을 때부터 그 아이가 미웠어. 맥없이 칭얼거리고 보채기만 하는 그 아이가! 밤새도록 요람에서 징징거렸지. 다른 애들처럼 소리소리 지르는 것도 아니고, 훌쩍훌쩍 울면서 낑낑거렸어. 리드는 그걸 가엾어했어. 자기 자식처럼 보살피고 돌봐 줬어. 아니 자기 자식보다 더 많이 봐 줬지. 내 아이들한테 그 거지 같은 것에게 친절하게 대하라고 했어. 내 귀염둥이들이 싫어하는 기색이라도 보이면 화를 냈지. 죽어 가는 병상에서도, 그는 그걸 자기 침대 옆에 데려오게 했어. 죽기 한 시간 전에는 나한테 그걸 데리고 키우겠다는 맹세를 하게 했어. 차라리 구빈원의 가난뱅이 아이를 맡아 키우는 게 낫지. 하지만 그는 약했어. 천성적으로 마음이 약했어. 존은 전혀 제 아비를 안 닮았고, 난 그게 기뻐. 존은 나와 제 외삼촌들을 닮았어. 그는 깁슨가의 핏줄이야. 아, 그 아이가 돈을 달라는 편지로 나를 괴롭히지만 않으면 좋겠는데! 이제 더 내줄 돈이 없어. 우린 점점 가난해지고 있어. 하인들 절반을 내보내고 집의 일부를 닫아걸어야 돼. 아니면 세를 놓거나. 난 그렇게는 못해. 하지만 그러지 않고서야 살아갈 방법이 없잖아? 수입의 3분의 2가 저당 이자로 나가는데. 존은 끔찍하게 도박을 해 대고, 항상 잃어. 가엾은 아이! 사기꾼들한테 둘러싸여 몰락하고 타락해 버렸어. 그 애의 모습은 끔찍해. 그 아이를 볼 때마다 수치스러워."

그녀가 점점 흥분하고 있었다.

"이제 나가는 게 나을 것 같아."

나는 침대 맞은편에 서 있는 베시에게 말했다.

"아무래도 그게 낫겠어요. 하지만 밤이 되면 자주 이런 식으로 말씀하세요. 아침에는 그나마 좀 침착해져요."

내가 자리에서 일어났다. 그때 리드 부인이 소리쳤다.

"가지 마! 너에게 하고 싶은 말이 더 있어. 그 애가 날 위협해. 죽어버리겠다고, 아니면 나를 죽이겠다고 계속 위협해. 가끔 그 아이가 목에 커다란 상처가 나서, 아니면 얼굴이 시커멓게 부어서는 죽어 있는 꿈을 꿔. 큰일이야. 걱정할 게 너무 많아. 어떻게 해야 하지? 어떻게 돈을 구하지?"

베시가 어렵게 그녀에게 진정제를 먹이고 나자, 리드 부인은 금세 차분하게 가라앉더니 꾸벅꾸벅 졸기 시작했다. 그제야 나는 그녀의 곁을 떠날 수 있었다.

내가 다시 그녀와 이야기를 나눌 수 있게 되기까지는 열흘 이상을 기다려야 했다. 그녀는 계속해서 환각 상태 아니면 혼수상태에 빠져 있었다. 의사는 그녀를 심하게 자극할 수 있는 행위를 모두 금지시켰다. 그사이에 나는 될 수 있는 대로 조지아나와 엘리자와 잘 어울려 지냈다. 처음에 그들이 나를 차갑게 대했던 것은 사실이다. 엘리자는 하루의 반을 바느질이나 읽기나 쓰기를 하며 앉아 있을 뿐, 자기 동생이나 나에게 거의 말을 걸지 않았다. 조지아나는 한 시간이 멀다 하고 카나리아에게 허튼소리를 지껄여 댈 뿐, 나를 거들떠보지도 않았다. 하지만 나는 일거리나 흥밋거리가 없어서 쩔쩔 매는 사람처럼 보이지 않기로 결심했다. 나는 그림 도구들을 싸 가지고 왔고, 그것이 나의 일거리가 되고 즐거움이 되어 주었다.

나는 연필통과 종이 몇 장을 가지고 그들에게서 떨어진 창가 자리에 앉아, 쉴 새 없이 변하는 상상의 만화경에서 순간순간 모습을 드러내는 장면들을 표현하고 상상화를 스케치하며 시간을 보냈다. 두 개의 바위 사이로 언뜻 보이는 바다, 떠오르는 달과 그 동그란 가운데로 지나는 배, 갈대와 창포의 군락과 연꽃 관을 쓰고 솟아오르는 물의 요정의 머리, 산사나무 꽃의 화환 아래 바위종다리 둥지에 앉아 있는 요정.

어느 날 아침에는 얼굴을 스케치하기도 했다. 그게 어떤 얼굴이 될지 나는 알지 못했다. 아니 상관도 없었다. 부드러운 검은 연필을 쥐고, 끝을 뭉툭하게 하면서 열심히 그려 나가자 종이에는 금세 넓고 툭 튀어나온 이마와 아래쪽이 네모진 얼굴 윤곽이 나타났다. 그 윤곽은 나에게 기쁨을 주었다. 내 손은 거기에 이목구비를 채우려고 활발하게 움직였다. 그런 이마 밑에는 진하게 수평으로 뻗은 눈썹이 제격이었다. 다음에는 당연히 콧날이 곧고 콧구멍이 큼직하니 잘생긴 코를 그렸다. 다음에는 결코 작지 않으면서도 나긋나긋해 보이는 입, 다음에는 가운데가 오목하게 쏙 들어간 완벽한 턱. 물론 검은 구레나룻도 좀 있어야 하고, 관자놀이에 헝클어지고 이마 위에서 물결치는 흑옥색 머리칼도 좀 있어야 했다. 이제 눈을 그릴 차례였다. 가장 신중하게 작업해야 할 부분이라서 마지막에 그리려고 남겨 둔 부분이었다. 나는 두 눈을 큼직하게 그렸다. 모양을 잘 잡았다. 속눈썹을 길고 거무스름하게 그렸다. 홍채는 크고 빛나게 그렸다. '좋았어! 하지만 아직 뭔가 부족해.' 그 효과를 살펴보며 내가 생각했다. '힘과 기백이 좀 더 필요해.' 밝은 부분이 더 화려하게 빛날 수 있게, 색조를 더욱 검게 칠했다. 한두 번의 적절한 손길이 더해지자 그림은 성공적으로 완성되었다. 자, 이제 내 눈앞에 친구의 얼굴이 있었다. 젊은 숙녀들이 나에게 등을 돌리고 있다 한들 무슨 대수인가? 나는 그것을 쳐다보았다. 쏙 빼닮은 그 얼굴을 보며 미소 지었다. 나는 열중했고 만족스러웠다.

"네가 아는 사람이야?"

어느새 나 모르게 다가와 있던 엘리자가 물었다. 나는 그냥 상상 속의 얼굴이라고 대답하고, 서둘러 다른 종이 밑에 그림을 숨겼다. 물론 거짓말이었다. 그것은 사실, 로체스터 씨를 매우 충실하게 묘사한 초상이었다. 하지만 그녀에게든, 누구에게든, 나 외에는 아무 상관이 있을 리 없었다. 조지아나도 그림을 보려고 다가왔다. 다른 그림들은 썩 마음에 들어 했지만, 그 인물화를 보고는 '못생긴 남자'라고 말했다. 그들 둘 다 내 솜씨에 놀란 듯했다. 나는 그들의 초상화를 그려 주겠다고 제안했다. 그들이 차례로 앉아 내가 연필로 윤곽을 잡을 수 있게 포즈를 취했다. 그 후에 조지아나는 자신의 그림첩을 가지고 왔다. 나는 수채화를 한 장 그려 주겠다고 약속했다. 이 말이 금세 그녀를 기분 좋게 해 준 모양이었다. 그녀가 정원으로 산책을 나가자고 했다. 밖으로 나선 지 두 시간도 안 돼, 우리는 비밀스런 대화에 깊이 빠져들었다. 그녀는 몇 개월 전에 런던에서 보냈던 그 화려한 겨울과 그곳에서 받았던 찬사를 들려주었다. 그녀에게 마음을 빼앗겼던 귀족의 이야기까지 은근슬쩍 흘러나왔다. 오후가 지나고 저녁이 무르익을 때까지 이 은근한 이야기들은 상세하게 설명되었다. 갖가지 달콤했던 대화들이 내 귀에 전해지고, 감상적인 장면들이 내 앞에 펼쳐졌다. 간단히 말해서, 그날 그녀는 사교계의 삶에 관한 소설 한 권을 즉석에서 지어 준 셈이었다. 이야기는 매일같이 반복되었다. 주제는 언제나 같았다. 그녀 자신, 그녀의 사랑, 그리고 그녀의 비애에 관해서였다. 이상하게도 그녀는 어머니의 병환이나 오빠의 죽음, 가족이 처한 암울한 상황에 대해서는 한마디도 꺼내지 않았다. 그녀의 마음은 오로지 유쾌했던 과거의 추억과 앞으로의 환락에 대한 열망으로 가득한 듯 보였다. 그녀는 엄마의 병실에서 하루에 5분 정도만 보낼 뿐, 그 이상은 들여다보지 않았다.

엘리자는 여전히 말이 없었다. 얘기할 시간이 없는 게 분명했다. 나는 그녀보다 더 바빠 보이는 사람을 본 적이 없었다. 그렇지만 그녀가 무엇을 하고 있었는지는 말하기 어렵다. 아니 그보다는 그 부지런함의 결과가 무엇이었는지 말하기 어렵다고 말해야겠다. 그녀는 자명종 소리에 맞춰 아침 일찍 잠에서 깼다. 그녀가 아침 식사 전에 어떤 일에 전념하는지는 모르겠지만, 식사 후에는 자신의 시간을 규칙적으로 나누어서 사용했다. 매 시간마다 해야 할 일을 할당해 놓은 것 같았다. 하루에 세 번 그녀는 작은 책을 공부했는데, 내가 관찰해 보니 그건 영국 교회의 기도서였다. 한번은 그 책의 매력이 뭐냐고 물었더니, 그녀는 '전례법규'라고 대답했다. 그녀는 또 양탄자 크기의 커다랗고 네모난 진홍색 천 가장자리를 금실로 수놓는 일에 세 시간씩을 할애했다. 이 물건의 쓰임새를 묻는 내 질문에는, 게이츠헤드 근처에 세워진 새로운 교회의 제단용 덮개라고 답해 주었다. 그녀는 두 시간을 일기 쓰는 데 쏟았다. 혼자 부엌 채소밭을 가꾸는 데 두 시간, 장부를 정리하는 데 한 시간. 그녀는 다른 사람과의 교제도, 대화도 원치 않는 듯했다. 나는 그녀가 그녀 나름의 방식으로 행복했다고 믿는다. 이런 하루일과는 그녀를 만족시켰을 것이다. 시계처럼 규칙적인 생활을 변화시키는 사건이 일어나는 것은 그녀에게 더없이 짜증스러운 일이었다.

어느 날 저녁, 평소보다 말하고 싶은 마음이 생겼는지 그녀는 존의 행동과 집안에 밀려드는 파멸의 위협이 자신을 극심하게 괴롭혔다고 나에게 고백했다. 하지만 지금은 마음이 안정되었고 결심이 섰다고, 그녀는 자기 몫의 재산을 안전하게 간직해 두고 있었다. 어머니가 돌아가신다면—어머니가 회복되거나 오래 버티는 것은 도저히 불가능한 일이라고 그녀는 차분하게 말했다—마음에 오래도록 품어 왔던 계획을 실천에 옮길 예정이라고 했다. 규칙적인 습관이 영원히 방해받지 않을 곳으로 은둔하여, 그녀와 경박한 세상 사이에 안전한 장벽을 세우겠다는 것이다. 나는 조지아나도 같이 가는 거냐고 물어보았다.

"당연히 아니지. 조지아나와 나는 공통점이 하나도 없어. 비슷한 구석이 있었던 적도 없어. 무슨 일이 있어도 조지아나와 같이 지내며 골머리를 썩지는 않을 거야. 그녀는 자기 갈 길을 가면 돼. 나는 내 길을 갈 거야."

나에게 자기 마음을 털어놓는 시간 외에 조지아나는, 소파에 드러누워 집이 답답하다고 안달하고, 깁슨 숙모님이 도시로 불러 주기를 거듭거듭 기원하면서 대부분의 시간을 소일했다.

"모든 게 끝날 때까지, 한두 달 피해 있을 수만 있다면 얼마나 좋을까."

그녀가 말했다.

모든 게 끝나는 게 어떤 뜻인지 물어본 적은 없지만, 예정된 엄마의 죽음과 그 후의 음울한 장례식에 대한 얘기였으리라고 생각한다. 엘리자는 그렇게 중얼거리며 빈둥대는 물체가 아예 존재하지 않는 것처럼, 대체로 동생의 게으름과 불평을 아는 체하지 않았다. 하지만 하루는 회계 장부를 치우고 수놓을 일감을 펼치다가, 갑자기 이러한 말로 동생을 질책했다.

"조지아나, 너보다 더 허영심 많고 어리석은 동물은 이 지구상에서 허용된 적이 없었을 거다. 넌 세상에 태어날 자격이 없었어. 인생을 유용하게 쓰지 않으니까. 이성적인 존재들은 그렇게 살지 않아. 너는 네 안에서 너 자신과 함께 사는 대신에 다른 사람의 힘에 기대서만 살려고 해. 그렇게 뚱뚱하고 나약하고 자만심에 부푼, 쓸모없는 인간을 기꺼이 맡아 주려는 사람을 찾지 못하면, 너는 네가 학대받고 방치되고 있으며, 비참하다고 소리를 지르지. 게다가 네 생활에 끊임없는 변화와 흥분된 장면이 이어지지 않으면 세상을 지하 감옥으로 여기고. 너에게 감탄해 주고 구애하고 아부하는 사람이 없으면, 또 음악, 춤, 사교가 없으면 맥없이 기운이 빠져 버리지. 네 것이 아닌 남의 노력과 남의 의지에 의존하지 않고 살아 나갈 방법을 생각해 낼 분별력이 없는 거니? 하루를 생각해 봐. 그걸 부분 부분으로 나눠서 할 일을 정해. 15분, 10분, 5분이라도 하릴없이 남겨 두지 말고 전부 포함시켜. 체계적으로 엄격하게 규칙을 지켜서 일을 해 봐. 하루가 언제 시작됐는지도 모르게 끝이 날 거야. 너의 공허한 1분을 채우려고 누구에게도 빚질 필요가 없어. 다른 사람과의 교제, 대화, 동정, 인내를 구하지 않아도 돼. 간단히 말해서, 독립된 인간으로 사는 거야. 내 충고를 귀담아들어. 내가 너에게 주는 처음이자 마지막 충고야. 그러면 너에게 무슨 일이 생기더라도, 나도 다른 누구도 필요하지 않을 거야. 내 충고를 가볍게 흘려듣고 지금처럼 계속 바라기만 하고 칭얼대고 게으름을 피운다면 어떤 견딜 수 없는 나쁜 결과가 닥칠지라도 네 어리석음의 결과를 감당해야 할 거야. 분명히 말해 두겠어, 잘 들어. 내가 지금 하는 말을 다시는 반복하지 않겠지만, 그대로 흔들림 없이 행동할 테니까. 어머니가 돌아가시면 난 너에게서 손을 뗄 거야. 어머니의 관이 게이츠헤드 교회의 지하 묘지로 옮겨지는 그날로, 너와 나는 남남이 되는 거야. 한 부모에게서 태어났다는 그 미약한 인연을 이유로 나에게 매달릴 생각은 하지도 마. 내가 너를 참아 줄 거라고 생각하면 안 돼. 이 점은 분명히 말할 수 있어. 우리 둘만 빼고 온 인류가 쓸려 없어지고, 지구에 발을 딛고 선 인간이 우리 둘뿐이라 해도, 나는 그 구세계에 너를 놔두고 신세계로 혼자 떠날 거야."

그녀가 입을 다물었다. 그러자 조지아나가 대꾸했다.

"수고스럽게 그런 연설 안 해도 되거든. 언니가 세상에서 제일 이기적이고 정 없는 인간이라는 건 세상이 다 알아. 나를 악의적으로 미워한다는 것도 난 알아. 전에 에드윈 비어 경의 일로 내 뒤통수를 쳤을 때 다 알아봤어. 내가 더 높은 신분이 되고, 작위를 갖게 되고, 언니가 감히 얼굴도 들이밀지 못하는 사교계 사람이 되는 게 참을 수 없었겠지. 그래서 염탐하고 고자질하고, 나의 화려한 미래를 완전히 망쳐 놨잖아."

조지아나는 손수건을 꺼내 그 후로 한 시간 동안 코를 풀어 댔다. 엘리자는 근접도 할 수 없이 싸늘하게, 부지런하고 근면하게 앉아 있었다.

진실하고 관대한 감정을 대수롭지 않게 여기는 이들이 있다. 하지만 여기 이 두 사람은 그것이 없기 때문에 한 명은 견딜 수 없이 가혹하고 다른 하나는 천박하리만치 무미건조했다. 판단이 없는 감정은 물을 섞은 약과 같다. 하지만 감정으로 조절되지 않는 판단은 너무 쓰고 깔끄러워서 목으로 넘기기 힘들다.

비바람이 치는 오후였다. 조지아나는 소설책을 읽다가 소파에서 잠이 들었다. 엘리자는 새 교회에서 열리는 성도 기념일 예배에 참석하러 갔다. 종교 문제에 관한 한 그녀는 엄격한 형식주의자였다. 그녀가 신앙의 의무로 여기는 것을 꼼꼼히 이행하는 일에 있어서 날씨는 아무런 장애물이 되지 못했다. 날이 좋거나 궂거나, 그녀는 매주 일요일에 세 번씩 교회에 갔고, 평일에도 예배가 있을 때마다 참석했다.

나는 위층에 올라가 방치된 채 죽어 가는 여인이 어떤 상태인지 살펴보기로 했다. 하인들도 생각날 때나 한 번씩 들여다볼 뿐이었다. 감독하는 사람이 없으니 고용된 간호사는 틈만 나면 방에서 빠져나갔다. 베시는 충실했다. 하지만 신경 써야 할 가족이 있었기 때문에, 가끔씩만 저택에 올라올 수 있었다. 예상했던 대로, 병실에는 지키는 사람이 없었다. 환자는 혼수상태인 듯 미동 없이 누워 있었다. 그녀의 납빛 얼굴은 베개 안에 묻혀 있었다. 쇠살대 안의 불길은 꺼져 가고 있었다. 나는 석탄을 다시 넣어 불을 살리고, 이불을 정리하고, 이제 나를 응시하지 못하는 여자를 잠시 응시하고 나서 창가로 걸어갔다.

빗물이 강하게 유리창을 때리고, 바람이 요란하게 불어 대고 있었다. '한 사람이 저기에 누워 있다.'고 나는 생각했다. 이제 곧 세상 비바람의 힘이 미치지 못하는 곳으로 가게 될 사람. 육체의 집을 떠나려고 몸부림치는 저 영혼은 해방된 후에 어디로 날아가게 될까?

그 거대한 신비를 곰곰이 묵상하며, 나는 헬렌 번스를 떠올렸다. 그녀가 죽음 앞에서 한 말들, 육신에서 분리된 영혼은 평등하다고 믿었던 그녀의 신념을 떠올렸다. 나는 그렇게 여전히 내 기억에 또렷이 남아 있는 그녀의 목소리를 듣고 있었다. 평온한 임종의 자리에 누워 거룩한 아버지의 품으로 돌아가려는 갈망을 속삭이던 그녀의 창백하고 숭고한 모습, 그 쇠약한 얼굴과 고귀한 시선을 떠올리고 있을 때 뒤쪽 침대에서 힘없는 목소리가 중얼거렸다.

"거기 누구야?"

리드 부인이 벌써 며칠째 입을 열지 않은 것을 나는 알고 있었다. 그녀가 기운을 차린 것일까? 내가 그녀에게 다가갔다.

"저예요, 리드 외숙모."

"저라니…… 누구?"

그녀의 대답이었다.

"넌 누구야?" 하며 경계하는 시선으로 날 쳐다보았지만, 감정이 격해진 것 같지는 않았다.

"누군지 모르겠어…… 베시는 어디 있어?"

"오두막에 있어요, 외숙모."

그녀가 중얼거렸다.

"외숙모? 누군데 나더러 외숙모라고 하지? 분명히 깁슨가의 핏줄은 아니야. 하지만 널 알 것 같아. 그 얼굴, 그 눈과 이마가 꽤 낯이 익어. 넌…… 그래, 제인 에어를 닮았어!"

나는 아무 말도 하지 않았다. 내가 누구인지를 밝혔다가 충격을 일으킬까 봐 걱정스러웠다. 그녀가 말을 계속했다.

"하지만 내가 잘못 봤겠지. 내 생각이 나를 속이는 거야. 보고 싶은 마음에, 닮지도 않은 아이를 보고 닮았다고 상상하는 거야. 게다가 8년 동안에 그 애는 아주 많이 변했을 거야."

나는 부드럽게 내가 바로 제인 에어라고 말해 주었다. 그녀가 내 말을 이해하고 정신이 수습된 것을 확인한 뒤에, 나는 베시가 남편을 보내 손필드에서 나를 데리고 왔던 경위를 설명했다. 잠시 후에 그녀가 말했다.

"내가 아주 많이 아프다는 거 알아. 조금 전에 돌아누우려고 했는데, 몸이 움직이질 않았어. 죽기 전에 마음을 편하게 하고 싶어. 건강할 때는 전혀 생각지 않던 것들이 지금과 같은 순간에는 짐이 되지. 여기 간호사가 있니? 이 방에 너 말고 누가 있니?"

나는 우리 둘만 있다고 안심시켰다.

"그래, 내가 너에게 저지른 잘못 중 지금 후회하는 게 두 가지 있어. 하나는 남편에게 내 자식처럼 키우겠다고 한 약속을 어긴 것이고, 다른 하나는……."

그녀가 말을 멈췄다.

"어차피 그건 별로 중요한 게 아닐지도 몰라."

그녀가 혼잣말로 중얼거렸다.

"병이 나을 수도 있는데. 이 아이한테 이렇게 초라해지는 것도 괴로워."

그녀는 자세를 바꾸려고 노력했지만 뜻대로 되지 않았다. 그녀의 얼굴이 변했다. 내적인 감정, 어쩌면 마지막 고통의 전조를 경험하는 듯했다.

"그래, 그걸 끝내야 돼. 내세가 내 앞에 있어. 말하는 게 낫겠어. 저기 내 화장 도구함에 가서, 그걸 열고 거기 있는 편지를 꺼내 와."

나는 그녀의 지시에 따랐다.

"편지를 읽어 봐라."

그녀가 말했다. 그다지 길지 않은 내용이었다.

부인,

바라옵건대 저의 질녀 제인 에어의 주소와 소식을 알려 주십시오. 곧 편지를 띄워 그 아이를 마데이라에 있는 저에게 오도록 하는 것이 저의 바람입니다. 하느님이 저의 노력에 축복하시어 어지간한 재산을 모을 수 있게 해 주셨습니다. 제가 결혼하지 않아 자식이 없으므로, 생전에 그 애를 양녀로 삼아 세상 떠날 때 제가 남기고 가는 것들을 물려주고자 합니다.

부인, 저는…….

마데이라에서, 존 에어

편지에 적힌 날짜는 3년 전이었다.

"제가 왜 이 얘기를 듣지 못했을까요?"

내가 물었다.

"내가 너를 너무나 지독하고 철저하게 미워해서 네가 잘되는 꼴을 보지 못했기 때문이지. 나는 네가 한 행동을 잊을 수 없었다. 제인 네가 전에 나에게 들이댔던 분노, 세상 누구보다 나를 혐오한다고 말하던 어조. 내 생각만 해도 역겹고, 내가 너를 지극히 잔인하게 대했다고 퍼부어 대던 아이 같지 않은 표정과 목소리. 네가 그렇게 대들며 마음의 독액을 쏟아 냈을 때 느꼈던 내 감정을 잊을 수가 없었다. 공포를 느꼈어. 때리거나 떼밀었던 동물이 나에게 인간의 눈으로 고개를 쳐들고 인간의 목소리로 저주한 것처럼. ……물 좀 가져다다오!

아! 어서!”

나는 그녀가 요구한 물을 먹여 주며 말했다.

“리드 부인, 이제 그런 건 생각하지 마시고 마음에서 몰아내세요. 제가 흥분해서 한 말들을 용서하세요. 그때는 어린아이였어요. 그날 이후로 팔구 년이 지났는걸요.”

그녀는 내 말에 전혀 신경 쓰지 않았다. 하지만 물을 마시고 숨을 들이쉬고 나서, 이렇게 말을 이었다.

“정말이지 난 잊을 수 없었어. 그래서 복수를 했다. 네가 삼촌의 양녀가 되어, 편안하고 안락하게 사는 걸 참을 수 없었어. 그에게 편지를 썼어. 실망시켜 드려서 죄송하지만, 제인 에어는 죽었다고. 로우드에서 발진티푸스로 죽었다고 써 보냈다. 이제 네 마음대로 해라. 내 말이 사실이 아니었다고 편지해. 당장이라도 나의 거짓말을 폭로해라. 넌 나를 고문하려고 태어난 것 같구나. 너만 아니었으면 내가 절대 저지르지 않았을 행동에 대한 기억이 나의 마지막 시간을 괴롭히고 있어.”

“그런 건 이제 생각지 마시고, 저를 따뜻하게 봐 주시고 용서해 주실 수만 있다면…….”

그녀가 말을 막았다.

“넌 아주 못된 성질을 가졌어. 그리고 이날까지 나는 그걸 이해할 수가 없어. 9년 동안 무슨 대접을 받아도 말 한마디 없이 참고 지내던 아이가, 어떻게 10년째에 그 모든 흥분과 사나움을 터트릴 수 있었는지. 도저히 이해할 수가 없어.”

“저는 외숙모가 생각하는 만큼 나쁜 아이가 아니에요. 성격이 격하긴 하지만 앙심을 품지는 않아요. 어렸을 때 외숙모가 받아주기만 했다면, 몇 번이라도 기쁘게 외숙모를 사랑했을 거예요. 이제 진심으로 화해하고 싶어요. 저에게 입 맞춰 주세요, 외숙모.”

나는 그녀의 입술에 내 뺨을 갖다 댔다. 그녀는 끝내 입을 대지 않았다. 내가 침대에 엎드려 자신을 내리누른다면서, 다시 물을 달라고 했다. 나는 그녀를 눕히면서—물을 마시는 동안 내가 그녀를 일으켜 팔로 받쳐 주고 있었기 때문에—그녀의 얼음처럼 차고 축축한 손에 내 손을 포갰다. 힘없는 손가락들이 내 손길을 피해 움츠러들었다. 흐릿한 눈이 나의 시선을 피했다. 내가 마침내 말했다.

"그럼 저를 사랑하시든 미워하시든 마음대로 하세요. 저는 외숙모를 완전히 아낌없이 용서해 드렸어요. 이제 하느님께 용서를 빌고 마음의 평화를 찾으세요."

가엾게 고통받은 여인! 그녀 안에 박힌 마음의 틀을 바꾸기에는 너무 늦은 시간이었다. 살아서 줄곧 나를 증오했던 이 여인은 죽으면서도 여전히 날 증오해야 직성이 풀릴 모양이었다.

이때 간호사가 들어왔고, 베시가 따라 들어왔다. 나는 어떤 다정함의 신호라도 보일까 싶어 30분을 더 머물러 있었다. 하지만 그녀는 아무것도 보여 주지 않은 채 빠르게 혼수상태에 빠져들었다. 그러고는 다시 정신을 차리지 못했다. 그날 밤 12시에 그녀는 세상을 떠났다. 나는 그녀의 눈을 감겨 주는 임종의 자리에 있지 못했다. 그녀의 딸들도 마찬가지였다. 모든 게 끝난 다음 날 아침에 사람들이 우리에게 와서 알려 주었다. 그때쯤 이미 그녀는 입관되어 있었다. 엘리자와 나는 그녀를 보러 갔다. 조지아나는 크게 소리 내어 울면서, 가 볼 용기가 나지 않는다고 했다. 한때 튼튼하고 활기찼던 새라 리드의 몸이 미동없이 딱딱하게 굳어 있었다. 돌처럼 완강하던 그녀의 눈은 차가운 눈꺼풀로 덮여 있었다. 그녀의 이마와 강한 얼굴의 특징들은 아직도 냉혹한 영혼의 인상을 지니고 있었다. 나에게 그 시신은 이상하고 엄숙한 물체였다. 나는 우울하고 고통스럽게 그것을 바라보았다. 부드러움도, 다정도, 연민도, 희망도, 안도도 느껴지지 않았다. 오로지 그녀의 불행—나의 상실이 아니라—에 대한 불편한 고통과 그런 식으로 죽는 것에 대한 두려움으로 인해 우울하고 눈물도 나지 않는 당황스러움을 느꼈을 뿐이다.

엘리자는 자기 어머니를 차분하게 관찰했다. 몇 분간 침묵한 후에 그녀가 말했다.

"체질적으로는 족히 천수를 누리셨을 거야. 고난이 생명을 단축시켰어."

한순간 그녀의 입이 경련을 일으켰다. 그 순간이 지나자 그녀는 돌아서서 방을 떠났고, 나 역시 그렇게 했다. 우린 둘 다 눈물 한 방울 흘리지 않았다.

〈2권에 계속〉

1 | 노인과 바다 | 어니스트 헤밍웨이
1953년 퓰리처상 수상작 / 1954년 노벨문학상 수상작 / 미국대학위원회 선정 SAT 추천도서

2 | 동물 농장 | 조지 오웰
미국대학위원회 선정 SAT 추천도서 / 〈타임〉지 선정 현대 100대 영문소설
한국 문인이 선호하는 세계명작소설 100선 / 서울시 교육청 추천도서
논술 및 수능에 출제된 책(1998~2005)

3 | 어린 왕자 | 앙투안 드 생텍쥐페리
전 세계 1억 부 이상 판매 기록 / 16개국 언어로 번역

4 | 사람은 무엇으로 사는가(톨스토이 단편선 1) | 레프 니콜라예비치 톨스토이
영어권 문학가들이 가장 좋아하는 작가 / 전 세계 거의 모든 언어로 번역된 필독서

5 | 검은 고양이(포 단편선) | 에드거 앨런 포
포 최고의 미스터리 세계를 보여 준 호러 문학의 걸작

6 | 예언자 | 칼릴 지브란
'현대의 성서'로 불리는 책

7 | 젊은 베르테르의 슬픔 | 요한 볼프강 폰 괴테
세기의 철학가와 문인들의 찬사를 받은 대표작

8 | 독일인의 사랑 | 프리드리히 막스 뮐러
잊히지 않는 낭만적 사랑의 향기 / 독일 낭만주의 시인 막스 뮐러의 유일 순수문학 작품

9 | 이방인 | 알베르 카뮈
노벨 연구소 선정 최고의 세계문학 100선 / 1957년 노벨문학상 수상작
대한민국 명사 101인의 대표 추천작 / 연세대학교 필독도서 / 미국대학위원회 선정 SAT 추천도서
〈타임〉지 선정 세상을 움직인 책 100권

10 | 데미안 | 헤르만 헤세
노벨문학상 수상 작가 / 20세기 일대 센세이션을 일으킨 성장 소설의 고전
서울시 교육청 추천도서

11 | 그리스인 조르바 | 니코스 카잔차키스

미국대학위원회 선정 SAT 추천도서 / 한국간행물윤리위원회 선정추천도서
한국출판인회의 출판인이 선정한 100권의 도서

12 | 위대한 개츠비 | 프랜시스 스콧 피츠제럴드

〈타임〉지 선정 현대 100대 영문소설 / 어니스트 헤밍웨이가 인정한 완벽한 일급 작품
20세기 100대 영문소설 1위 / 미국대학위원회 선정 SAT 추천도서 / 뉴욕 공립도서관 추천도서
대한민국 명사 101인의 대표 추천작 / WTO 북클럽 추천도서

13 | 도리언 그레이의 초상 | 오스카 와일드

미국대학위원회 고교 추천도서 101 / 대한민국 명사 101의 대표 추천작

14 | 벨 아미 | 기 드 모파상

모파상의 가장 매력적이고 파격적인 작품 / 19세기 파리를 뒤흔든 파격 스캔들
2012년 개봉한 영화 〈벨 아미〉 원작

15 | 이상한 나라의 앨리스 | 루이스 캐럴

난센스와 판타지의 대표작 / 아카데미 '미술상' 수상한 영화의 원작
19세기 가장 유명한 영국 아동문학 작가

16 | 두 도시 이야기 | 찰스 디킨스

영국이 낳은 가장 위대한 소설가 / 영화 〈다크나이트〉의 모티프
미국대학위원회 선정 SAT 추천도서 / 서울시 교육청 선정 청소년 필독도서

17 | 햄릿 | 윌리엄 셰익스피어

대한민국 명사 101인의 대표 추천작 / 서울대학교 권장도서 100선 / 서울대학교 동서고전 200선
연세대학교 필독도서 / 미국대학위원회 선정 SAT 추천도서 / 국립중앙도서관 선정 청소년 권장도서

18 | 오페라의 유령 | 가스통 르루

4대 뮤지컬 〈오페라의 유령〉 원작 소설 / 프랑스 최고 추리소설 작가

19 | 1984 | 조지 오웰

〈타임〉지 선정 세상을 움직인 책 100권 / 〈텔레그라프〉지 완벽한 도서관을 위한 권장도서 100
세계 3대 디스토피아 미래 소설 / 〈가디언〉지 권장도서 / 뉴욕 공립도서관 추천도서
하버드 대학생이 가장 많이 산 책 1위

20 | 수레바퀴 아래서 | 헤르만 헤세

대한민국 명사 101인의 대표 추천작 / 헤르만 헤세의 사춘기 시절 경험을 바탕으로 한 자전적 소설
노벨문학상 수상 작가/ 국립중앙도서관 선정 청소년 권장도서

21 22 23 | 안나 카레니나 1~3 | 레프 니콜라예비치 톨스토이

톨스토이 생애 최고의 리얼리즘 소설 / 서울대학교 권장도서 100선 / 서울대학교 동서고전 200선
연세대학교 필독도서 / 미국대학위원회 선정 SAT 추천도서 / 오프라 윈프리 북클럽 권장도서
논술 및 수능에 출제된 책(1998~2005)

24 | 오즈의 마법사 1 - 오즈의 위대한 마법사 | 라이먼 프랭크 바움

미국대학위원회 선정 SAT 추천도서 / 연세대학교 필독도서 / 국립중앙도서관 선정 우수 번역서

25 | 리어 왕 | 윌리엄 셰익스피어
대한민국 명사 101인의 대표 추천작 / 서울대학교 권장도서 100선 / 연세대학교 필독도서
미국대학위원회 선정 SAT 추천도서 / 〈가디언〉지 권장도서 / 세인트존스 대학교 권장도서
논술 및 수능에 출제된 책(1998~2005)

26 27 28 29 30 | 레 미제라블 1~5 | 빅토르 위고
저명한 문학비평가들이 극찬한 세기의 걸작 / WTO 북클럽 추천도서
2013년 개봉한 영화 〈레 미제라블〉의 원작 / 전자책 베스트셀러 1위(2013)

31 | 월든 | 헨리 데이비드 소로
미국대학위원회 고교추천도서 101 / 미국대학위원회 선정 SAT 추천도서

32 | 겨울 왕국(안데르센 단편선 1) | 한스 크리스티안 안데르센
어린이문학에 꽃을 피운 불멸의 작가 / 세계를 움직인 100권의 책 선정
노벨 연구소 선정 세계 100대 문학 작품

33 | 오만과 편견 | 제인 오스틴
서울대학교 동서고전 200선 / 연세대학교 필독도서 / 세인트존스 대학교 권장도서
〈텔레그라프〉지 완벽한 도서관을 위한 권장도서 100 / 〈가디언〉지 권장도서
미국대학위원회 선정 SAT 추천도서 / 국립중앙도서관 선정 청소년 권장도서

34 | 로미오와 줄리엣 | 윌리엄 셰익스피어
서울대학교 동서고전 200선 / 미국대학위원회 선정 SAT 추천도서
칼리지보드 선정 고교생 필독서 101권

35 | 바람이 분다 | 호리 다쓰오
미야자키 하야오의 애니메이션 영화 〈바람이 분다〉 원작

36 | 맥베스 | 윌리엄 셰익스피어
서울대학교 권장도서 100선 / 연세대학교 필독도서 / 미국대학위원회 선정 SAT 추천도서
국립중앙도서관 선정 청소년 권장도서

37 | 신곡 – 인페르노(지옥) | 단테 알리기에리
서울대학교 권장도서 100선 / 국립중앙도서관 선정 청소년 권장도서
미국대학위원회 선정 SAT 추천도서 / 〈뉴스위크〉지 선정 100대 명저

38 | 외투 · 코(고골 단편선) | 니콜라이 바실리예비치 고골
러시아 사실주의 문학의 지평을 연 작품

39 | 인간 실격 | 다자이 오사무
교육과학기술부 산하 사단법인 한국교육지원회 선정 아침독서 10분 운동 필독서
영화 평론가 이동진 추천도서

40 | 마지막 잎새(오 헨리 단편선) | 오 헨리
서울대학교 · 연세대학교 추천도서 / 서울시 교육청 추천도서
EBS 주최 북퀴즈 왕 선발 추천도서

41 | **오즈의 마법사 2 – 환상의 나라 오즈** | **라이먼 프랭크 바움**
미국대학위원회 선정 SAT 추천도서

42 | **좁은 문** | **앙드레 지드**
교육과학기술부 산하 사단법인 한국교육지원회 선정 아침독서 10분 운동 필독서

43 | **킬리만자로의 눈(헤밍웨이 단편선)** | **어니스트 헤밍웨이**
국립중앙도서관 선정도서 / 남산도서관 선정도서

44 | **벤자민 버튼의 시간은 거꾸로 간다(피츠제럴드 단편선 1)** | **프랜시스 스콧 피츠제럴드**
전미비평가협회 선정 '톱 10 작품', 영화 〈벤자민 버튼의 시간은 거꾸로 간다〉의 원작
2013 화제의 영화 〈위대한 개츠비〉 작가, 피츠제럴드 단편선

45 | **광란의 일요일(피츠제럴드 단편선 2)** | **프랜시스 스콧 피츠제럴드**
2013 화제의 영화 〈위대한 개츠비〉 작가, 피츠제럴드 단편선

46 | **천로역정** | **존 버니언**
성경 다음으로 많이 읽힌 기독교 3대 고전 중 하나 / 2003년 국립중앙도서관 선정 고전 100선

47 | **세 가지 질문(톨스토이 단편선 2)** | **레프 니콜라예비치 톨스토이**
영어권 문학가들이 가장 좋아하는 작가 / 전 세계 거의 모든 언어로 번역된 필독서

48 | **갈매기(체호프 희곡선 1)** | **안톤 체호프**
미국대학위원회 선정 SAT 추천도서 / 서울대학교 권장도서 100선

49 | **개를 데리고 다니는 여인(체호프 단편선 1)** | **안톤 체호프**
서울대학교 동서고전 200선 / 노벨 연구소 선정 세계문학 100선

50 | **귀여운 여인(체호프 단편선 2)** | **안톤 체호프**
노벨 연구소 선정 세계문학 100선

51 | **폭풍의 언덕** | **에밀리 브론테**
서울대학교 · 연세대학교 · 고려대학교 권장도서
1940 아카데미 상 최우수작 지명 〈폭풍의 언덕〉 원작

52 | **지킬 박사와 하이드** | **로버트 루이스 스티븐슨**
2004 한국 문인이 선호하는 세계 명작 소설 100선 / 브로드웨이 뮤지컬 역사상 가장 아름다운 스릴러 / 〈지킬 앤 하이드〉 원작

53 | **바냐 아저씨(체호프 희곡선 2)** | **안톤 체호프**
서울대학교 권장도서 100선 / 노벨문학상 수상자 네이딘 고디머, 앨리스 먼로의 표본

54 55 | **이솝 이야기 1~2** | **이솝**
어린이독서위원회, 서울 독서교육연구회 권장도서

56 | **오즈의 마법사 3 – 오즈의 오즈마 공주** | **라이먼 프랭크 바움**
미국대학위원회 선정 SAT 추천도서

57 | 주홍색 연구(셜록 홈스 시리즈 1) | 아서 코난 도일
영국 BBC 제작, KBS 방영 〈셜록〉의 원작 / 대한민국 대표 추리 소설가 백휴의 작품해설 수록

58 | 네 개의 서명(셜록 홈스 시리즈 2) | 아서 코난 도일
영국 BBC 제작, KBS 방영 〈셜록〉의 원작 / 대한민국 대표 추리 소설가 백휴의 작품해설 수록

59 | 배스커빌 가의 개(셜록 홈스 시리즈 3) | 아서 코난 도일
영국 BBC 제작, KBS 방영 〈셜록〉의 원작 / 대한민국 대표 추리 소설가 백휴의 작품해설 수록

60 | 공포의 계곡(셜록 홈스 시리즈 4) | 아서 코난 도일
영국 BBC 제작, KBS 방영 〈셜록〉의 원작 / 대한민국 대표 추리 소설가 백휴의 작품해설 수록

61 | 페스트 | 알베르 카뮈
노벨문학상 수상 작가 / 1947년 프랑스 비평가상 수상 / 서울대학교 권장도서 100선

62 | 무기여 잘 있거라 | 어니스트 헤밍웨이
노벨문학상 수상 작가 / 〈타임〉지가 뽑은 20세기 최고의 문학 100선
미국 대학 위원회 선정 SAT 추천 도서 / 서울대학교 권장도서 200선

63 | 야간 비행 | 앙투안 드 생텍쥐페리
1931년 페미나 문학상 수상 / 작가의 경험이 들어간 직업 소설

64 | 톰 소여의 모험 | 마크 트웨인
미국 현대문학의 효시 마크 트웨인의 대표작 / 일본 후지TV 애니메이션 〈톰 소여의 모험〉 원작

65 | 프랑켄슈타인 | 메리 셸리
오늘날 SF소설의 선구 / 과학기술이 야기하는 사회적, 윤리적 문제를 다룬 최초의 소설

66 | 마음 | 나쓰메 소세키
서울대 권장도서 100선 / 일본의 셰익스피어 나쓰메 소세키의 대표작

67 | 노예 12년 | 솔로몬 노섭
2014 아카데미 시상식 3관왕 〈노예 12년〉 원작 / 노예 해방의 도화선이 된 작품

68 | 성냥팔이 소녀(안데르센 단편선 2) | 한스 크리스티안 안데르센
SBS 드라마 〈신의 선물-14일〉 메인 테마 도서 / 어린이문학에 꽃을 피운 불멸의 작가

69 70 | 제인 에어 1~2 | 샬럿 브론테
150년간 사랑받은 로맨스 소설의 고전 / 미국 대학위원회 선정 SAT 추천도서
영국 〈가디언〉이 선정한 세계 100대 최고의 소설 / 연세대학교 권장도서
영국 BBC 조사 영국인들이 가장 사랑하는 소설 100선 / 현대 여성들이 가장 사랑하는 필독서

71 | 예수의 생애 | 찰스 디킨스
2014년 개봉 〈선 오브 갓〉 원작 / 종교철학자 헤겔의 사상을 만든 고전
대문호 찰스 디킨스의 숨은 명작

72 | 싯다르타 | 헤르만 헤세

대한민국 명사 시인 장석남이 강력 추천한 작품 / 출간과 동시에 10만 부가 넘게 팔린 역작
진정한 자아를 깨닫기 위해 늘 고민하던 헤르만 헤세의 자전적 소설

73 | 신곡-연옥 | 단테 알리기에리

서울대 권장도서 100선 / 미국대학위원회 선정 SAT 추천도서
국립중앙박물관 선정 청소년 권장도서 / 〈뉴스위크〉 선정 100대 명저

74 75 | 테스 1~2 | 토머스 하디

미국 영국 BBC 선정 영국인이 사랑한 책 100선 / 서울대 추천 고등학생 권장도서 100선

76 | 신데렐라(샤를 페로 단편선) | 샤를 페로

프랑스 아동 문학의 아버지 / 영화 〈말레피센트〉원작

77 | 미녀와 야수(보몽 단편선) | 잔 마리 르 프랭스 드 보몽

변신 모티프의 전형을 완성 / 미야자키 하야오와 디즈니 애니메이션 원작

78 79 80 | 웃는 남자 1~3 | 빅토르 위고

빅토르 위고가 최고로 자부한 걸작 / 출간 당시 전 유럽을 충격에 빠트린 문제작
뮤지컬, 영화 등 여러 매체로 알려진 〈웃는 남자〉의 원작
한국간행물윤리위원회 선정 청소년 권장도서(2007)

81 | 마담 보바리 | 귀스타브 플로베르

사실주의 문학의 거장 귀스타브 플로베르의 대표작 / 서울대학교 추천 도서 100선
외설적이라는 이유로 19세기 교황청 금서목록에 선정된 작품 / 〈뉴스위크〉지 선정 100대 명저

82 | 별(도데 단편선 1) | 알퐁스 도데

자연주의와 인상주의의 절묘한 조화 / 서정적인 감수성과 아름다운 문체
부산시 교육청 선정 중학생 권장도서 / 포스코 교육재단 선정 중학생 필독도서

83 | 보이첵(뷔히너 단편선) | 게오르그 뷔히너

세계 최초로 한국에서 뮤지컬화 된 〈보이첵〉의 원작
시대를 폭로하는 천재 작가의 현실감 넘치는 작품

84 | 오셀로 | 윌리엄 셰익스피어

셰익스피어 4대 비극 중 하나 / 〈뉴스위크〉 선정 100대 명저 / 서울대학교 권장도서 100선

85 | 변신(카프카 단편선) | 프란츠 카프카

소외된 인간이었던 작가의 갈등과 고독을 반영 / 서울대 추천도서 100선 / 명사 101명이 추천한 파워클래식

86 | 피노키오 | 카를로 콜로디

월트 디즈니 인생 최고의 애니메이션으로 재탄생
스티븐 스필버그 감독의 2001년작 〈A.I.〉의 모티브 / 260개 언어로 번역된 교훈적 내용

87 | 세상을 보는 지혜 | 발타자르 그라시안 · 쇼펜하우어

세기를 아우르는 저명한 철학자가 쓰고 철학자가 옮긴 대표적인 작품
세상을 살아가는 데 꼭 필요한 빛나는 지혜를 전수해 주는 인생 처세서

88 | 마지막 수업(도데 단편선 2) | 알퐁스 도데
중 • 고등학교 국어 교과서 수록 작품 / 교육청 선정 청소년 권장도서 100선

89 | 키다리 아저씨 | 진 웹스터
출간 이래 100년 동안 사랑받아 온 스테디셀러 / 세상의 편견을 뛰어넘은, 편지 형식 소설의 대명사

90 | 키다리 아저씨 2 —그 후 이야기 | 진 웹스터
미국 • 일본 • 한국에서 2차 창작된 작품의 속편 / 여성의 대외 활동을 고양시킨 사회적 걸작

91 92 93 | 피터 래빗 이야기 1~3 | 베아트릭스 포터
세상에서 가장 사랑받는 토끼 이야기 / 자연 보호와 동물 존중 사상이 담긴 작품

94 95 | 드라큘라 1~2 | 브램 스토커
지금까지 가장 많은 동명의 영화로 제작된 고딕 소설의 대명사
2004년 뮤지컬로 만들어져 브로드웨이 초연 이후 세계 각국에서 사랑 받아온 작품

96 97 98 99 | 카라마조프가의 형제들 1~4 | 표도르 도스토옙스키
신 • 종교, 삶 • 죽음, 사랑 • 욕망 등 인간 내면의 본성의 문제를 다룬 작품
정신분석학자 프로이트가 꼽은 세계문학사 3대 걸작 중 하나

100 | 하늘과 바람과 별과 시 | 윤동주 (양승갑 영작)
요절한 천재 민족 시인의 유고시집 / 대중성과 문학성을 겸비한 시인 김경주 추천작

101 | 정글북 | 러디어드 키플링
영미권 작품 최초, 최연소 노벨문학상 수상작 / 정글의 생명력을 담은 자연친화적 작품
가의 아버지 존 록우드 키플링이 직접 그린 삽화 및 기타 삽화가들 그림 삽입

102 | 거울나라의 앨리스 | 루이스 캐럴
난센스와 판타지의 대표작《이상한 나라의 앨리스》속편
거울 속으로 떠난 앨리스의 두 번째 모험 이야기

103 | 마테오 팔코네(메리메 단편선) | 프로스페르 메리메
프랑스 단편소설의 거장 메리메의 대표 단편선 / 비제의 오페라 〈카르멘〉의 원작자

104 | 빨강머리 앤 | 루시 모드 몽고메리
캐나다의 대표적인 소설가 몽고메리의 데뷔작 / 서울시 교육청 선정 청소년 권장도서
KBS TV '책을 말하다' 추천도서 / 일본 후지 TV 애니메이션 〈빨강머리 앤〉 원작

105 | 삶이 그대를 속일지라도(푸시킨 시선집) | 알렉산드르 푸시킨
러시아 리얼리즘 문학의 선구자이자 러시아 국민시인 푸시킨의 대표 시선집

106 | 도련님 | 나쓰메 소세키
일본의 셰익스피어 나쓰메 소세키를 인기 작가 반열에 올린 작품
'책으로 따뜻한 세상 만드는 교사들(책따세)' 권장도서
서울시 교육청 '청소년을 위한 고전 콘서트' 도서 / 서울대학교 지정 수능필독도서

107 | **은하철도의 밤(겐지 단편선) | 미야자와 겐지**

일본이 가장 사랑하는 동화작가 미야자와 겐지의 대표 단편선
일본 후지 TV 애니메이션 〈은하철도 999〉의 모티브

108 | **자기만의 방 | 버지니아 울프**

20세기 페미니즘 비평의 선구자 버지니아 울프의 수필집
국립중앙도서관 선정 권장도서 / 서강대학교 권장도서 100선

109 | **플랜더스의 개(위다 단편선) | 위다(매리 루이스 드 라 라메)**

멜로 드라마풍의 작품으로 유명한 영국의 아동문학가
서울시 교육청 선정 청소년 권장도서 / 일본 후지 TV 애니메이션 〈플랜더스의 개〉 원작

110 | **크리스마스 캐럴 | 찰스 디킨스**

셰익스피어와 함께 영국을 대표하는 작가 찰스 디킨스의 중편소설
책으로 따뜻한 세상 만드는 교사들(책따세)' 권장도서

111 | **탈무드**

5000년에 걸친 유대인의 지혜가 담긴 책 / 서울대학교 지정 수능필독도서
포스코 교육재단 선정 초등학교 필독도서 / 경북교육청 선정 청소년 권장도서
백인제기념도서관 교양도서

112 | **호두까기 인형 | 에른스트 호프만**

1892년 차이코프스키 발레 호두까기인형의 원작소설
2018 디즈니 애니메이션 호두까기 인형과 4개의 왕국의 원작소설

113 114 | **곰돌이 푸 1~2 | 앨런 알렉산더 밀른**

2018 영화 '곰돌이 푸 다시만나 행복해' 원작 동화 / 곰돌이 푸가 건네는 따뜻한 감성 메시지

115 | **인형의 집 | 헨릭 입센**

여성 평등을 그린 선구자적인 작품 / 페미니즘 희곡의 대명사 / 노벨연구소 선정 세계 100대 문학

* 더클래식 세계문학 컬렉션은 계속 출간될 예정입니다.